bien lu partout

Barry Schiff et Hal Fishman

Collection «Bien lu partout»

Titre original

The Vatican Target

Library of Congress Catalog Card Number: 78-21421

Édition française

Cible: Le Pape

Consultantes: Diane Karneyeff-Bisson
Francine Labelle-Jobin

Maquette de la couverture: Jacques Robert

ISBN: 2-7616-0034-7
Dépôt légal: 3e trimestre 1979
Bibliothèque Nationale du Québec

123456789 LBL 79 65432109

CIBLE: LE PAPE

traduction de
l'américain:

Jean Clouâtre

Beauchemin

Ce livre est dédié à ceux dont la vie a été perturbée par la menace et la réalité du terrorisme international et à ceux qui ont combattu ce fléau avec ingéniosité et un dévouement courageux.

Prologue

21h05, heure de Greenwich
Londres/22h05

Le contrôleur de Londres bâilla. Un bâillement généreux et exubérant. Il prit le temps nécessaire pour le savourer. Il plissa les yeux en regardant l'horloge au-dessus du rang de radars. Dans deux heures, il serait en congé pour trois jours. Il bâilla de nouveau. Cela l'irritait de se sentir aussi fatigué quand il savait très bien qu'une fois son travail fini, la randonnée en Mini Austin vers Ealing le réveillerait à coup sûr. Cela lui était arrivé à plusieurs reprises. D'après lui, les postes de nuit étaient de fichus casse-pieds. Il aurait voulu s'occuper de quelques avions de plus. Un peu plus de trafic aérien le réveillerait et retarderait le sommeil jusqu'à ce qu'il puisse en profiter.

Et ce genre d'accalmies pouvait être extrêmement décevant. Elles étaient trop souvent suivies de périodes effrénées d'activité sans une seule seconde pour penser à autre chose.

Comment allait-il occuper ses trois jours de congé? Il pensa à toutes les possibilités: une joute de criquet chez Lord's, une randonnée jusqu'à Cambridge pour rendre visite aux parents de Fran? La randonnée jusqu'à Cambridge était une sortie plaisante — l'idée de voir la mère de Fran refroidissait cependant son ardeur.

Tout à coup, le radar le ramena brusquement à la réalité.

Le vol n° 901 de Trans American laissait entendre le cri perçant du code 7500 pour un détournement.

Jésus Christ! Son coeur bondit dans sa poitrine. En avalant sa salive, toute pensée de joutes de criquet ou de randonnées à Cambridge s'évanouirent instantanément.

— Hallo, Trans Am 901, ici la tour de contrôle de Londres. Nous captons votre signal de détresse. Est-ce une communication internationale? À vous.

Du haut de ses trente-cinq mille pieds, une voix répondit immédiatement.

— Affirmatif. Nous sommes victimes d'un détournement. Il y a des hommes armés dans la cabine de pilotage. Je répète: nous sommes victimes d'un détournement.

Mais si le contrôleur de Londres avait pu voir dans la cabine du Boeing 747 Trans Am, il aurait été fort perplexe.

Les seuls occupants de la cabine étaient les deux pilotes et l'ingénieur de vol. On ne pouvait y voir aucun pirate de l'air, armé ou non.

Chapitre 1

2h17, heure de Greenwich
Quelque part au Moyen Orient/4h17

Le camion s'arrêta avec un léger crissement de pneus à un demi mille de la frontière. À l'intérieur de sa carrosserie de canevas, il y avait vingt hommes, tous lourdement armés. Ils prirent leurs armes et descendirent du camion, les crampons de leurs bottes faisant des bruits sourds sur la route. Ils savaient exactement quoi faire; ils s'étaient entraînés en prévision de ce moment précis. Dix d'entre eux prirent leur position sur le côté est de la route, les dix autres sur le côté ouest. Ils avancèrent. Ils étaient jeunes; ils se déplaçaient facilement, presqu'avec empressement, leurs yeux brillant d'anticipation.

Ils portaient des fusils M58P semi-automatiques fabriqués à Prague en août et septembre 1975. Les armes avaient été expédiées sur le cargo russe Volga, en provenance de Leningrad, avec un bref arrêt à Beyrouth avant de continuer son itinéraire vers Athènes, sa destination finale.

Chacun des hommes transportait deux cents rondes de munitions dans des cartouchières de l'armée britannique.

Un vent froid s'était élevé, mais les hommes en étaient à

peine conscients. Leur esprit, leur être entier était concentré sur leur but. Rien d'autre ne comptait. Ils savaient qu'ils faisaient face à de graves dangers mais ils les acceptaient sans questions. Le danger était le prix; la vie d'un homme ne comptait guère.

Ils marchèrent en silence pendant douze minutes, puis ils firent un arrêt. Le chef de chaque section parla brièvement. C'était le moment tant attendu. Les hommes acquiescèrent d'un signe de la tête, les lèvres serrées.

Ils quittèrent la route et se firent un chemin à travers le sable. C'était beaucoup plus difficile que de marcher sur la route; leurs bottes s'enfonçaient dans le sable incertain. Malgré le froid, la sueur ombra rapidement leurs chemises et perla sur leur front.

Ils approchèrent enfin de leur objectif.

Ils s'accroupirent et dégagèrent des grenades de leurs ceinturons, jouant nerveusement avec les détonateurs, scrutant la noirceur hostile.

Les chefs de section gesticulaient, pointaient du doigt, accentuaient, mettaient en garde. Les signes de tête se multipliaient. Ils comprenaient tous ce qui devait être fait. De profondes respirations dans l'air frais de la nuit; soudainement et pour la première fois, les jeunes hommes constatèrent à quel point l'air était frais et sucré. La face lumineuse d'une montre Rolex tictaqua jusqu'à la verticale.

Le chef éleva le bras.

Maintenant!

Ils bondirent en position, leurs mains dégoupillant les grenades. L'exécution fut splendide, exactement comme ils l'avaient répétée tant de fois dans le désert libyen. Mais avant même de pouvoir lancer leurs grenades, les fusils des adversaires crachèrent leur feu. Intenses et précises, les mitraillettes Uzi 9mm ratissèrent les dunes, les balles déchirant le sable et la chair. Un garçon de dix-neuf ans fut presque tranché en deux. Horrifié, il vit ses intestins sortir de son ventre comme des serpents fumants. Il voulut crier le nom de sa mère, mais les mots ne furent jamais prononcés; ses yeux s'ombrèrent et la vie fondit en lui. Un autre homme fut frappé comme il lançait sa grenade. Il tomba sur son fusil. Sa blessure était mineure: un trou à travers la chair de son épaule. Mais il fut incapable de s'éloigner de la grenade. Elle explosa, blottie contre sa cage thoracique. Il sentit sa poitrine s'effondrer et l'air froid de la nuit inonder l'intérieur de son corps. Il eut le temps de voir son sang gicler et s'imbiber dans le sable. En mourant, il découvrit que le bras qui lui faisait signe à six pieds de lui était le sien.

Ils tentèrent d'avancer et de renforcer leur attaque, comme ils l'avaient projeté. Mais l'embuscade était meurtrière. Vagues sur vagues de balles criaient dans la nuit à quelques pouces du sable. Demeurer vivant pendant quelques moments de plus était tout ce qu'ils pouvaient désirer. Ils maudissaient l'adversaire qui semblait savoir exactement où et à quel moment l'attaque devait avoir lieu.

Un chef de section fut atteint d'une balle en plein centre du front. Sa tête tomba à la renverse avec un craquement puis de nouveau vers l'avant comme si elle était posée sur une charnière. Son corps tressaillit puis devint immobile.

À la gauche, une demi-douzaine de jeunes téméraires essayaient d'avancer en ignorant les coups de feu. Ils avaient reçu ordre d'avancer et c'était précisément ce qu'ils comptaient faire, quel qu'en soit le prix.

Deux d'entre eux tombèrent avant d'avoir pu faire un mètre. Un autre fut coupé en deux un moment plus tard. Puis un autre. Les deux survivants se jetèrent frénétiquement sur le sable, en creusant désespérément une tranchée presque imaginaire.

Ils n'avaient aucun espoir de survivre. Ils se comptaient déjà morts. Ainsi soit-il. Seule la destruction de l'ennemi avait de l'importance. Tuer. Mutiler. Laisser sa marque. À bout de souffle, ils jappaient des demi-mots. Ouah! Là!

Un homme cria en se jetant sur l'ennemi. Il fut rempli d'une sorte d'exaltation, parce que tous ses problèmes étaient résolus; son existence sur terre était centrée sur ce seul moment. Il était libéré. Il ne ressentait plus ni peur, ni espoir. Seuls les quelques moments qui restaient avaient un sens. Le moment contenait une sorte de bonheur, une sorte de plaisir à défier l'inévitable. Il pourrait être descendu dans une fraction de seconde. Mais tant que la vie propulserait son corps, il continuerait. À bondir sur le sable. À faire feu sur eux. Il se savait atteint. Mais il ne ressentait aucune douleur. C'était comme si les balles n'avaient frappé que la partie mécanique de lui-même; son essence demeurait intacte.

Il s'approcha de l'ennemi. Il vit leurs visages. Jeunes, sans rides. Des visages comme le sien.

Il vit l'homme qui le tua.

Un gars robuste, aux cheveux bouclés. Sans casque. Le col ouvert. Ses dents blanches, égales, se serrèrent quand il enligna son ennemi.

S'emparer de son fusil devint soudainement le moment le plus important de toute l'histoire du monde.

Il réussit presqu'à s'en emparer.

Puis le monde entier devint un gigantesque kaléidoscope de couleurs: l'explosion ultime des sens, la plus grandiose des finales . . .

«Schmuck», renifla un des soldats israéliens en retournant son corps d'un coup de botte méprisant.

* * *

La réunion eut lieu tard le lendemain après-midi. Le lieu choisi était Zahlah, une petite ville libanaise à environ quarante kilomètres à l'est de Beyrouth, sur la route de Muristan. Vue de la route, la maison avait un air presque innocent; c'était en réalité une forteresse. Des gardes étaient postés derrière les fenêtres, scrutant patiemment, inlassablement le sol brûlé par le soleil. Ils étaient prêts à repousser toute attaque surprise; ils mourraient sans questions, pour protéger la vie des individus qui occupaient la maison: les membres supérieurs du groupe Black September.

Au second étage, dans une élégante salle de conférence aux murs lambrissés de teck et ornés de lithographies contemporaines, une douzaine d'hommes étaient assis à une longue table au dessus lustré. Quelques-uns d'entre eux portaient la tenue arabe traditionnelle, les autres ayant opté pour la tenue occidentale. Un homme portant un costume de coupe conservatrice à devant croisé, une chemise et une cravate unie, était assis à la tête de la table. D'âge moyen, il avait passé la majeure partie de son âge adulte à se battre contre Israël. Pendant les premières années d'existence de l'OLP, il avait combattu aux côtés d'Ahmed Shukairi; ce qu'il considérait comme les attitudes conciliatoires d'Arafat et de ses collègues l'avait cependant désillusionné pendant les dernières années. Son adhésion au groupe Black September était devenue inévitable.

La colère et l'impatience marquaient le contour de sa bouche et de ses sourcils. Il parlait dans le ton aigu de l'arabe palestinien.

— Onze hommes morts sur vingt; six blessés, deux gravement. Les maudits Israéliens étaient simplement assis là, à les attendre. Un massacre. Et qui a donné quoi, je vous le demande? Il jeta son regard sur les visages sombres et pensifs autour de la table. Personne n'osait répondre. A-t-on réussi un seul assaut sur l'ennemi? A-t-on accompli autre chose que de renforcer la croyance des Juifs dans leur supériorité innée?

— Mais Arafat croit que les incursions de frontières sont utiles...

— C'est un imbécile! Il donne de petits coups d'épingles insipides quand il faudrait des assauts majeurs, écrasants! Nos jeunes hommes répandent le sang de leurs veines dans le sable, et pour rien! Il frappa la table de son poing; les veines de son cou se bombaient. Messieurs, nous sommes à un point tournant. Les incursions de frontières, les bombardements occasionnels, les assauts aux touristes... ça n'accomplit rien. Le temps est venu de prendre une action décisive et productive. Revoyons un peu la situation. Israël a rapidement étendu ses postes dans les territoires conquis. Si nous ne les sortons pas de là au plus vite, il deviendra impossible de le faire; nous aurons perdu le combat à tout jamais. Le gouvernement israélien a même déclaré qu'il était contre la colonisation de ces terres occupées. Ils mentent effrontément! Il y a néanmoins des forces majeures à notre disposition. Presque le monde entier réclame le retrait d'Israël jusqu'aux frontières de 1967. Et n'oubliez pas que les États-Unis et l'Union soviétique exercent des pressions sur Israël pour qu'ils se retirent de *notre* pays.

— Avec un peu de succès, rétorqua un des hommes avec lassitude.

— Je suis d'accord. Mais il faut considérer la délicatesse de la situation présente. J'en ai conclu qu'avec les bons moyens, nous pouvons faire pencher la balance de notre côté et forcer les Israéliens à se retirer de la rive gauche! Du jour au lendemain!

— Et comment donc, questionna un homme corpulent, comptez-vous réaliser un tel miracle?

L'homme à la tête de la table étendit les bras comme pour saisir l'air avec ses deux mains.

— En prenant le monde, dit-il. Et en le secouant si fort qu'il devra *absolument* nous porter attention! Il regarda les visages sceptiques qui l'entouraient. Soyons réalistes. La mort de quelques athlètes olympiques et de quelques passagers aériens a eu un impact limité sur le monde en général. À Paris et à New York, ils lisent les nouvelles au petit déjeuner et trouvent tout cela épouvantable. Mais le lendemain, tout est oublié; la presse s'en charge. Je déclare donc qu'il faut voir le problème dans une perspective complètement différente. Demandez-vous un peu si le monde est vraiment inquiété par le problème palestinien? Est-ce que l'homme de la rue y pense seulement?

— Seulement si cet homme est un Arabe ou un Juif.

— Exactement! Voilà précisément la question. Pour les autres, la majorité silencieuse, la vie contient déjà assez de problèmes. Les taxes, leurs épouses, le marché du travail, le prix de l'essence, du café, du whisky. Pourquoi l'homme moyen devrait-il s'en soucier? Notre mission est donc de faire en sorte qu'il devienne lui-même impliqué et qu'il nous assiste dans notre combat.

— Comment?

— Par un enlèvement . . . un enlèvement avec une rançon: le retrait sans conditions d'Israël de la rive gauche.

Les expressions tournèrent à la déception. Ils espéraient une solution plus consistante.

— Les Israéliens ne se retireraient pas de la rive gauche si nous enlevions leur propre premier ministre ou la moitié de leur parlement.

— Très vrai.

— Alors...?

— Mais je crois qu'ils seraient obligés de se retirer si nous enlevions un personnage extraordinaire et si nous déclarions que sa vie dépendait de l'acquiescement d'Israël à nos demandes.

— Et qui avez-vous donc en tête, demanda ironiquement un autre homme, la reine d'Angleterre?

— Non, je parle d'une personne qui enflammerait l'opinion mondiale contre Israël si elle était victime de l'intransigeance israélienne. Toute parcelle de sympathie pour Israël disparaîtrait immédiatement dans le monde entier. Nous pourrions à tout le moins forcer le monde à devenir conscient de notre peuple. Messieurs, je parle de l'homme qui dirige la plus grosse organisation multinationale au monde, une organisation qui dépasse toutes les frontières et toutes les idéologies politiques, une organisation qui compte des centaines de millions de membres, d'innombrables billions de dollars. Cette organisation, Messieurs, est l'Église catholique! Et l'homme dont je parle est le Pape!

Pendant un moment, personne ne bougea, personne ne parla. C'était comme si la simple audacité de l'idée avait étonné l'assemblée complète.

Puis l'homme corpulent secoua la tête.

— Impossible! Comment pourrions-nous même l'approcher? En demandant une audience?

— Mais si c'était possible, murmura un autre homme, pensez aux conséquences.

— Exactement, répéta l'homme à la tête de la table. Nous devons employer des moyens extrêmes pour rendre le monde conscient des torts qui ont été faits à notre peuple. Et je vous soumets que nos buts seront atteints non seulement parce que les catholiques mais aussi parce que les peuples de tous les pays seront bien plus inquiétés par la sécurité du Pape que par Israël et la rive gauche de la Jordanie. Vous devez sûrement comprendre mon point de vue. Une pression énorme sera exercée sur Israël par les mêmes pays qui ont été ses alliés les plus sincères.

Je fais évidemment référence spécifique aux pays de l'Europe et, bien sûr, de l'Amérique. Il y a, mes amis, quelque 50 millions de catholiques aux États-Unis seulement — mais il y a moins de 4 millions de Juifs. Dans le monde entier, il y a plus de 500 *milliards* de catholiques, dont la plupart sont complètement dévoués au Pape. Des chiffres fascinants, n'est-ce pas?

— Oui, intrigants, répondit l'homme corpulent. Mais sans aucune valeur. Le problème est académique, pour la simple raison que nous ne pourrions jamais enlever le Pape. C'est une impossibilité totale...

— N'en soyez pas trop certain. Notre service de renseignements m'informe du fait que le Pape a l'intention de se rendre à San Francisco dans environ deux mois pour assister à la Conférence mondiale sur la population.

— Il voyagera par avion?

— Sans aucun doute.

— Vous proposez donc que l'on détourne l'avion.

— Exactement.

— Il n'en est pas question. Le service de sécurité sera incroyablement serré.

— Je persiste à croire que cela peut être accompli. Vous vous souvenez sans doute que Paul VI s'est rendu à New York en 1965 pour donner un discours devant l'assemblée des Nations unies. Vous croyez peut-être qu'il a voyagé à bord d'un avion privé. Pas du tout. Lui et son entourage ont pris un vol d'Alitalia. Son entourage occupait la section de première classe au complet — un arrangement qui, je suppose, fut considéré extrêmement modeste par le Vatican. Le voyage de retour se fit sur la ligne T.W.A. De toute façon, je crois savoir qu'on suivra fort probablement un plan semblable pour cette prochaine visite. Je crois cependant que cette fois-ci le voyage se fera sur la ligne Trans American puisqu'ils effectuent régulièrement le vol de Rome à San Francisco...

Chapitre 2

Le Vatican

Il fallait parfaitement équilibrer les pours et les contres. D'interminables conférences scrutaient les implications possibles et impossibles; d'innombrables questions furent posées; on considéra chaque point de vue, chaque débat, chaque proposition. Il s'agissait, après tout, d'un voyage intercontinental effectué par un personnage beaucoup plus important qu'un chef d'état; cet homme était un véritable dirigeant mondial. Les premiers ministres, les secrétaires d'état, les présidents et les vice-présidents du monde entier offrirent leurs conseils. On en vint finalement à l'unanimité: le voyage du Pape aurait lieu.

Le personnel secondaire se mit à régler les détails.

* * *

Warren J. Baumgarten, directeur des projets spéciaux de Trans American Airlines, se vit assigner la tâche de coordonner tous les aspects du voyage: de l'instant où l'entourage papal monterait l'escalier du 747 Trans Am jusqu'au moment où il descendrait à San Francisco. C'était une tâche monumentale mais Baumgarten pourrait la mener à terme. Il débarrassa son bureau de toute autre réquisition. Il s'y consacrerait à plein temps. Il se rendit à Rome, à Washington, à New York, à San Francisco pour vérifier, revérifier, consulter, arranger, discuter, demander. En quelques jours, ses dossiers prirent des proportions gigantesques, bourrés de lettres, de rapports, de télégrammes, de notes, de photographies et d'esquisses. Un individu consciencieux, méticuleux qui portait des costumes en flanelle grise et des chemises en coton d'Oxford, Baumgarten étudia chacun des détails du voyage avec un oeil pointé droit sur la possibilité d'une catastrophe. Il passa d'innombrables heures à penser à tout ce qui pourrait tourner au désastre; il élabora des plans d'action pour faire face à toutes les éventualités, d'une porte de cabinet de toilette bloquée jusqu'à une tempête de neige estivale fermant l'aéroport Fiumicino. Il consulta un designer new-yorkais, un homme élancé avec une abondante chevelure argentée, une veste de velours et des ongles longs, qui arpenta l'intérieur d'un 747 Trans Am, se murmurant à lui-même et faisant des esquisses sur le dos d'une enveloppe. Baumgarten lui expliqua que l'entourage papal occuperait toute la section de première classe; c'était d'une importance capitale de séparer physiquement cet espace du reste de l'avion. Aucune demande d'audience privée ou de séance d'autographes ne pourraient interférer avec le confort et la tranquillité du Pontife et de ses conseillers, ses cardinaux et le reste de sa suite. D'autres gestes de la tête, d'autres murmures, d'autres esquisses sur le dos d'enveloppes. Des paravents et des rideaux, riches mais simples, semblaient être la solution idéale d'après le designer qui fixa alors le plafond comme si l'inspiration lui était venue d'en haut. Il imagina un système de cordons soyeux pour créer «exactement le ton parfait d'intégrité ecclésiastique», sans occasionner d'altérations majeures à l'intérieur de l'avion. Avec un modeste soupir, il assura Baumgarten que ce serait «un absolu chef-d'oeuvre, superbement efficace mais magnifiquement sobre».

Il revint dans la même semaine avec des esquisses détaillées qui devaient être approuvées par la ligne aérienne, le Vatican et le Département d'État. À l'intérieur de la section de première classe, le Pape occuperait un appartement privé équipé d'un grand lit sur le côté droit de l'avion; le reste de la section comprendrait des places régulières pour les membres de l'entourage, le médecin du Pape et les agents de sécurité. Le plancher serait recouvert d'un tapis bleu pâle; un tissu coquille d'oeuf avec une fleur de lys dorée brodée en plein centre ornerait le lit du Pape. (Le Vatican avait déjà insinué que le Pape aimait s'entourer de couleur mais non d'une surabondance de décoration.) Les murs de l'avion seraient tendus de draperies bleues. «L'effet général», déclara le designer, «en sera un de sérénité conduisant à la plus profonde contemplation.»

Puis vint le choix d'un capitaine. La solution la plus simple aurait été de choisir l'équipage assigné au vol régulier. Mais il y avait peut-être un capitaine de Trans Am qui avait la séniorité et un intérêt poussé pour les affaires catholiques. Si oui, il serait simplement logique de laisser un tel homme piloter l'avion du Pape pendant son long voyage. Baumgarten parla au directeur des opérations aériennes. La réponse fut Walter Ives. Il semblait parfait. Un homme avec 25 mille heures de vol, à l'emploi de Trans Am depuis 1945, un pilote de 747 depuis 1973. Son équipage serait composé de Clifford Jensen, premier officier, et Joe Nowakoski, ingénieur de vol. Les dossiers fournirent les noms des hôtesses de l'air qui parlaient couramment l'italien. Fort heureusement, la plupart d'entre elles étaient aussi catholiques selon le bureau du personnel, même si une loi fédérale interdisait l'enregistrement de renseignements aussi personnels.

L'avion choisi pour le voyage était un Boeing 747SP, une version à longue-portée du jumbo jet, convenant parfaitement à la distance de 6,461 milles qui séparaient Fiumicino de l'aéroport international de San Francisco. L'avion n'avait que six mois d'usure. Il venait tout juste de subir une inspection périodique. À New York, une équipe de décorateurs transforma la section de première classe sous la supervision personnelle de Baumgarten accompagné du designer et d'un représentant du Vatican, un jeune homme sérieux et légèrement grassouillet habillé d'un costume noir et d'une chemise blanche. Le soir, l'avion s'envola vers Rome sur un vol régulier transportant un nombre normal de passagers (mais aucun en première classe). L'avion atterrit à Rome à 8h21, heure locale.

Le Pape partirait à 15 heures.

Pour la première fois en plusieurs semaines, Warren Baumgarten commençait à se détendre. Son travail était essentiellement accompli. Il ne resterait plus qu'aux acteurs principaux à faire leur entrée sur scène et à exécuter leur numéro.

Il examina l'avion une fois de plus pendant qu'il était stationné sur la piste de Fiumicino. Il se mit à la *place* du Pape et essaya de tout voir pour la première fois. Il fut impressionné. Il était évident qu'un individu avec une grande perspicacité et un goût exquis avait créé cet environnement. On avait pensé à tout — et tout avait été exécuté avec habileté, efficacité et goût. Warren Baumgarten se déclara satisfait. Il avait accompli sa tâche; il ne pouvait rien faire de plus. Il alla se détendre à son hôtel, en ayant soin de laisser des instructions très précises pour qu'on l'alerte dès l'arrivée du Pape. Tout, il en était certain, fonctionnerait maintenant sans accrocs, comme une minuterie réglée à la perfection. Il commanda un martini double, extra-sec.

* * *

Dave voulait entrer prendre un dernier verre.

— Il est passé deux heures, répondit Jane avec une belle nuance de fermeté.

— Mais la nuit est encore jeune, dit-il avec un air d'absolu non-dérangement.

Elle lui dit que la soirée avait été parfaite.

— Mais je suis très fatiguée.

Un dernier verre la revigorerait, selon Dave.

— Merci, dit-elle, mais je ne crois pas que ça irait.

— Mais pourquoi pas?

— Je te l'ai déjà dit.

La machine à charme se mit en troisième vitesse.

— Oui, mais écoute un peu, on ne peut pas terminer une si belle soirée comme ça!

— Tu veux dire, répondit-elle, sans m'avoir entre deux draps.

— Je n'aurais pas dit ça aussi crûment.

— Mais tu aurais voulu dire la même chose.

— Mais as-tu oublié que tout ce que j'ai demandé est un dernier verre?, ajouta-t-il avec une moue d'homme enfant — celle qu'il qualifiait sûrement d'irrésistible.

— Désolée, Dave. Il n'y a rien à boire dans la maison.

— Je me contenterais d'un verre d'eau et d'un tranquillisant. Ce n'est pas trop demander, j'espère?

Le vieux truc «question-réponse pour les faire parler». C'était trop familier, trop prévisible, comme un baratin de vendeur. Elle secoua la tête comme si elle voulait se convaincre qu'elle croyait ce qu'elle disait. Une autre fois. Merci beaucoup. Elle s'était amusée.

— Avec pas grand *chose*, murmura-t-il avec regret. Il lui téléphonerait plus tard.

— Extra, dit-elle. Elle entendit son soupir irrité, frustré. Elle avait carrément gâché sa soirée. Dave était constitutionnellement incapable d'essuyer un refus avec grâce. Elle pensa un instant lui dire qu'il lui rappelait beaucoup trop Frank. Trop beau, trop beau parleur — et beaucoup trop conscient de son habileté à déshabiller le sexe opposé.

Mais elle lui épargna ces détails. Il tourna sur ses talons et se dirigea vers sa Corvette. Elle referma la porte et attendit que le cri de ses pneus s'estompe dans la nuit avant d'entrer dans la maison. Plus tard dans son lit, Jane maudissait tristement le sort de l'avoir condamnée à perpétuellement attirer des hommes comme Frank et Dave. Une pensée déprimante. Les Frank et les Dave du monde entier étaient des profiteurs sexuels. Preneurs, jamais donneurs. C'était aberrant, décida-t-elle, qu'on laisse une personne se marier avant qu'elle puisse manifester la capacité de comprendre *la* grande vérité: vivre avec quelqu'un comportait beaucoup plus que des jeux sur un matelas. On devrait l'enseigner dans les écoles, se déclara-t-elle à elle-même.

«Le choix d'un partenaire est une des plus importantes décisions de notre existence; pourquoi les écoles ne conseillent-elles pas leurs élèves sur ce sujet?»

Elle sourit. Elle s'était posé la question à haute voix. Elle se parlait déjà à elle-même. C'était, disait-on, le premier signe... UNE JEUNE DIVORCÉE DEVIENT FOLLE...

Au diable tout ça, il aurait été bon — *bon* — de parler de tout ça avec sa mère...

Non! Elle serra les poings. Elle ne voulait pas y penser. Elle refusait de devenir dramatique et de sombrer dans la dépression. Il fallait combattre à tous les instants. Car cela n'était rien de plus qu'un peu de sel sur une plaie.

* * *

Dans le coeur de Rome, sur le trottoir de la via dei Fori Imperiali, un apprenti imprimeur du nom de Camenzulli et sa femme discutaient chaudement. Leur malentendu était né du refus catégorique de Signor Camenzulli de se rendre à Milan pour assister aux noces de Marcia, cousine de Signora Camenzulli. Signor Camenzulli affirmait qu'il ne connaissait pas cette fille, qu'il ne l'avait jamais rencontrée et qu'avec l'aide de Dieu il ne la rencontrerait jamais. Par ailleurs, sa femme ne l'avait pas vue depuis leur tendre enfance alors qu'elles s'étaient effrontément craché au visage. Si elles se rencontraient sur ce trottoir à cet instant même, l'une ne reconnaîtrait pas l'autre. Avec d'aussi bonnes raisons, Signor Camenzulli ne pouvait à aucun prix justifier la dépense considérable qu'entraînerait ce voyage à Milan pour assister aux noces d'une parfaite étrangère. L'argument lui semblait irréfutable. Il fut donc extrêmement étonné quand, sans autre avertissement, sa femme le gifla. Très fort. Furieux, Camenzulli sauta sur elle. Mais elle se gara vers la droite. En se déplaçant, elle se heurta à un homme d'âge moyen, vêtu élégamment. Perdant l'équilibre, l'homme s'effondra gauchement sur le pavé. On entendit le son désagréable d'un craquement.

Camenzulli s'élança au secours de l'homme.

— Êtes-vous blessé, Signor? Mes plus sincères excuses pour la conduite de cette vache qu'est ma femme...

Il fut surpris d'entendre l'homme répondre en anglais.

Camenzulli était peu éloquent dans cette langue, mais il comprit que l'homme s'était blessé gravement au bras.

— Je m'appelle Ives, expliqua l'homme. Il faut absolument que j'entre en contact avec Trans American Airlines...

* * *

Steven Mallory avait passé la majeure partie de la matinée assis sur un banc dans Hyde Park. La matinée avait été plaisante: quelques heures pour réfléchir et analyser, pour laisser son esprit explorer. Il se répétait qu'il aurait dû bouger un peu, mais il restait bien en place. Il fallait savourer le temps. Le précieux temps. Selon la loi de l'offre et de la demande, moins on en avait en réserve plus il prenait de valeur. Il se demandait ce qu'il ferait en ce même moment l'an prochain. Serait-il assis sur un autre banc dans un autre parc? Le mot parc prit pour lui le sens de pâture. En pâture. Il blasphéma doucement. Il ne voulait pas prendre sa retraite, merde.

Il paraissait plus jeune que l'âge qu'il rejetait amèrement. Il était évident qu'il s'était conservé en excellente forme. Ses traits étaient fermes, son regard centré. Grand et svelte, des femmes de tous les âges lui lançaient des regards approbateurs.

Un homme qui portait une veste de tweed s'était assis à ses côtés: il avait l'air d'un «gaillard» de soixante-dix ans. Ils échangèrent quelques banalités sur la magnifique température. L'homme lui dit que Mallory avait une consonance américaine; Mallory fit signe que oui. Le vieillard se leva alors tout d'un coup et se dirigea d'un pas énergique vers Marble Arch, Mallory le regarda s'éloigner. Détestait-il les Américains? Peut-être était-ce seulement sa façon brusque, typiquement anglaise: n'ayant plus rien à dire, il ne disait plus rien. Plein de bon sens quand on y pensait bien. Le monde somnolait sous trop de mots, dont la plupart avaient perdu leur sens...

Il se sourit à lui-même. La vieillesse qui apportait la sagesse.

La vieillesse. Fin du sourire. Incroyable et pas du tout plaisant de penser qu'il aurait bientôt soixante ans. Il devait y avoir une erreur statistique quelque part. Il ne pouvait absolument pas avoir vécu pendant six décennies, moins quelques mois ultra-précieux. Il s'était répété tant de fois qu'il ne sentait pas ses soixante ans. Il avait encore ses cheveux, une bonne partie du moins, et son corps était encore relativement ferme. Mais ceux qui inventent les règlements avaient décrété qu'il deviendrait une antiquité à l'âge de soixante ans, désormais incapable de piloter un avion . . .

Il se raidissait; il était resté assis trop longtemps sur ce banc. Il réalisa avec anxiété que plus d'une heure s'était écoulée depuis sa conversation avec l'homme à la veste de tweed. Passé l'heure du déjeuner. N'avait-il donc pas au moins le bon sens de savoir quand il fallait manger? Il pouvait presque entendre Nan avec son ton «tous les hommes sont des animaux» accompagné de son doigt accusateur. C'était étrange et un peu inquiétant de se rendre compte que ça lui devenait difficile de se faire une image mentale de son visage. Pourquoi? Bon Dieu, il connaissait son visage mieux que le sien. Et pourtant les détails lui échappaient maintenant. Il était obligé de se fier à des photographies. Mais elles n'avaient capturé que les instants, que des fragments de temps, quelques milliardièmes de la réalité.

Il se mit à marcher sur la pelouse. Sur Park Lane, il acheta la dernière édition du Standard. Avec un peu de chance, un spectacle l'intéresserait peut-être, un film ou une pièce de théâtre — quoiqu'il en doutait. Faisait-on volontairement des films et des pièces ennuyantes, ou était-il simplement devenu croulant? Est-ce que cela faisait aussi partie de l'approche de la soixantaine?

Il s'arrêta au comptoir de réception du Kensington Hilton pour prendre sa clé. Il y avait un message pour lui. «Appelez M. Potter. Urgent.» Les messages de Potter étaient toujours urgents. Le directeur de la tour de contrôle de Londres avait un sens inné de son importance dans les affaires du monde. Mallory monta à sa chambre, enleva ses chaussures et sa veste et défit sa cravate avant de placer l'appel.

Potter sembla soulagé par le seul son de sa voix. Un événement imprévisible s'était produit, un problème de nature extrêmement urgente. Le Capitaine Mallory piloterait le vol Rome-San Francisco de cet après-midi au lieu du vol Londres-Bahrain de ce soir. Il avait juste le temps de prendre le vol de British Airways vers Rome. Mallory demanda le motif de ce changement soudain. Le Capitaine Ives avait eu un accident, avisa Potter à bout de souffle. Un bras cassé. Il serait hors de circuit pendant plusieurs semaines. Il fallait trouver un remplaçant rapidement pour ne pas retarder davantage le vol.

— Je n'ai pas à vous expliquer, continua Potter, à quel point il est important que cet avion s'envole aussi près de son heure de départ que possible.

Mallory acquiesça en comprenant ce que Potter voulait dire.

— Jésus-Christ, c'est le vol du Pape.

Jésus-Christ? Il secoua la tête en se reprochant d'avoir choisi un juron aussi approprié...

* * *

Trente-cinq minutes après que Mallory eût raccroché, un téléphone sonnait dans un motel en banlieue de San Francisco. Le son surprit l'occupant de la pièce, un jeune homme de carrure robuste, aux cheveux noirs. Il s'était allongé tranquillement, en essayant de forcer son corps à se détendre. Mais il était encore tendu, ses muscles enroulés comme des ressorts. En décrochant l'appareil, il vit que ses mains tremblaient. Il serra, puis desserra les poings.

— Oui?

— Un changement à nos plans.

Il reconnut la voix.

— Quoi?

— Ives est hors combat. Blessé dans quelque accident stupide.

— Hors combat...

— Oui, un dénommé Mallory le remplace. Son adresse est 203 Welland Way, Walnut Creek. Prends un crayon et écris.

— Oui, ça va, j'ai compris...

— Le départ sera retardé. Je ne sais pas pendant combien de temps. Je t'aviserai. Oublie Ives. Il ne nous intéresse plus. Mallory le remplace. As-tu noté l'adresse? 203 Welland Way, Walnut Creek.

— Oui, oui, ça va. Je vous l'ai déjà dit.

— Très bien.

La communication fut interrompue.

Le propriétaire du motel était à l'écoute; il le faisait fréquemment quand la clientèle était rare. On ne savait jamais quand un détail saisi au vol pourrait devenir profitable. Mais la conversation qu'il venait d'entendre n'avait aucun sens précis pour lui; la langue utilisée lui était complètement étrangère. Les seuls mots qu'il avait pu comprendre étaient Welland Way et Walnut Creek. Frustrant. Un de perdu, dix de retrouvés. Dieu merci, l'appel suivant fut fait en anglais. Un anglais avec du style. Très précis. Très éduqué. Un appel placé par le numéro douze. Cette fois-ci on demandait à la téléphoniste le numéro du résidant de Walnut Creek. Le nom était Mallory. Un endroit charmant, Walnut Creek, même si le coût de la vie y était ridiculement élevé . . .

Quelques moments plus tard, la voix à l'accent précis composa le numéro à Walnut Creek.

Une femme répondit. Elle parlait avec une voix ensommeillée, comme si l'appel l'avait éveillée.

— Le Capitaine Mallory, s'il vous plaît.

— Je suis désolée. Il est en dehors de la ville jusqu'à jeudi soir, je crois.

Malgré les traces de sommeil dans sa voix, elle parlait bien, en appuyant sur la dernière syllabe de ses mots. Le propriétaire du motel aimait les gens qui avaient le respect de la langue.

— Est-ce que je parle à l'épouse du Capitaine Mallory?

— Non. Elle est . . . décédée. Je suis sa fille. Qui parle, s'il vous plaît?

— Un ami. Je rappellerai plus tard. Bonne journée.

— Je peux prendre un message?

Mais le numéro douze avait déjà raccroché. Presque effrontément. Mais à quoi pouvait-on s'attendre de la part d'un étranger? «À chacun sa façon», conclut le propriétaire du motel. «Y a-t-il dicton plus sensé?»

* * *

Jane bâilla. Ces imbéciles qui téléphonent avant huit heures du matin! Elle pensa se recoucher, mais elle changea d'idée. Puisqu'elle était réveillée, aussi bien en profiter. Elle se rendit à la cuisine et prépara du gruau et du café instantané. La radio n'offrait que de l'«acid-rock», du «country and western» et du Mantovani trop sucré. Rien de neutre. Tous les rapports de nouvelles parlaient d'un feu à Chicago et de la visite du Pape à San Francisco. Elle ferma la radio et se mit à écouter les grondements du réfrigérateur en se demandant s'il allait bientôt claquer; puis elle rouvrit la radio optant pour la station qui faisait tourner du Mantovani.

La température était maussade. Des nuages lourds et menaçants flottaient bas dans le ciel. «Une collection de merde», dirait son père pour décrire la journée. Comme tous les pilotes, il parlait sans cesse de la température. Il faisait des prédictions, se plaignait, parlait de fronts et de cumulo-nimbus, d'ouragans et de brume côtière. Quand elle était une petite fille, il avait été pour elle l'égal de Dieu. Il savait tout; il était beau, il avait été pilote de guerre et il avait ensuite piloté des Constellations pour Trans American. Mais en l'espace de quelques années, elle s'était rendu compte qu'il ne savait absolument rien des choses *réelles*, des choses qui *comptaient* vraiment. Mais la balance penchait de nouveau de l'autre côté. Il était *sage*. Et merveilleux. Un rocher de Gibraltar grisonnant. Il lui manquait; Dieu merci, il serait de retour dans quelques jours et il resterait plus d'une semaine. À vrai dire, elle ne passait pas beaucoup de son temps avec lui quand il était à la maison: c'était sa délicieuse présence qu'elle savourait. Se remarierait-il? C'était fort possible; il fallait être réaliste. Il était encore séduisant. Faisait-il la cour aux dames quand il voyageait? Elle essayait de l'imaginer. Des hôtesses de l'air? Des passagères? Ou fréquentait-il les prostituées et les salons de massage?

Mêle-toi de tes affaires, se dit-elle. Tu as l'esprit dévié. Ça ne te regarde absolument pas.

Ça me regarde, se répondit-elle à elle-même. S'il se remarie, j'aurai une belle-mère.

Elle respira profondément. Non, elle ne voulait pas y penser. Et la seule façon de ne pas y penser était de quitter la table et de s'occuper.

Elle prit une douche et s'habilla.

Elle rangeait la vaisselle du petit déjeuner quand elle entendit un camion dans la rue. À travers la fenêtre de sa cuisine, elle le vit s'approcher du garage. Toby jappa.

Un camion du magasin Sears.

Elle n'avait rien acheté chez Sears. Ils se trompaient sûrement de maison. De la rue, on ne distinguait pas la moitié des adresses; les livreurs se trompaient continuellement.

Elle se regarda machinalement dans le miroir avant de répondre. Elle replaça ses cheveux courts, se mouilla les lèvres. Son chemisier à carreaux était boutonné assez haut.

Le livreur était un homme au teint bistré avec une petite cicatrice au menton.

— 203 Welland Way? Mallory?

— C'est exact...

— Nous avons un classeur pour vous.

— Un quoi? Il doit y avoir erreur...

— Un classeur. Commandé par... Il consulta son bon de commande... par S. Mallory.

Il avait un accent mexicain.

— S. Mallory est mon père. Elle sourcilla. Très bien, ça doit être exact. Il ne m'en a pas parlé.

— C'est une commande téléphonique, répondit l'homme, comme si ça devait tout expliquer.

— Je vois.

— Pourriez-vous tenir la porte ouverte pendant que nous le déplaçons.

Un deuxième homme se tenait à l'arrière du camion.

— Ça va, lui dit Jane. Aussi bien le transporter dans son bureau. C'est en bas, ajouta-t-elle, en indiquant l'escalier au bout du corridor.

L'énorme boîte que transportaient les hommes lui fit penser à un cercueil.

Toby entra dans la maison en sautillant. Elle lui dit de se tenir tranquille. Obéissant, il s'assit immédiatement à ses côtés et se mit à renifler en direction des deux étrangers, sa longue langue pendant sur le bord de sa mâchoire.

— Nous allons le déposer ici pendant quelques instants, dit le premier homme quand ils furent dans le corridor.

— Ici? Premier son d'alarme.

Tout se produisit si incroyablement vite. Ils laissèrent tomber la boîte et fermèrent la porte à coups de pieds.

Toby se précipita sur eux en grondant et en montrant les dents.

Un des hommes sortit un revolver de sa poche. Il tira. Le coup arracha la tête de Toby. Les murs blancs furent éclaboussés de rouge. Toby devint un gâchis obscène qui frétillait et giclait le sang sur le plancher recouvert de tuiles.

Le revolver fit peu de bruit: à peine plus qu'un tire-pois. Mais une odeur de cordite imprégnait l'air.

Un instant de doute. Elle rêvait. C'était impossible. Ce genre de chose ne faisait pas partie de sa vie.

Puis des doigts encerclèrent son bras. Des doigts comme des pinces d'acier.

— Pas de folies. Nous ne voulons pas d'ennuis. Compris?

Elle les fixa. Un cri s'éleva dans sa gorge. Mais il ne fut jamais émis. Une main couvrit sa bouche et aplatit sa tête sur le mur. L'homme avec la cicatrice au menton était très près d'elle.

— Silence, dit-il. Sois tranquille et tout ira bien.

L'homme au revolver s'élança dans le corridor et disparut dans l'escalier.

— Est-ce que tu es seule? Dis-moi la vérité.

Elle fit signe que oui. L'idée ne lui était même pas venue de mentir.

Elle fixait le corps de Toby. C'était vrai. Tout était vraiment arrivé.

Elle sentit les larmes lui monter aux yeux. Le visage de l'homme devint imprécis. En respirant, elle pouvait sentir la chair de sa main. Elle essaya de se dégager mais c'était impossible. Sa poigne était solide. Seigneur, c'était donc ainsi. La destruction, la violence. Le meurtre. Derrière elle sur le mur, un cadre, qui contenait une des gravures de Bartlett et qui avait appartenu à sa mère, tomba. La vitre éclata sur le plancher.

Le son détruisit les derniers fragments de son sang-froid. Elle se débattait désespérément, follement. Elle réussit à dégager sa bouche pendant un instant. Des mots et des halètements en sortirent. Elle essaya de se précipiter vers la porte avant.

L'homme la rattrapa et la gifla fort en frappant sa tête contre le mur.

— Ne sois pas idiote! Nous pouvons te tuer comme nous avons tué la bête. Mais ce n'est pas nécessaire. Tu comprends ça, n'est-ce pas?

Elle se sentit faire signe que oui. Mais elle pouvait à peine voir l'homme à travers ses larmes de terreur.

Elle réussit à prononcer:

— Je n'ai pas d'argent.

Il l'ignora. L'autre homme revint et se mit à vérifier le premier étage. Ils échangèrent des mots incompréhensibles.

— Entre là-dedans.

Il indiqua la boîte qui contenait supposément un classeur. Le couvercle avait été enlevé. Elle était vide; il n'y avait pas de classeur à l'intérieur. Ce n'était pas un carton, c'était une boîte en bois dont le fond était parsemé de copeaux et de pièces de bois.

— Là-dedans? Sa voix grinça. Sa gorge semblait se contracter.

— Oui, là-dedans.

— Pourquoi, mais pourquoi donc?

Le second homme s'empara d'elle. Il avait un morceau de ruban adhésif dans une main. Elle fit un mouvement de côté. Sa casquette tomba de sa tête; il était presque chauve. Elle essaya de fuir. Sa main attrapa son épaule, mais elle se défila. Elle glissa sur le plancher ciré et se foula la cheville gauche. Elle tomba, une main sur le corps encore chaud de Toby.

Elle essayait désespérément de se relever. Elle se tenait sur un genou quand un poing la frappa en pleine figure. Elle entendit un craquement sonore à l'intérieur de sa tête. Pendant un instant, il lui sembla ne pas être rattachée au reste d'elle-même. Sa vision baissa. Ses jambes fondirent.

En tombant, elle accrocha le guéridon que sa mère avait acheté à Washington un an avant sa mort. Une plante verte s'écrasa sur le plancher.

— Chienne!

Elle les sentit la prendre et la traîner.

Ils la retournèrent sur son dos; sa tête frappa la tuile. Elle ouvrit les yeux. Le ruban adhésif était serré sur sa bouche. Un autre morceau ligotait ses poignets.

L'homme chauve était penché sur elle et pointait son revolver dans son visage.

— Je ne me répèterai plus! Elle cligna des yeux en sentant ses postillons l'atteindre en plein visage. Je ne veux pas te tuer, mais nous n'hésiterons pas si ça devient nécessaire. Compris?

— Non, s'il vous plaît. Sa bouche prit la forme des mots, mais les mots ne franchirent pas le ruban adhésif.

Un homme s'empara de ses pieds, l'autre de ses épaules.

— Nous allons te placer dans la boîte pour que tu ne sois pas à la vue des voisins. Compris? Maintenant plus d'ennuis. Nous ne voulons pas te tuer, mais nous le ferons si c'est nécessaire. Tu es un beau brin de fille et nous aimons mieux te voir comme ça. D'accord?

Cela lui semblait presque raisonnable. Des rafales de supplications cascadaient dans sa tête. Elle voulait vivre. Elle ferait n'importe quoi à condition qu'ils la laissent vivre.

Ils la soulevèrent et la placèrent dans la boîte. Sa tête heurta la froide solidité du bois.

Calmement, Scarface dit:

— Maintenant nous allons mettre le couvercle. Pour un instant seulement. Quand nous serons à l'intérieur du camion, nous l'enlèverons. Promis.

Et puis tout devint noir. La peur — une peur pure et aveuglante — filait le long de ses nerfs et de ses muscles. Elle poussa sur le couvercle, mais il ne céda pas.

— Jésus-Christ... Oh mon Dieu... Elle entendait des cris en elle.

Son corps lui sembla momentanément détaché d'elle-même: une masse inanimée qui bondissait sur les parois de la boîte qu'ils transportaient. Et si ce n'était que des mensonges, et s'ils n'enlevaient jamais plus le couvercle! Et s'ils étaient des désaxés! Et s'ils la violaient, s'ils l'enterraient vivante! Si seulement elle avait pu crier... immédiatement. Mais elle en était incapable. Tout effort était inutile. Crier n'aurait, de toute façon, aucun effet. Et même si Mrs. Levinson ou Marg Swann l'entendaient, que pourraient-elles faire? Que pourraient-elles faire? Non... il lui fallait croire les deux hommes... il fallait faire ce qu'ils demandaient. C'était son seul espoir. Ils étaient impitoyables et totalement décidés. Toby en était le meilleur exemple. Ils l'avaient tué de sang-froid. Mais pourquoi? Qu'est-ce qui lui arrivait...?

Un bruit sourd. La boîte redevint immobile. Un instant plus tard, elle entendit le bruit d'un moteur qui démarrait... puis elle sentit le mouvement du camion.

Jésus, ils l'avaient oubliée! Ils avaient promis d'enlever le couvercle une fois dans le camion! Elle suffoquerait! Il n'y avait presque pas d'air dans cette petite boîte...!

Elle attaqua le couvercle avec ses poings.

Surprise, elle vit le couvercle se déplacer immédiatement.

— Pas besoin de frapper. Je t'avais dit qu'on l'enlèverait.

Scarface.

Elle resta immobile, à le regarder, consciente que ses yeux parcouraient son corps. Elle s'assit. Il enleva le ruban adhésif de sa bouche.

— Mais pas de cris, ou je le replace. Compris?

Il s'agrippa à un des montants avec une main alors que le camion effectua un virage. Il lui tendit son autre main. Elle la prit. Il tint sa main plus longtemps que nécessaire en l'aidant à sortir de la boîte.

— Es-tu Mexicain?

Il sourit en secouant la tête.

Chapitre 3

17h11, heure de Greenwich
Rome/19h11

Warren Baumgarten attendait Mallory à la barrière British Airways de Fiumicino en faisant les cent pas d'une manière singulière et mécanique. Son visage était crispé par l'inquiétude.

— Dieu merci, vous êtes là . . . Le vol accuse déjà un retard de quatre heures!

Mallory se sourit à lui-même; la plupart des gens ressentent une vague satisfaction à voir un gérant en panique.

— J'ai pris le premier vol disponible.

— Mais évidemment, Capitaine. Je ne voulais rien insinuer; c'est simplement que tout avait été si superbement organisé . . . tout.

— Et comment va Ives?

— Ives? Baumgarten dut prendre un moment de réflexion. Bien, bien, un bras cassé, je crois. Il est tombé sur le trottoir. Croyez-vous, enfin je veux dire, pouvez-vous croire qu'une telle chose puisse se produire en un tel jour? S'il s'agissait d'un vol ordinaire, ce serait évidemment hors de question; les capitaines ne tombent pas sur les trottoirs en se cassant les bras dans le cours normal des damnés événements! Il semblait aigri par le sort qui lui avait été réservé.

Ils traversèrent l'aérogare.

— Est-ce que le Pape est ici?

Baumgarten épongea son front et secoua la tête; une mèche de cheveux tomba sur son oeil gauche.

— Non, pas encore. J'ai dû appeler le Vatican et expliquer ce qui s'était produit. Diablement gênant... Le monde *entier* nous regarde!

— Et les journaux et la télévision?

— Les rapaces, dit Baumgarten avec émotion. Une vraie nuée de sauterelles; et les gens des relations publiques ne savent plus quoi leur dire. Tout me retombe sur les épaules. Croyez-moi, j'ai dû m'occuper de *tous* les aspects de *toute* cette affaire. Nous avons déclaré que le vol a été retardé pour des raisons techniques; sans élaborer et sans intention de le faire, ajouta-t-il catégoriquement.

Mallory rencontra ses hommes de bord dans le bureau des opérations: Jensen, le second et Nowakoski, l'ingénieur de vol. Des visages familiers: Jensen, la mi-trentaine, un homme équitable, intense et sérieux aux traits anguleux; Nowakoski, un peu plus jeune, silhouette trapue, visage robuste, une bouche pleine d'humour. Mallory avait déjà travaillé avec eux plusieurs fois, mais il les connaissait très peu. C'était toujours ainsi parmi les équipes de vol. Elles changeaient constamment; on pouvait passer des années sans voir un certain ingénieur ou un officier ou on pouvait se trouver à ses côtés pendant plusieurs mois de suite.

Les pilotes échangèrent les mots d'usage. Heureux de se revoir. Quel drame pour Ives. La température s'annonçait excellente.

— Vous seriez gentils, Messieurs, annonça Baumgarten, de me rencontrer dans mon bureau dans trente minutes. J'ai aussi convoqué le personnel de bord. Une petite réunion très importante avant un voyage comme celui-ci. Quelques mots, quelques questions; je veux m'assurer que tout le monde a le même portrait en tête.

Baratin administratif, pensa Mallory. Le portrait était simple: ils allaient piloter un avion jusqu'à San Francisco, nourrir et s'occuper de quelques centaines de passagers, dont un personnage très important et très célèbre. Le voyage n'était, après tout, qu'un autre vol; la marge d'erreur était cependant très différente.

— Capitaine, Baumgarten toucha le bras de Mallory. Pourriez-vous m'accompagner pour un instant, j'aimerais vous présenter M. Cousins.

— Qui est-ce?

— Service secret, répliqua Baumgarten, en baissant le ton. Sécurité routière.

Mallory acquiesça d'un signe de tête. Ce n'était pas surprenant. Quand un personnage important se déplaçait par avion, des agents de sécurité l'accompagnaient en se faisant passer pour des passagers ordinaires et en essayant d'avoir l'air le plus possible d'agents d'assurance — ce qu'ils étaient finalement. Leur présence sur ce vol était donc normale.

Cousins était un homme costaud, à l'allure débrouillarde, avec un sourire chaleureux et une poignée de main solide.

— Enchanté de vous connaître, Capitaine.

Très copain-copain. Mais, à vrai dire, Cousins scrutait probablement le visage de Mallory, cherchant assidûment des signes suspects. Les agents de sécurité n'aimaient pas les changements de dernière minute. Et on ne pouvait pas leur en vouloir pour ça. L'échange Ives-Mallory avait sans doute provoqué des appels d'urgence et des vérifications ultra-rapides de dossiers. Mallory se sentait un peu épié. Mais Cousins avait toujours le même sourire.

— Nous serons cinq. Maddox, Greene, Josephs, MacDonald et moi-même. Nous voulons nous disperser assez également à travers l'avion. J'aimerais voyager dans la cabine de pilotage si vous n'y voyez pas d'inconvénient.

— D'accord, dit Mallory. Il songea aux conséquences d'un refus catégorique.

— Greene et Maddox occuperont des places en première classe, en d'autres mots avec l'entourage papal. Tout a déjà été réglé avec le Vatican évidemment.

— Et M. Baumgarten? demanda Mallory innocemment.

Avec grand sérieux, Baumgarten répondit que le Service Secret l'avait consulté.

Cousins continua:

— Josephs et MacDonald se mêleront aux passagers, un vers l'avant de l'avion, l'autre à l'arrière. Et nous sommes équipés d'un système de communication très efficace. Regardez un peu. Il releva le poignet de sa chemise et révéla un petit microphone collé à son poignet. Le fil monte le long de mon bras et se rend jusqu'à un émetteur-récepteur fixé dans le creux de mon dos. Inconfortable mais fort pratique à certains moments. Puis il indiqua son oreille droite. Vous pensez peut-être que je suis un peu sourd. Ce n'est pas tout à fait un appareil auditif, mais il me permet de recevoir des messages des autres agents. Nous serons tous les cinq en contact continuel pendant tout le voyage. Et nous sommes armés, évidemment.

— Avec quelle sorte d'armes?

— Des Magnums 357, répondit Cousins. Avec des balles à tête vide.

Mallory grimaça. Cousins sourit; il avait une attitude étrangement joviale pour un représentant de la loi.

Mallory ne se sentait jamais tout à fait confortable quand il y avait un arsenal de revolvers à bord. Un avion était un lieu incongru pour une fusillade, même s'il n'était pas aussi vulnérable qu'on le croyait généralement. Le mythe populaire voulait qu'un trou dans la paroi d'un avion pressurisé entraîne immédiatement sa destruction. Ce n'était pas exact. Les soupapes compenseraient un tel changement de pression. Mais il était cependant possible qu'une balle frappe un endroit vital et réduise un avion de 40 millions de dollars à une masse informe de métal.

Mais un dirigeant mondial avait besoin d'une protection spéciale.

— J'espère que vous ne vous attendez pas à des contretemps pendant ce vol. Y-a-t-il eu des menaces?

Cousins haussa les épaules.

— Il y a toujours des menaces. Des appels anonymes: «je vais descendre le Président ou Elizabeth Taylor» ou qui encore. De la foutaise dans 99 pour cent des cas. Le problème c'est qu'il y a toujours la possibilité de *l'appel*. Le monde est plein de gens étranges. Une bonne soeur a peut-être coulé un de ses élèves en 1949 et trente ans plus tard, le gars décide de se venger en descendant le Pape. Je ne veux pas dire que cela va se produire, ni même que ça pourrait arriver. C'est possible, c'est tout. Mais nous sommes là pour assurer que cela ne se produira pas.

— J'essaierai de me souvenir de baisser la tête quand débutera la fusillade.

Cousins se mit à rire.

— Non, non, ce sera sûrement un voyage paisible, Capitaine. Le seul problème, d'après moi, sera de rester éveillé pendant toute la traversée. Pendant combien de temps volerons-nous?

— L'ordinateur prédit douze heures, six minutes.

Intéressé par le fonctionnement de l'avion, Cousins demanda combien d'essence serait nécessaire.

— Nous allons décoller avec cinq réservoirs pleins, lui répondit Mallory. Ce qui fait plus de quarante-sept mille gallons. Mais notre consommation estimée d'essence est d'environ 37 mille 200 gallons, à une ou deux pintes près.

— Merde, dit Cousins, impressionné. Il sourit largement. Je suis content de ne pas avoir à payer ce compte-là. Eh bien, Capitaine, nous ne vous retiendrons pas davantage. Nous allons monter à bord et nous occuper de nos affaires comme tous les autres passagers.

— À moins d'un problème.

— Il n'y en aura aucun, dit Cousins. Je le sens dans mes os. Ce sera un voyage calme et plaisant. Enfin, qui serait assez dépravé pour vouloir menacer le Pape?

Mallory s'était posé la même question.

* * *

Vernon Squires était furieux.

— J'exige une place en première classe!

Troublé et gêné, l'agent ne pouvait que secouer la tête.

— Je suis vraiment désolé, M. Squires... vraiment désolé. Mais, voyez-vous, toute la section de première classe a été réservée pour le Pape et sa suite.

Avec une voix de stentor, Squires signifia qu'il était déjà au courant de la situation.

— Il est inutile de me répéter les faits. Règle générale, je comprends toujours dès la première fois. On ne pourrait malheureusement pas dire la même chose de votre compagnie.

— Oui, Monsieur, je suis désolé, Monsieur... mais, voyez-vous, je ne peux vous aider d'aucune manière.

— Mon producteur a acheté un billet de première classe de votre compagnie il y a trois mois. En retour, j'espère être assigné à une place en première classe.

— Mais voyez-vous Monsieur, la suite papale...

— La suite papale ne m'intéresse absolument pas. Ils ont leurs problèmes et j'ai les miens. En ce moment, il me semble que mon problème est d'obtenir que votre compagnie honore ses obligations.

— Monsieur...

— Je suis, déclara Squires, un passager régulier de votre ligne aérienne. Je n'exige aucune considération spéciale en retour, mais je m'attends à une politesse de base, aux simples actes de confiance qui sont l'épine dorsale de notre système commercial. Quand j'achète un billet de première classe, je m'attends à une place en première classe.

— Bien sûr, Monsieur, mais voyez-vous, les arrangements spéciaux pour la suite papale ont été faits *après* l'achat de votre billet. Nous avons essayé d'entrer en contact avec vous, Monsieur...

— Je tournais dans l'Himâlaya.

— Eh bien, Monsieur, c'est sûrement pour cela que nous n'avons pu vous contacter. Ce serait un plaisir pour nous de vous donner une place en première classe sur le vol de votre choix, Monsieur. Sur celui-ci c'est absolument impossible.

— Savez-vous qui je suis?

— Oui Monsieur, vous êtes Vernon Squires. L'acteur. J'ai vu

plusieurs de vos films... Dans votre plus récent, vous avez joué le rôle d'un professeur coléreux...

— C'est un rôle, interrompit Squires, qui m'est venu assez naturellement. Certains acteurs aiment voyager. Ils adorent être reconnus en public; ils adorent répondre sans cesse aux mêmes questions idiotes; ils adorent signer des autographes pour Tante Emma de Madison, Wisconsin. Pas moi. J'ai horreur de ça. En général, je trouve la race humaine laide et inintéressante. Je préfère infiniment plus être en ma propre compagnie. Lorsque ma profession exige que je voyage, je prends toujours une place en première classe où, avec un peu de chance, il est possible d'avoir un peu d'intimité. J'exige même qu'on l'inscrive dans mes contrats. J'ai donc un billet, un billet de première classe, acheté il y a plus de trois mois. En échange, j'exige une place de première classe jusqu'à San Francisco.

— Nous vous remettrons la différence en argent comptant, Monsieur.

— Je ne veux pas d'argent, je veux ma place en première classe.

— Je suis désolé, Monsieur. Mais c'est impossible.

— Ce n'est pas impossible, répliqua Squires avec une grimace terrible. C'est une injustice monstrueuse.

— Désolé, M. Squires, dit encore l'agent.

L'acteur soupira. Exactement le même soupir que l'agent se souvenait avoir entendu dans «Mission à Calcutta» où Squires jouait le rôle d'un génie criminel. Les soupirs, tendus et saccadés, précédaient toujours un meurtre.

— L'avion doit évidemment être rempli.

— Oui Monsieur, presque.

— Ce n'est donc pas possible d'avoir une rangée complète à ma disposition.

— Non, Monsieur.

Un autre soupir.

— Très bien, alors donnez-moi une place dans la section réservée aux fumeurs.

L'agent grimaça.

— Je suis désolé Monsieur, mais vous vous présentez un

peu tard à l'enregistrement...

— Parce que j'ai déjà mon billet, répliqua Squires sur un ton strident.

— Oui, Monsieur. Eh bien, continua l'agent, les places réservées aux fumeurs sont toutes prises. Monsieur, je peux vous assurer que...

— Et moi je peux vous assurer, déclara Squires, que le président de votre compagnie sera informé de tout ceci. Mais ne vous en faites pas, ajouta-t-il, je ne jetterai pas le blâme sur vous. Ce n'est pas votre faute. Vous ne faites que suivre des ordres. Et ça, dit-il en prenant ses valises et son billet, c'est l'excuse dont on s'est servi à Nuremberg.

— Monsieur? demanda l'agent, dérouté. Trans Am ne se rend pas à Nuremberg.

* * *

La foule s'était rassemblée pendant des heures; certains groupes avaient même passé la nuit près de l'aéroport afin d'avoir une meilleure vue du Saint-Père, lors de sa montée à bord de l'avion qui l'amènerait en Amérique. Plusieurs gens avaient amené des enfants dont plusieurs étaient trop jeunes pour saisir le sens de ce qu'ils allaient voir. Mais leurs parents considéraient une telle occasion unique, un souvenir à chérir pendant plusieurs années. Dommage qu'il y ait un retard. Ils harcelaient les policiers — les *carabinieri* — afin de savoir quand la suite papale arriverait et à quelle heure l'avion s'envolerait pour l'Amérique. Mais personne ne semblait le savoir. La réponse de base consistait à dire qu'on ne pouvait donner de renseignements pour des raisons de sécurité.

— Mais ce sera bien ce soir?

— Oui, vous pouvez en être certain.

— Et est-ce que le Saint-Père passera ici?

— Absolument.

Ceux qui connaissaient un peu la disposition de l'aéroport avaient choisi un endroit à proximité du troisième tournant, juste avant la remise des monte-charge. C'était un endroit souvent réservé aux personnages de marque.

* * *

Dans les bureaux de Trans Am, six téléscripteurs faisaient entendre leur cliquetis intermittent et laissaient pendre leurs longues langues de papier jaune. À travers la fenêtre, on voyait l'avion papal qui attendait, serein et beau, sa peau métallique ruisselante sous les couleurs du soleil couchant. Les véhicules de service rayonnaient autour du 747 comme des parasites mécaniques. Le long tapis rouge était déjà en position. La température était clémente; les conditions atmosphériques n'exigeaient pas que le Pape monte à bord de l'appareil sous un dais. Les photographes l'immortaliseraient.

Le gérant de la station Trans Am sourit avec lassitude en remettant un porte-documents à Mallory. Il aimait normalement passer quelques instants avec chaque capitaine pour échanger les nouvelles mondiales. Aujourd'hui, il n'avait que le temps de souhaiter bon voyage à Mallory; puis il retourna en vitesse à la coordination et à la préparation des repas, des rafraîchissements, l'approvisionnement en savon et en papier hygiénique, le courrier et la cargaison, la vérification de l'essence et des cabines. Le voyage d'un personnage aussi illustre que le Pape engendrait déjà assez de problèmes; retarder un tel vol frôlait le cauchemar.

Mallory et Jensen étudièrent le trajet du vol. L'ordinateur IBM 370-168 de la compagnie l'avait préparé, en sachant que l'appareil effectuerait le vol Rome-San Francisco en passant à travers presque sept mille milles de vents et de températures différentes à un poids sans cesse décroissant. L'ordinateur avait intégré cette information à des données pré-programmées détaillant la performance de l'appareil et prit moins d'une minute pour calculer la route qui représenterait le plus court temps de vol — et qui serait donc la plus économique. De plus, l'ordinateur fut une véritable corne d'abondance d'informations techniques, donnant littéralement l'historique du vol avant même le départ de l'avion. La longue feuille de papier informait aussi les pilotes de la quantité d'essence qui resterait dans les réservoirs quand l'avion arriverait à destination, disait combien pèserait l'avion à son départ et à son arrivée, combien d'essence l'avion consommerait pendant le voyage, donnait la durée précise du vol, indiquait l'effet que les vents auraient et la température moyenne prévue durant le vol. En colonnes ordonnées, l'ordinateur séparait aussi le voyage en étapes, en donnant les points de contrôle le long du trajet et la longueur de chaque étape en milles nautiques, le nombre cumulatif de milles depuis le départ, l'altitude idéale pour chaque étape, les températures prévues pendant le vol, les vents, le temps de vol de chaque étape, les durées cumulatives, la quantité d'essence consommée pendant chaque étape et la quantité d'essence qui resterait à la fin de chaque étape. Les navigateurs n'avaient plus à faire de calculs interminables; l'ordinateur faisait tout pour eux.

Mallory, comme la plupart des pilotes vétérans, avait douté des trajets préparés par ordinateur quand on commença à s'en servir. Il s'était converti peu de temps après; toutes ces rangées de données s'étaient avérées continuellement et phénoménalement exactes.

Il consulta le dossier sur la température préparé quelques instants plus tôt par l'*Aeronautica Militare Servizio Meteorologico* de Fiumicino. Son ignorance de l'italien n'était pas un handicap puisque les diagrammes de la météo employaient des signes internationaux compris par les pilotes du monde entier. Les diagrammes Millibar Prognostic 200 et 250 étaient d'un intérêt particulier. Il étudia les courbes isobares qui traçaient des lignes gracieuses sur les diagrammes en cherchant des zones troubles — des orages, des changements de température, des données troposphériques — enfin tous les indices de turbulence. Rien n'avait l'air trop complexe. Il y avait une bande de mauvaise température, un front très froid qui s'étendait du sud de la Norvège jusqu'au sud des Açores. Heureusement, le vol 901 ne sentirait pas les effets des coups de vent produits par ce front; il les survolerait. D'autres fronts étaient parsemés à travers le diagramme de l'hémisphère nord mais aucun d'eux n'empêcherait

Mallory de faire jouir le Pontife d'un vol doux et tranquille jusqu'au nouveau monde.

— Pas mal du tout, murmura-t-il sur un ton approbatif.

Jensen fit un signe familier et sérieux.

— Très bien Steve. J'en avise l'ATC. (Air Traffic Control).

* * *

Clifford Jensen, le second du vol 901, tapait impatiemment des doigts sur la vitre de la cabine téléphonique. Qu'est-ce qui se passait avec sa communication? Pour l'amour de Dieu, il n'avait pas de temps à perdre. Il n'entendait qu'une succession de déclics et de grattements et une sonnerie incessante en arrière-fond.

Il entendit enfin la voix de Ginnie.

— Cliff? C'est toi Cliff?

— Oui, Qu'est-ce qui se passe?

— Il est revenu, dit-elle. C'est du moins ce qu'il crut entendre. La communication fut momentanément interrompue. Il n'en était pas certain.

— Tout est normal? Il est revenu? Est-ce que j'ai bien compris?

— Oui, c'est ça.

Elle semblait affaiblie par le soulagement.

Jensen soupira. Merci mon Dieu.

— Diable, où est-il allé cette fois-ci?

— La police de Seattle a téléphoné...

— Quoi?

— La police de Seattle. Il a dit qu'il s'en allait au Canada.

Jésus-Christ! Le garçon était incroyable.

— Où est-il maintenant? Laisse-moi lui parler.

— Il est couché, Cliff. Il dort. Je viens d'aller voir.

— Tu devrais l'attacher à son lit.

— Comment?

La communication devint une symphonie de craquements et d'électricité statique.

— Laisse tomber, dit Jensen. Je te verrai demain. Nous partons bientôt.

— Ça va, chéri. Il faut que je te quitte aussi, il y a quelqu'un à la porte.

Il lui dit bonjour et raccroche. Quel garnement. Petit vagabond cosmique. Dix ans. Et décidé à voir le monde entier avant d'avoir douze ans. Peu d'enfants de dix ans réussissaient à se rendre jusqu'à Seattle. Le plus fantastique, c'est qu'il n'avait absolument pas peur. Pour lui, le monde était grand et plein d'endroits merveilleux, et il ne voyait pas comment il pourrait s'empêcher de les voir immédiatement.

Quand il y pensait bien, Jensen se sentait fier de l'avoir comme fils. Il irait loin.

Jensen sourit; le petit diable était déjà allé loin.

Un jour, Bon Dieu, le petit Monsieur Craig Jensen recevrait la facture de tous les appels interurbains et internationaux que son père avaient payés pour chacune de ses fugues.

Quand Jensen entra dans la salle de réunion des pilotes, Baumgarten l'attendait déjà. Le pauvre homme avait un air fatigué et agité. Impossible de lui en vouloir, avec un vol retardé et les questions du monde entier. Les dix-huit membres de l'équipage étaient présents: depuis le Capitaine Mallory jusqu'au plus jeune steward et Hammond, l'officier de relais, qui passerait la majeure partie du vol à se reposer jusqu'à ce qu'on ait besoin de lui.

— Je veux tous vous mettre au courant des arrangements prévus pour le vol 901; dit Baumgarten avec le ton de quelqu'un qui dicte un mémorandum. Le choix de Trans American pour ce vol est un privilège. Comme vous le savez déjà, Alitalia ramènera le Pape et sa suite à Rome à la conclusion de sa visite sur la côte ouest. L'accident du Capitaine Ives, quelques heures avant le vol, est infortuné; un de ces imprévus qui semblent prendre plaisir à contrarier les projets des humains. Il eut un mince sourire. De toute façon, ces problèmes sont du passé. À compter de maintenant, tout ira parfaitement. Le Capitaine Mallory est en charge de l'avion et j'ai la certitude qu'il n'y aura pas d'autres surprises. Il épongea son front avec un mouchoir trempé.

Il est de la plus grande importance que chacun de vous sache tout ce qui sera entrepris pour assurer le confort et la sécurité du

Pape. Vous savez que nous avons réservé la section de première classe pour la suite papale. Nous avons aussi effectué des altérations temporaires sur l'appareil pour séparer complètement la première classe de la section des passagers. Les raisons en sont évidentes. Le Pape et sa suite ne doivent absolument pas être dérangés par les autres passagers. À vrai dire, il n'y a aucune raison pour que les passagers approchent même de la première classe. Et nous nous attendons à ce que chaque membre de l'équipage fasse son possible pour s'assurer que personne ne le fera.

Et maintenant, en ce qui concerne l'embarquement. Les passagers monteront par la porte arrière. Quand le dernier sera monté, nous escorterons le Pape et sa suite par la porte avant. Des nappes, des serviettes, des ustensiles et de la vaisselle ont été amenés à bord et sont réservés à l'usage exclusif du Pape et de sa suite. Je dois mentionner que le Pape est un homme âgé — et le Vatican nous a informés que le transport aérien le rend un peu nerveux. Pas tout à fait effrayé, mais un peu incertain, pourrait-on dire. Nous voulons donc faire notre possible pour lui assurer un bon voyage. Le Capitaine Mallory me dit qu'aucune turbulence météorologique n'est prévue. Nous espérons donc que le Pontife pourra dormir longuement et confortablement pendant le vol.

Les deux hôtesses senior, Pennetti et Sullivan, s'occuperont de la première classe; elles serviront les repas et les rafraîchissements à un steward papal qui s'occupera personnellement du Pape. En ce moment même, on amène à bord des repas spécialement préparés. Ils seront pour la consommation exclusive du Pape et de son entourage. Le Pape a lui-même insisté pour que les passagers descendent les premiers au moment de l'arrivée à San Francisco. Il a dit qu'après un aussi long voyage, on ne devrait pas les obliger à l'attendre. Un homme extrêmement bien attentionné ce Pape. Tous les passagers descendront donc par la porte arrière. Quand ils auront quitté l'avion, et pas avant, la suite papale descendra. Je n'ai pas à vous dire que chacun d'entre vous doit fournir tous les efforts nécessaires pour le bon fonctionnement de ce voyage. Nous avons déjà eu assez de problèmes. Y a-t-il des questions?

— Doit-on s'attendre à d'autres problèmes? demanda Nowakoski, l'ingénieur de vol.

— Non, répondit Baumgarten, en secouant la tête comme si on lui avait suggéré une idée indécente. Absolument pas!

Chapitre 4

18h05 heure de Greenwich
Rome/20h05

Le Boeing 747 SP bleu et argent portait les emblèmes papaux sur la partie avant du fuselage. L'équipe de maintenance avait méticuleusement nettoyé l'avion; un essaim d'appareils électriques avaient poli les surfaces d'aluminium jusqu'à un doux miroitement.

Habituellement, c'était l'ingénieur de vol qui vérifiait l'extérieur de l'avion. De temps en temps, cependant, Mallory prenait plaisir à assister l'ingénieur pendant son inspection. Il le fit ce soir-là, marchant sous les ailes larges de 196 pieds, vérifiant le tringlage des volets, le raccordement des ailerons, les portes, les trappes, les réservoirs d'essence. Il regarda de près le train d'atterrissage avec sa grappe de seize roues qui promèneraient les 345 tonnes du 747 sur les rampes de béton. Les pneus étaient presque neufs. Il essaya de compter le nombre de pneus qu'il avait usés et sur combien d'avions. Son instructeur, un vétéran de guerre grisonnant, lui avait dit: «Examine toujours ton avion de près avant d'embarquer. Vérifie les ailes. Compte-les. Et sois diablement certain que ton hélice est bien sur le devant et ta queue à l'arrière. Touche à tout. Tire et secoue. Si les pièces se détachent, fais-les recoller immédiatement!»

Il était préférable de ne pas trop reculer dans le temps. L'ancien temps, quand l'armée de l'air volait encore à bord d'appareils P-26, les Boeing «Tire-pois», quand Fred Astaire et Ginger Rogers étaient de grandes vedettes, quand une pièce de cinq sous achetait encore une tasse de café. Et quand «Autant en emporte le vent» n'était encore qu'un roman. Un autre temps, un autre monde; de l'histoire ancienne pour de jeunes hommes comme Jensen et Nowakoski.

Mallory avait appris à voler dans un biplan Stearman, un incroyable amalgame de cockpits et de canevas. Le pilote portait un casque et des lunettes. Le Stearman l'avait paralysé de terreur à quelques reprises; et l'avait convaincu qu'il n'en comprendrait jamais la complexité. Les ailes étaient tombées quelques moments avant l'atterrissage ou immédiatement après l'envol; il avait entendu des bruits étranges en provenance du fuselage — mais uniquement lorsque Mallory était seul à bord, sans son instructeur. Il eut plusieurs fois la certitude d'être devenu victime des faiblesses structurales de l'avion à cinq mille pieds d'altitude; perdu dans le cockpit sans ailes et sans queue, plongeant dans l'éternité.

Mais ça ne s'était jamais produit. Il était progressivement devenu confiant. Une espèce de parenté s'était établie. Elle devint vite une histoire d'amour et maintenant, après plus de 40 ans de vol, Mallory frissonnait encore à chaque envolée. Le destin avait été tendre à son égard, lui permettant de gagner confortablement sa vie en faisant précisément ce qu'il aimait faire.

On ne lui permettrait malheureusement pas de le faire encore longtemps. Quelques mois encore et ce serait la fin. L'approche finale. La retraite obligatoire. De capitaine d'un jumbo jet, son statut social fonderait à presque rien dans le monde de l'aviation: un pilote de plaisance, bourdonnant autour de l'aéroport local dans un Piper ou un Cessna loué. Il n'avait étrangement jamais possédé un avion, ayant volé dans ceux des autres pendant quarante ans. Il en achèterait donc un.

Un cadeau pour sa retraite. Plus il y pensait, plus l'idée lui semblait bonne. Il achèterait un Stearman; il en existait encore quelques-uns. Il porterait un casque de cuir et des lunettes. Le cercle se refermerait. Il retournerait à son point de départ.

L'idée lui plut et il souriait en suivant Nowakoski à travers la section de première classe, jusqu'à la cabine de pilotage.

Les sièges des deux pilotes étaient situés à l'avant, entourés et séparés par un labyrinthe d'interrupteurs, de boutons et de manettes. Le siège de l'ingénieur de vol faisait face au mur de tribord; on décrivait parfois son poste comme une machine à boules devenue folle. Les systèmes de contrôles y étaient représentés par des circuits interminables entrecoupés de manettes.

Jensen était déjà installé dans son siège.

Mallory déboutonna sa veste mais ne l'enleva pas. Il prit place dans le siège de gauche, s'installa confortablement et ajusta machinalement les pédales du gouvernail à la longueur de ses jambes.

Derrière lui, Nowakoski était déjà affairé à régler le labyrinthe des manettes sur son panneau de contrôle complexe.

Le grand appareil n'avait plus qu'à être ramené à la vie et préparé pour le vol. Chaque membre de l'équipage avait des devoirs de pré-vol à accomplir, des jauges à consulter, des boutons à tourner, des indicateurs à régler, des avertissements à donner, des soupapes à inspecter, des ordinateurs à programmer, des avertisseurs à vérifier.

Jensen se pencha vers Mallory.

— Ginnie voulait l'autographe du Pape. Imaginez un peu! Je lui ai dit: «Le Pape n'est pas une vedette de cinéma; on ne lui demande pas son autographe». Elle a répondu: «Pourquoi pas?» Il sourit. Vous savez comment sont les femmes. Il sourcilla! comme si les mots lui avaient infligé une douleur. Mes excuses, Capitaine, je ne voulais pas...

— Ce n'est rien, dit Mallory. Je comprends.

— J'ai rencontré votre femme une fois, il y a cinq ans. Elle était sur un de nos vols vers Paris. Une femme très bien.

Mallory répondit d'un signe de tête. Il se souvenait du voyage. Mais il avait complètement oublié que Jensen faisait partie de l'équipage. Il avait vu d'innombrables visages dans d'innombrables cabines de pilotage; ils avaient tendance à devenir le même: mâchoire ferme, regard centré — avec des écouteurs greffés. Il ressentait déjà la douleur de l'ennui: l'organisation, le travail d'équipe, le professionnalisme. Le monde des lignes aériennes comblait son désir de satisfaction. C'était sa vie et il n'en ferait bientôt plus partie.

* * *

—Oui, oui, je sais... je sais! Pour l'amour de Dieu, oui, je sais qui vous êtes!

Les yeux de la jeune femme se plissèrent; les poings serrés, elle bondissait frénétiquement de frustration.

— Jean-Paul Belmondo... non... Jack Nicholson!

Squires secoua la tête. Seigneur Jésus, il détestait faire la queue!

— Non? La jeune femme parut affligée. Ses cheveux étaient d'un rouge flamme. Vous n'êtes pas Jack Nicholson?

— Non, je vous assure...

— En êtes-vous certain? Je vous ai déjà vu. Je vous connais.

— Vous faites sûrement erreur, gronda Squires. Je suis pompier.

— Seigneur, dit la jeune femme, complètement abattue.

L'agent de sécurité fit pénétrer sa main large et poilue dans la serviette de Vernon Squires. Puis il en examina le contenu comme une ménagère qui détecte des odeurs suspectes dans son sac d'épicerie.

— Satisfait? demanda Squires, la voix lourde de sarcasme.

L'agent de sécurité examina le visage de Squires. Il sourcilla. Il demanda l'aide d'un autre homme et lui murmura quelque chose à l'oreille, sans jamais quitter Squires des yeux. Encore quelques mots. Ses sourcils reprirent leur angle normal.

— Ah, vous, l'acteur, non? L'agent de sécurité hocha la tête comme s'il répondait lui-même à sa question. Il me semblait avoir déjà vu votre visage; ça m'inquiétait. Il rayonnait. Maintenant je comprends pourquoi! Vous êtes l'acteur. Très bon. Bravo! Il pointa de son doigt potelé. Passez par ici maintenant, s'il vous plaît. Merci.

Un homme au visage sévère passa un détecteur de métal autour du corps de Squires. On le dirigea ensuite à une cabine où un officier avec de grandes mains palpa le corps de Squires et fouilla dans le fond de ses poches. Pourquoi, songeait Squires, n'ai-je pas pris le bateau? Plus lent, mais Seigneur Jésus, on ne vous soumettait pas à de telles indignités. On avait encore un semblant de respect pour les gens en haute mer.

Une hôtesse Trans Am, une jolie brunette, demanda sa carte d'embarquement. Sourire mécanique répété mille fois par jour. Et comment allait M. Squires aujourd'hui?

— Irrité, répliqua Squires. Enragé par le fait d'être continuellement tenu dans l'ignorance. Enragé par le fait que les compagnies d'aviation prennent tous les passagers pour des idiots incapables de prendre des décisions sensées. Puisque vous me le demandez, ma jeune dame, j'ajouterai que j'aurais dû être avisé immédiatement que, par bonheur, je voyagerais sur le même avion qui transporterait le Pape à San Francisco. J'aurais dû ensuite être avisé que je perdrais ma place en première classe, qu'il y aurait un retard de plusieurs heures, en plus d'une fouille révoltante de mon anatomie et de mes possessions. J'aurais alors eu l'intelligence de déclarer: "Non merci, je préfère ne pas voyager avec le Pape." En autant que je le sache, c'est un homme plaisant. Mais j'ai des doutes sur sa vocation. J'ai longtemps pensé que le monde en général serait un bien meilleur endroit s'il n'y avait pas de religions. J'ai tendance à croire qu'à travers les générations, elles ont causé plus de mal que de bien. Ce qui est extraordinaire, c'est qu'elles réussissent à survivre. Pensez-y un peu, ma jeune dame. L'espèce humaine est remarquablement habile à tirer des conclusions intelligentes d'une série de faits. Un bon exemple en est le fait que la terre est ronde. La preuve fut identifiée, considérée et évaluée et les conclusions tirées. Et quand ils parlent de l'existence de Dieu, les gens sont tout à fait rationnels. L'existence de Dieu est évidente même pour le plus complet des imbéciles. Et Il se fiche bien de la race humaine et de ce qui lui arrive. Regardez autour de vous; la preuve est là. Si une main divine nous guide, c'est une main remarquablement inefficace. Dieu merci, elle n'était pas responsable de la victoire de la dernière guerre. Est-ce que ça répond à votre question?

La mâchoire de la jeune femme pendait au bas de sa bouche ouverte. Muette, elle secouait la tête.

Squires fit une entrée énergique dans la salle d'attente. Elle était presque remplie. Il évita le regard des passagers, mais sans succès.

Un homme lui tira la manche.

— Eh M'sieur, j'vous ai vu à la télévision!

Squires hocha la tête.

— Non, non, j'arrose les feus.

— Merde, j'aurais juré vous avoir vu à la télévision.

Sa femme approcha. Elle le fixait d'un regard dur.

— Vernon Squires.

— Non, dit son mari, il est pompier.

— Tu es plein de merde, lui dit-elle.

* * *

Dehors, le niveau d'excitation montait rapidement parmi la foule. Le chemin fut finalement dégagé. Dans quelques moments, le Saint Père arriverait! Une jeune fille de vingt-deux ans s'évanouit; elle avait attendu quatorze heures sans manger. Deux cents mètres plus loin, un homme de soixante-treize ans mourut; mais, porté par les corps pressés contre le sien, il ne tomba pas.

De sinueuses Mercedes s'approchèrent, précédées par une phalange de motocyclistes gantés de blanc. Les voitures avançaient à douze kilomètres à l'heure, une vitesse assez lente pour permettre aux patients spectateurs de voir les robes blanches du saint homme.

Quand les voitures entrèrent dans l'aéroport, les *carabinieri* firent glisser des barrières de fer pour fermer le chemin. C'était un scénario précis et bien répété. Les barrières furent fermées avant que les spectateurs puissent envahir la rampe d'accès. Ils durent se contenter de voir ce qu'ils pouvaient à travers et par-dessus les barrières. Ils fixaient avec le regard intense et presque douloureux de gens déterminés à ne rien manquer. Un chapitre de l'histoire se déroulait devant leurs yeux; on parlerait de ce jour pendant plusieurs années. On poserait des questions à ceux qui étaient présents. Chaque détail devait donc être noté, chaque geste enregistré.

Un soupir s'éleva dans la foule. Des mains blanches déferlèrent dans le crépuscule en vagues de signes de croix. Il était là, en personne. Le représentant de Dieu sur terre. Frêle silhouette enroulée de blanc, il se tourna et fit doucement signe à la foule. Il sourit, acceptant leur dévotion. Puis il se tourna et laissa le tapis rouge le guider vers l'avion.

* * *

Une fois le dernier passager assis, un appel fut transmis à la cabine.

— Capitaine, le Pape s'apprête à monter à bord de l'avion.

— Je descends.

Mallory se leva. Il ajusta sa veste et mit sa casquette. Jensen approuva d'un signe. Nowakoski le regardait avec stupéfaction: un homme allait connaître une expérience surnaturelle!

Dee Pennetti attendait à la porte avant. Elle sourit nerveusement quand Mallory s'approcha.

Un moment plus tard, deux agents du Service Secret apparurent et prirent place de chaque côté de l'entrée. Derrière, un officier de la ligne aérienne souffla:

— Il arrive!

Warren Baumgarten marchait devant le Pontife en indiquant le chemin d'une main légèrement incertaine.

Mallory s'inclina gauchement quand on le présenta à un homme mince, de taille modeste.

— Enchanté de vous rencontrer, Capitaine, dit le Pontife dans un excellent anglais. J'anticipe ce voyage avec plaisir. J'espère qu'il se fera dans la joie.

— Vous pouvez en être assuré, Votre Éminence, Mallory trouva le titre plus facile à utiliser qu'il ne l'avait imaginé. La température est raisonnablement stable au-dessus de l'Atlantique et de l'Amérique du Nord. Le voyage devrait se faire dans le confort.

Le Pape hocha la tête et sourit doucement.

— J'ai la certitude d'être entre d'excellentes mains.

Mallory sentit ses joues s'enflammer.

— Merci.

— On m'informe, Capitaine, que vous avez récemment perdu votre épouse. Mes condoléances. Ce n'est sûrement pas une période facile pour vous.

— Vous avez un grand coeur, Votre Éminence.

— Me permettez-vous de vous demander un service, Capitaine?

— Un service? Mais oui, absolument...

— J'espérais que vous me permettriez de visiter la cabine de pilotage pendant le voyage. Je suis très intéressé par le fonctionnement de votre appareil. Si ça ne vous importune pas, évidemment.

Mallory sourit de contentement.

— Ce sera un privilège, Votre Éminence; et je sais que les autres membres de l'équipage seront heureux de vous rencontrer. Vous n'avez qu'à avertir Mlle Pennetti au moment où vous voudrez visiter la cabine. Elle se fera un plaisir de prendre les arrangements nécessaires.

En rougissant, Dee assura le Pontife que ce serait un plaisir pour elle.

Quand Mallory retourna dans la cabine, Jensen et Nowakoski se tournèrent vers lui avec des regards interrogateurs.

— Comment ça c'est passé? L'as-tu vraiment rencontré?

Mallory leur dit que le Pape était un gentilhomme âgé et très plaisant.

Ils eurent un air déçu. Ils s'attendaient à une description plus graphique.

— Il veut visiter la cabine un peu plus tard, ajouta-t-il.

Nowakoski ouvrit la bouche de surprise.

— Vraiment? Ici?

— Ici. En ce lieu même.

—Jésus-Chr —. Il avala. Ciel!

* * *

Chapitre 5

18h49, heure de Greenwich
Le nord de la Californie/11h49

Le tremblement revenait sans arrêt.

Elle serrait les poings et tendait tous ses muscles pour essayer de le combattre, de le tenir sous contrôle. Seigneur que c'était difficile, mais éventuellement, inévitablement, il s'arrêterait. Elle pourrait de nouveau soupirer et respirer normalement. Et penser. Essayer de trouver un moyen pour quitter ce lieu, cette pièce vide et froide avec sa table et ses chaises de bois acculées à un des murs. Des choses usées, anciennes. Tout était vieux et délabré. Les fenêtres étaient recouvertes de planches. Une seule ampoule électrique éclairait la pièce. Une pièce qui avait sûrement déjà été charmante: il y avait un grand foyer et le bois du plancher était de bonne qualité. Mais il était évident qu'on ne s'était pas servi de cette pièce depuis des années, peut-être des décennies. L'humidité imprégnait les murs. Ils auraient sûrement coulé si elle y avait pressé les doigts.

Les deux hommes qui l'avaient enlevée parlaient dans la pièce d'à côté, dans cette langue damnée qu'elle ne comprenait pas. Elle avait essayé de l'identifier, mais en vain. Elle fut d'abord convaincue qu'ils étaient Grecs; puis elle constata que ce n'était que parce qu'un des hommes lui rappelait le gérant de son supermarché local, un homme du nom de Constandinidas. Elle leur avait demandé d'où ils venaient, mais ils lui avaient dit de ne pas poser de questions.

Elle écoutait, essayant désespérément de tirer un sens des sons qu'elle entendait: des bruits de circulation intermittents au loin, quelques avions, les craquements de la maison.

Dément. Tout cela n'avait aucun sens. Il n'y avait rien à gagner par son enlèvement... son *enlèvement*. Le mot la transperça d'une flèche de peur. Elle pensa au bébé Lindbergh, à des corps trouvés enfouis dans des feuilles mortes...

Elle avait mal à la tête; ses lèvres étaient sèches. Elle avait demandé une tasse de café, mais ils ne lui avaient pas prêté attention...

Pauvre Toby. Qui pourrait être assez insensible pour massacrer une créature aussi innocente que Toby? Son corps serait-il encore dans le hall d'entrée quand son père reviendrait à la maison? Quel choc diabolique. Que penserait-il? Que ferait-il? Ces salauds allaient-ils lui téléphoner pour lui demander une rançon?

De la folie pure. Il n'était pas riche. Il devait donc s'agir de quelque erreur monstrueuse. *Désolé, fille, il y a erreur sur la personne. Sans rancune. Mais tu as vu nos visages, alors...* Non, elle ne pouvait pas perdre de temps à penser à de telles choses. Il lui fallait plutôt se préparer, être plus rusée que l'ennemi, confondre leurs plans.

Mais comment?

Seigneur, j'ai peur. Je mourrai peut-être ici, *c'est peut-être déjà la fin de tout... le néant...*

Les tremblements recommencèrent. Ils l'attaquaient avec une détermination sauvage. Un rythme effréné. Résister la fatiguait. Mais elle savait qu'elle ne pouvait pas s'y abandonner. Il lui fallait lutter jusqu'à la fin.

Elle se força à imaginer une revanche; leur donner des coups de pieds entre les jambes, *les* blesser, *les* voir ramper...

Ce genre de pensées la calmait. Elle permit à ses muscles de se détendre, craintivement, délicatement. Aucun tremblement. Un autre combat de gagné.

Pendant combien de temps avaient-ils roulé dans ce camion? Une heure? Elle n'en était pas certaine. Environ une heure. Vingt-cinq à trente kilomètres donc. Où étaient-ils rendus? Elle soupira. Une possibilité d'environ dix mille endroits. Dans les romans, les gens entendaient toujours des trains ou des chutes d'eau qui leur permettaient de se situer. Mais quel indice pouvait-on tirer de quelques vagues bruits de circulation et quelques avions? Que révélaient-ils de plus qu'une auto qui roule ou qu'un avion qui vole? La seule certitude était d'être dans un monde civilisé.

Civilisé?

Elle se mit à chantonner très fort.

Le son lui remontait le moral. Pour quelque étrange raison l'air qu'elle fredonnait était «And the Angels Song». Elle n'avait pas entendu cet air depuis des années et pourtant elle s'en souvenait complètement. Son père avait le 78 tours. L'orchestre de Benny Goodman avec un solo de trompette par Ziggy Elman. Elle entendait l'air, note pour note, y compris les interjections des musiciens. Et les mots, chantés par la voix érotique de Martha Tilton. Effrayée? Oui, se disait-elle, elle avait une peur diarrhéique. Et pourtant... Comment l'aurait-elle décrite? Il y avait un courant sous-jacent d'excitation, un frisson en profondeur, une sensation presque sexuelle qui s'accouplait avec sa peur. Une clé tourna dans la serrure.

La porte s'ouvrit. Scarface.

— Je t'apporte du café.

Elle prit la tasse.

— Ta générosité est atterrante.

— Bois, dit-il. Et parle moins.

— Pourquoi m'avez-vous amenée ici?

— Bois ton café.

Il parlait bien l'anglais, mais son accent était fort.

— D'où viens-tu?

— Quoi? Il grimaça. Je t'ai dit de ne pas poser tant de questions.

— Je ne réussis pas à identifier ton accent. Je suis simplement curieuse, dit-elle. Est-ce si grave de vouloir savoir d'où tu viens?

— Vaut mieux laisser tomber.

Elle buvait à petites gorgées. Le café était trop sucré mais ça ne l'incommodait pas. En ce moment, c'était le meilleur café au monde.

— Mon père est pilote d'avion...

— Oui, nous le savons.

— ...alors, il n'est pas riche. Il ne peut pas payer une rançon phénoménale.

— Nous n'y pensions même pas.

— Alors pourquoi?

— Tu verras bien.

Il avait environ vingt-cinq ans. De larges épaules recouvertes d'une chemise en denim délavé. Des cheveux noirs, bouclés. Élémentairement beau. Était-ce lui qui avait tué Toby? Elle ne s'en souvenait plus. Toute cette histoire avait l'air étrange d'un rêve, comme si rien ne s'était vraiment passé. Mais tout était réel. Et tout existait vraiment. En ce moment même.

Étrangement, seule une partie d'elle-même avait peur. L'autre partie était purement curieuse. La partie d'elle-même qui était secrétaire.

— C'est écoeurant d'avoir tué mon chien.

Il fit signe que oui.

— C'était dommage. Mais nécessaire.

— Pourquoi nécessaire?

— Le chien était de trop. Il aurait pu causer un retard. Nous ne pouvions pas risquer d'être en retard.

— Alors vous l'avez tué.

— Impossible de faire autrement. Il sourcilla. Je suis désolé, ajouta-t-il.

Ses yeux se remplirent de larmes en pensant à Toby. Elle tourna son visage.

— Monstre!

Il ne répliqua pas. Quand elle se retourna vers lui, il était debout comme un garde, les bras croisés, les pieds écartés.

— Enfant de chienne, gronda-t-elle d'une voix robuste.
Il la fixa.
Elle finit son café; en tenant la tasse à deux mains pour ne pas la renverser. Elle ne voulait pas donner à ce monstre la satisfaction de voir ses mains trembler.
— Pendant combien de temps allez-vous me garder ici?
— Pas très longtemps. Je te promets.
— Et que valent tes maudites promesses?
Il rougit.
— Tu ne seras pas ici très longtemps.
— Les déchets comme toi, on les met dans la chambre à gaz.
— Paraît-il.
— Et si je m'évadais.
— Ce serait ton dernier tango.
— Morte, je n'ai aucune valeur, déclara-t-elle.
Il haussa les épaules.
— Ça m'est égal que tu sois morte ou vivante, mais il n'est pas *nécessaire* de te tuer, lui dit-il en pointant ses jambes. Je pourrais te blesser là. Ou là, dit-il, en touchant son épaule. Ou même là. Il pressa un de ses seins dans sa main.
Elle se retira instinctivement et se colla au mur. Elle sentait l'humidité à travers son chemisier.
Un viol! Jésus-Christ, ces salauds veulent me violer!
Elle était terrifiée et sans défense. Il fallait demeurer calme.
— Il te faut un fusil pour avoir un orgasme.
Elle essaya de parler aussi crûment que possible, mais sa voix ne la suivait pas; la tension lui donnait des sons aigus et brisés.
Il secoua la tête, lentement, pensivement.
Elle sentait son coeur battre.
Il avança méthodiquement, avec les mouvements comptés de quelqu'un qui répète un numéro.
Elle se pressa contre le mur. Elle ne pouvait pas s'échapper. Il avança sur elle. Elle sentit sa chaleur. La cicatrice sur son menton avait la forme d'un croissant de lune, bordé d'une ligne de peau presque incolore.
Pas de réaction. Ignore-le; le monstre se désintéressera

peut-être... Il n'y a pas de plaisir à violer un objet inanimé. Un sage avait sûrement prononcé ces mots... quelqu'un qui n'avait sûrement jamais dû honorer ce dicton.

Ses deux mains recouvraient maintenant ses deux seins.

— Fous le camp, dit-elle.

Beaucoup mieux. Crû et violent.

Il rougissait. Ses lèvres étaient à demi ouvertes; elle voyait le bout de sa langue. D'une main, il essaya de défaire les boutons de son chemisier. Mais il n'y arrivait pas. Il laissa son autre sein et se servit de ses deux mains pour la déboutonner.

Jane serra les dents et eut peur qu'elles éclatent en miettes. Un coup de genou? Soudainement? Brutalement? Elle en était capable. Et elle le ferait. Mais elle choisirait le meilleur moment. Pas maintenant. Pas tout à fait maintenant.

Il défit un bouton mais avait de la difficulté avec le suivant.

— Gauche comme le trou-du-cul!

Il la regarda en sourcillant.

Très bien, pensa-t-elle, il n'aime pas mon langage. Les gentilles demoiselles ne disent pas de telles choses...

Dégoûte-toi! Oh, s'il vous plaît, dégoûte-toi!

— Défais les boutons, lui dit-il.

— Non...

— J'insiste. Il tira un des coins de son col. Défais les boutons ou je te les arrache. Et ce serait la fin d'un beau chemisier, n'est-ce pas?

Elle avala.

— Il... fait trop froid, dit-elle.

Elle n'entendait pas la presque panique dans sa voix.

— Je te réchaufferai.

Elle secoua la tête.

— Merde... non, c'est un endroit affreux pour baiser. Il n'y a pas mieux... ailleurs?

— C'est parfait ici.

— Je crierai à tue-tête.

— Personne ne t'entendra.

— Ton copain.

— Il s'en fout. Il n'aime pas les femmes.

Pétrifiée, elle défit lentement tous les boutons.
— Bon, dit-il. C'est beaucoup mieux.
Ses mains firent glisser le chemisier de ses épaules.
Elle fit semblant de frissonner. Il l'ignora et tira une des courroies de son soutien-gorge; puis il y enfouit sa main et s'empara de son sein comme d'un trophée. Il était encore déformé par le soutien-gorge. L'espace d'un instant lunatique, elle voulut montrer qu'elle avait des seins parfaits; elle défit le soutien-gorge et laissa tomber ses seins librement. Elle surveillait ses yeux. Il était visiblement ravi. Elle sentait son souffle danser doucement sur sa peau.
— Enlève ton pantalon.
Le désir rendait sa voix discordante.
— Mais . . .
— J'ai dit, enlève.
Ses dents étaient serrées, presque de douleur.
— Je ne peux pas.
— Pourquoi?
— Mes . . . règles.
— Quoi? Oh . . . voyons voir quand même. Enlève ton pantalon ou je te l'arrache.
Une main tirait la ceinture de ses jeans, l'autre palpait et serrait son sein. Il s'appuya sur elle, raide et insistant.
Jésus-Christ, assez de délai. Le monstre jouait pour vrai. Mais il n'avait pas la manière d'un violeur sans intelligence, la communication était possible, à sa façon.
— Très impressionnant, réussit-elle à dire.
— Quoi?
— Et moi, je n'ai pas le droit de voir les armes. Si tu gardes ton pantalon, ce ne sera pas très amusant.
Une pause. Comme s'il essayait de voir si elle était vraiment sérieuse. Puis il baissa sa fermeture éclair.
— Jésus-Christ, dit-elle. Tu vas me tuer avec cette chose-là . . .
— Tu vas adorer ça.
Il s'arrêta. Une voiture à l'extérieur. Le son des freins.
Il blasphéma dans son étrange langue; et sortit son pistolet.

Se défiant elle-même, Jane eut envie de rire. Il était ridicule: un pistolet à la main, un pénis en érection qui sortait de son pantalon; il n'avait pas encore transmis un message de détente à son organe; le pénis ne savait pas que d'autres priorités venaient de reléguer l'érotisme au dernier rang.

Il se dirigea vers la porte.

Elle dit:

— Vaut mieux remonter ta fermeture éclair.

— Quoi? Il baissa les yeux. Il sembla vouloir dire autre chose, puis il secoua rapidement la tête en remontant sa fermeture. Il jeta un dernier regard vers elle et disparut. La porte se referma derrière lui.

Jane se rhabilla rapidement. Le son d'une portière qui se refermait. Des voix.

De l'aide? Les forces policières arrivaient-elles juste au bon moment pour sauver l'héroïne avant qu'elle ne soit mangée par l'ogre? L'héroïne était-elle un peu déçue? Jésus-Christ, se dit-elle, tu es bizarre! Tu as toujours été *bizarre.*

Une révoltée maudite. Elle se frotta le front. Les pensées tombaient en cascades dans sa tête comme des sous dans une tirelire. Elle n'avait aucun contrôle sur elles. *Son cauchemar trop intense: la jeune divorcée enlevée devient folle.*

Elle écoutait. Des pas et des voix se faisaient écho dans l'entrée déserte. Une voix en colère demanda le silence. Quelqu'un parla: on aurait dit le son d'un enfant.

Dans quel enfer était-elle tombée?

Plus rien n'avait de sens. Était-ce un cauchemar hyperréaliste? Allait-elle se réveiller bientôt?

La porte s'ouvrit brusquement.

Un autre homme robuste portant un uniforme Sears entra,en transportant un fusil automatique. Il la regarda sans intérêt.

— Ici.

Une jeune femme entra: le visage strié de larmes, les cheveux mêlés. Elle était suivie de deux enfants, un garçon de dix ans et une fillette. Et d'un vieillard au regard pâle et dérouté. Il portait des pantoufles.

Il murmura quelques mots à l'homme.

— Ta gueule! Entre. Fais comme je te dis et on ne te touchera pas.

— Mais . . .

L'homme fit entrer le vieillard dans la pièce en le poussant avec le canon de son fusil. Il trébucha et faillit tomber. Jane réussit à l'attraper. Il échappa ses verres.

Jane traita l'homme d'enfant de chienne. Il l'ignora et sortit en barrant la porte derrière lui.

La fillette se mit à pleurer.

Le garçon prit une expression curieuse et se mit à explorer la pièce.

Les adultes se regardèrent.

Jane dit:

— Je suis ici depuis environ une heure. Je ne sais pas pourquoi. Et vous?

Ils secouèrent leurs têtes. Des larmes montèrent aux yeux de la mère.

— C'est de la folie pure, déclara le vieillard. Il avait un accent prononcé. J'était assis et je lisais le journal. En me mêlant de mes affaires. Ils ont dit qu'ils venaient de chez Sears. Et puis . . . ceci . . .

— Nous devrions peut-être nous présenter, dit Jane. Je suis Jane Sutton. Est-ce que ça vous dit quelque chose? Non? Alors, vous, Monsieur, comment vous appelez-vous?

— Nowakoski, dit le vieillard. Jamais rien de semblable ne s'est produit depuis mon arrivée en Amérique en 1926 . . .

— Je suis Virginia Jensen, dit la mère. Ce sont mes deux enfants, Craig et Karen.

— Où habitez-vous?

— Près de Monterey, dit la dame Jensen.

— Oakland, dit l'homme.

— Nous habitons le même comté, dit Jane. Je vivais à New York mais, il y a quelque temps, je suis venue habiter avec mon père. Il est pilote pour Trans Am, ajouta-t-elle.

Ils levèrent le regard, les yeux écarquillés. Soudainement, un lien s'établissait, le début d'une explication.

Chapitre 6

19h34, heure de Greenwich
Au nord de la Corse,
49°30′ de latitude nord,
9°31′ de longitude est.

Mallory se sentait toujours un peu intimidé quand il parlait aux passagers à l'interphone, comme un quelconque disc-jockey aérien. Mais la compagnie encourageait la pratique — presque jusqu'à l'insistance. C'est bon pour les passagers, avait déclaré le gérant des relations publiques. Puisque les nouveaux règlements de la Federal Aviation Agency ne permettaient plus aux pilotes de se mêler aux passagers pendant les vols, des messages amicaux et informatifs à l'interphone étaient un excellent succédané.

Il pressa le bouton de l'interphone. Première étape de la formule: leur souhaiter la bienvenue.

«Bonsoir, Mesdames et Messieurs, ici votre capitaine. De la part de tout l'équipage, j'aimerais vous souhaiter la bienvenue à bord du vol Trans Am 901 en direction de San Francisco. Je vous présente mes excuses pour ce départ retardé . . . des circonstances en dehors de notre contrôle, comme on dit.

Prochaine étape: leur dire où ils sont et où ils vont.

«Nous venons d'amorcer le vol en palier assigné de trente-cinq mille pieds, environ à sept milles au-dessus de la mer de Ligurie. Nous sommes présentement au nord de la Corse, en ligne directe avec Turin. Notre route nous amènera ensuite au nord-est de la France et de la Manche, au-dessus de Londres et puis vers Glasgow en Écosse où nous débuterons notre traversée transatlantique. Après avoir passé le sud de l'Islande, nous traverserons le sud du Groenland et le détroit de Davis jusqu'à l'île de Baffin dans les Territoires du Nord-Ouest au Canada. De là, nous nous dirigerons vers la baie d'Hudson jusqu'au coin nord-ouest du Manitoba, à travers la Saskatchewan jusqu'au sud-ouest de l'Alberta. Après avoir traversé la frontière de l'Idaho aux États-Unis, nous volerons vers Spokane, Washington, et puis nous suivrons une ligne directe vers San Francisco.» Une pause. La troisième étape: la température. Tout le monde s'intéresse à la température. «Selon les prévisions, la météo à notre arrivée à San Francisco nous prépare un ciel clair et une visibilité illimitée, et ce sera une soirée chaude. La température à onze heures ce matin — c'est-à-dire, il y a environ une heure et demie — était de 87 degrés Fahrenheit.» La quatrième étape: les détails techniques. Les données qui les faisaient glousser de bonheur. «Notre temps de vol estimé jusqu'à San Francisco est de douze heures six minutes. Il y a évidemment une différence de neuf heures entre Rome et la Californie, notre heure d'arrivée estimée est donc minuit quinze minutes.

«Nous volons maintenant à une vitesse aérienne de cinq cent soixante et un milles à l'heure, ou, si vous préférez, un peu plus rapidement que la vitesse initiale d'une balle de calibre 45, ce qui équivaut à quatre-vingts pour cent de la vitesse du son — presque neuf milles et demi à la minute. La température à l'extérieur de l'avion est de 65 degrés Fahrenheit — sous zéro. C'est-à-dire moins cinquante-quatre degrés Celsius. Votre cabine a été pressurisée à environ cinq milles au-dessus du niveau de la mer. Ce qui signifie que la pression atmosphérique de votre cabine est la même que sur le sol de Denver au Colorado. Si vous avez d'autres questions à poser au sujet de l'avion ou de notre trajet, n'hésitez pas à faire parvenir un message à la cabine de pilotage. En attendant, de la part des hôtesses et des stewards, j'aimerais vous inviter à vous détendre. Nous prévoyons un vol sans heurts jusqu'à San Francisco.»

* * *

Le Boeing semblait inerte, en suspension dans un ciel infiniment loin et étoilé. Très loin au bas, le sol gisait, enveloppé de noirceur sous une mousse de nuages. Les sens d'un homme avaient tendance à agir étrangement sous de telles conditions. Mallory se voyait nier les références terriennes familières qui lui indiquaient depuis sa naissance qu'il était debout ou qu'il penchait sur un côté. Il devait maintenant se fier uniquement aux indicateurs et aux aiguilles du panneau de bord sombrement éclairé. Ils racontaient d'ailleurs toute une histoire; les ailes étaient parallèles à un horizon invisible, le nez de l'avion pointait dans la bonne direction. Les yeux de Mallory scrutaient machinalement les indicateurs: ils étaient son seul point de repère. Il n'y avait rien de terrien à voir par le hublot.

Il bâilla. C'était la période endormante de chaque voyage, le temps de réagir suite à la concentration exigée par l'organisation du vol et du départ à travers un système complexe de voies aériennes. L'avion volait maintenant à une altitude de croisière dans l'espace aérien alloué par le contrôleur qui suivait le progrès du vol par radar. Le pilote automatique effectuait maintenant tout le travail, les gyroscopes et les accéléromètres ajustant infatigablement les contrôles pour compenser chaque petit coup de vent, chaque petite plongée, chaque petit balancement. Après un excès de travail et de responsabilités, le capitaine n'avait plus qu'à se délecter du vol... à moins d'un problème. Les paupières avaient donc tendance à devenir lourdes sous la détente des muscles et des nerfs.

Il prit une grande respiration et redressa les épaules. Aie l'air vivant, se disait-il. Le Pape est à bord. Et un agent du Service Secret est assis derrière toi. Imagine un peu si M. Cousins te voyait somnoler et décidait de le dire au monde entier. Les journaux s'empareraient de la nouvelle et...

Il valait mieux ne pas penser à la réaction de la haute gomme de la compagnie.

Il jeta un regard vers Jensen.

Un jeune homme sérieux, ce Jensen. Il avait sûrement déjà calculé l'effet qu'aurait la retraite de Mallory sur son sort. Dans chaque ligne aérienne, tous les employés se tenaient au courant de l'importante question de l'ancienneté. Le numéro d'ancienneté d'un pilote était la clef de son salaire, de ses vacances, de ses heures de travail, quelques fois de son lieu de résidence. Voir augmenter son numéro était comme assister au progrès de sa carrière.

Une des hôtesses apporta du café. C'était une belle fille aux proportions généreuses. Quand elle sortit, Nowakoski s'exclama:

— Je suis en amour!

— C'est la troisième fois cette semaine, répliqua Jensen.

— Le Pape pourrait peut-être nous marier, dit Nowakoski.

— Puis-je vous servir de témoin?, demanda Cousins.

— Bien sûr, dit Nowakoski, si vous promettez de ne pas porter votre revolver. Je ne voudrais pas d'une mariée en noir.

— Vous faites la belle vie, déclara Cousins. Le tour du monde avec des filles magnifiques à votre service.

— Oui, mais c'est fatigant à mourir, rétorqua Nowakoski. Je vous assure, M. Cousins, que c'est la seule chose qui m'a fait choisir l'aviation. À vrai dire, je déteste les avions. J'aime mieux rester au sol. Sauf pour les filles. Des filles fantastiques — et les aéroports, les uniformes et les hôtels leur donnent un air sensuellement surréel. À bien y penser, dites au Pape d'oublier le mariage. Je veux rester célibataire.

— Un jour, tu t'établiras pour de bon, grommela Jensen.

— Tu veux dire qu'un jour je mourrai, dit Nowakoski avec un haussement d'épaules.

Mallory sourit à Jensen. D'après les statistiques, le jeune ingénieur se marierait dans les deux prochaines années. Les membres d'équipage étaient portés vers le mariage. C'était peut-être le travail qui les inspirait ainsi. Le voyage continuel semblait créer un besoin de stabilité: un foyer, des racines. Ou c'était peut-être simplement la nature contradictoire de l'homme: il voulait toujours autre chose, quel que soit son état.

Mallory songea à lui-même. Pourrait-il jamais appeler une autre femme, son épouse? Après dix-huit mois, cela lui semblait encore inconcevable. Il viendrait peut-être un temps où tout serait différent, mais ce temps n'était pas encore arrivé.

Pourquoi le destin était-il si diablement cruel? Pour quelle raison utile? Nan comptait les jours jusqu'à sa retraite. Elle disait qu'ils commenceraient à vivre à ce moment-là. Une vie normale enfin, la fin des inquiétudes, des séparations. Mais elle était morte et il lui survivait. Si c'était une partie du Grand Plan, c'était une partie bien minable. Nan avait tellement aimé la vie. Et elle était morte. Il avait encore de la difficulté à le croire. Il s'attendait toujours à ce qu'elle entre dans la maison. Cette maison qu'il devrait bientôt vendre. (Même l'idée de cette vente lui semblait une infidélité). L'entretien de la maison était fastidieux; elle était vide la moitié du temps. Jane voudrait sûrement recommencer une autre vie bientôt; il lui disait constamment qu'il n'avait pas besoin d'une bonne. Elle rencontrerait sûrement un autre homme. Dommage que son mariage avec Frank n'ait pas fonctionné. Il ne savait pas pourquoi. Jane ne lui racontait jamais les détails. C'était sûrement mieux ainsi. De nos jours, les jeunes ne perdaient pas leur temps; si un mariage ne fonctionnait pas, on le tuait dans l'oeuf.

Jane s'en sortirait. Elle avait une tête solide sur les épaules. Elle était réaliste comme sa mère.

Elle rencontrerait sûrement un autre Prince Charmant. Il espérait qu'elle ferait cette fois-ci un meilleur choix; ses erreurs lui avaient sûrement beaucoup appris. Les secondes noces n'étaient-elles pas plus réussies que les premières? Un quelconque cynique avait déjà dit que tout le monde avait besoin d'un premier mariage . . . pour la pratique.

Ce voyage aurait particulièrement charmé Nan. Elle aurait collectionné les découpures de journaux et écrit des quantités de lettres à ses oncles et tantes en Géorgie et au Michigan, à ses amies de jeunesse en Écosse et en France. Une correspondante de rêve, cette Nancy; elle aurait dû être journaliste. Elle disait souvent qu'elle écrirait des articles pour le journal local. Elle les écrivait, mais elle ne les postait jamais. Ils gisaient au fond d'un tiroir, recouverts de poussière. Il aurait dû l'aider. Il aurait pu contacter le rédacteur en chef... mais il était maintenant trop tard. C'était difficile de ne pas être rempli d'amertume.

— Bonjour là, dit Nowakoski.

— Salut. La voix d'une jeune femme.

Mallory se retourna. C'était Dee Pennetti. Elle tenait une enveloppe.

— Pour vous, Capitaine.

Mallory la prit de ses mains. Son nom avait clairement été inscrit avec une plume feutre.

— Moi, tu ne m'écris jamais, dit Nowakoski.

— Je t'écrirais si tu savais lire, répliqua Dee sur un ton plat. Dee était hôtesse depuis dix ans; elle avait entendu tous les chanteurs de pomme du monde.

Mallory lui demanda de qui lui venait cette enveloppe.

— Un des passagers l'a trouvée dans le cabinet de toilette.

— Dans le cabinet de toilette?

— Exact, Capitaine. Collée à un miroir.

Mallory sourcilla. Probablement une plainte due au retard ou à son long discours de départ, ou possiblement un farceur; cela lui était déjà arrivé sur un vol de Denver à New York. Un dénommé Tolliver s'était ainsi présenté à Mallory. Est-ce que le Capitaine Mallory se souvenait de lui? Il avait été canonnier de tourelle dans l'équipage de Dave Webster. Mallory avait répondu oui, mais il ne savait absolument pas qui il était.

Il ouvrit l'enveloppe; le message était tapé à la machine. Il se mit à lire:

CAPITAINE MALLORY: PREMIER OFFICIER JENSEN, INGÉNIEUR DE VOL NOWAKOSKI. CE MESSAGE S'ADRESSE À VOUS TOUS. IL VOUS PARVIENT DU GROUPE BLACK SEPTEMBER. NOUS REGRETTONS DE VOUS INFORMER QU'IL A ÉTÉ NÉCESSAIRE D'ENLEVER LES PERSONNES SUIVANTES: JANE SUTTON, VIRGINIA JENSEN, CRAIG JENSEN, KAREN JENSEN ET JOSEF NOWAKOSKI, SR... NOUS N'AVONS PAS DE GRIEFS CONTRE VOUS OU LES MEMBRES DE VOS FAMILLES ET

NOUS NE VOULONS PAS LEUR FAIRE DE MAL. MAIS IL DOIT ÊTRE CLAIR QUE LEUR SURVIE DÉPEND DE VOTRE EXÉCUTION DES INSTRUCTIONS SUIVANTES. QUAND VOUS AUREZ ATTEINT LE 45° DE LONGITUDE, VOUS CHANGEREZ DE DIRECTION ET VOUS DIRIGEREZ DIRECTEMENT VERS L'AÉROPORT D'EL MAGREB EN JORDANIE. UNE CARTE DE LA RÉGION EST INCLUSE DANS CETTE MISSIVE. VOUS NE DEVEZ, POUR AUCUNE RAISON, DÉVIER DE CETTE ROUTE DIRECTE. VOUS INFORMEREZ LE CONTRÔLEUR AÉRIEN DU FAIT QUE VOUS AVEZ ÉTÉ DÉTOURNÉS ET QUE DES MEMBRES DE NOTRE ORGANISATION SONT DANS LA CABINE DE PILOTAGE ET DANS LA SECTION DES PASSAGERS. SOYEZ AUSSI INFORMÉS QUE NOUS NE BLAGUONS PAS. SI NOS INSTRUCTIONS SONT SUIVIES À LA LETTRE, NOUS VOUS ASSURONS QUE TOUS SERONT SAUFS. LA MOINDRE RÉSISTANCE, LE MOINDRE REFUS DE COOPÉRATION ENTRAÎNERA CEPENDANT L'EXÉCUTION DE VOS PROCHES ET LA DESTRUCTION DE VOTRE AVION, ET DE *TOUTES* LES PERSONNES À BORD. NOUS TRANSPORTONS LES EXPLOSIFS NÉCESSAIRES. CAPITAINE MALLORY, TRENTE MINUTES APRÈS CE CHANGEMENT DE DIRECTION, VOUS VOUS DIRIGEREZ, SEUL, VERS L'ARRIÈRE DE L'AVION. VOUS RECEVREZ ALORS DES DIRECTIVES ADDITIONNELLES. UN DERNIER MOT: SI VOUS DOUTEZ DE NOS INTENTIONS, CONTACTEZ VOTRE COMPAGNIE ET DEMANDEZ OÙ SONT VOS FAMILLES.

Mallory cligna des yeux et relut le message.

Dieu! Une blague du plus mauvais goût... Impossible... Il regarda les instruments de bord, comme une sorte de lien avec la réalité. Tout fonctionnait encore normalement; les aiguilles pointaient encore vers les bons chiffres, comme si rien n'avait troublé la tranquillité du vol. Calme, se dit-il, sois calme...

Il regarda Dee.

— Attends un instant, je te prie. Le Service Secret voudra sûrement savoir quel passager a trouvé l'enveloppe et dans quel cabinet de toilette.

Il donna l'enveloppe à Cousins et annonça:

— Un problème.

Il suivit la courbe des sourcils de Cousins en le regardant lire le message.

— Maudite merde! L'agent du Service Secret avait un ton enragé. Où avez-vous trouvé ça? demanda-t-il à Dee.

— Une des hôtesses de la section des passagers me l'a donnée. Un passager l'a trouvée dans un des cabinets de toilette.

Cousins avait l'air de quelqu'un qui essaie de mordre à travers une matière solide.

— Un détournement, annonça Mallory à Jensen et Nowakoski.

— Oh, Jésus-Christ, murmura Nowakoski. Il regarda derrière lui comme s'il s'attendait à voir un pirate de l'air armé, penché sur lui.

Jensen fixa furieusement le panneau de bord.

— Ce n'est pas tout, leur dit Mallory. Pas question d'y aller de main morte. Nos familles sont impliquées. Ils ont ta femme et tes enfants, dit-il à Jensen. Et ton père, dit-il à Nowakoski. Et Jane... c'est du moins ce qu'ils disent.

— Quoi? Jensen ne le croyait pas.

Cousins passa la note à l'ingénieur de vol et tira sur le petit microphone attaché à sa manchette.

— Ici Cousins. Nous avons un problème. Greene et Maddox, rencontrez-moi dans le salon du second étage. Je vous informerai; vous pourrez ensuite informer les autres. Il fit signe à Dee. Venez avec moi. Et Capitaine, — il se tourna vers Mallory — ne faites rien avant mon retour. Ils sortirent rapidement de la cabine en direction du salon.

L'atmosphère de la cabine de pilotage devint soudainement électrique.

Jensen ouvrit la bouche béatement.

— Enfants de chienne. Il regarda Mallory. Non, Jésus-Christ, ce n'est pas vrai. Pas vrai! Son visage devint sombre de compréhension. Mais ils savent nos noms... et Ginnie et Craig... et Karen... C'est donc *vrai*!

Nowakoski secouait la tête d'une façon étrangement résolue.

— Non, non, c'est sûrement une blague. Ciel, mon père a plus de soixante-dix ans . . . et son coeur n'est plus très bon . . . Il ne peut pas supporter un choc comme ça.

Ce n'est pas une blague, pensa Mallory. C'est absolument vrai.

Jensen frappa sa paume avec son poing.

— Jésus-Christ! De quel droit osent-ils enlever des femmes et des enfants . . .!

— Calmons-nous, dit Mallory. Nous n'accomplirons rien si nous perdons contrôle. Je comprends votre situation. Je suis dans le même bain. Mais demeurons calmes!

— Enfants de chienne, ragea Nowakoski. Le Saint Père . . .

Mallory acquiesça.

— C'est sûrement ça. Ils ne veulent pas *vraiment* nos familles, mais ils savent que nous suivrons plus facilement leurs instructions si nos proches sont tenus en otage. Vous comprenez? Gentil, n'est-ce pas? Un succès assuré.

Jensen grimaça.

— Mais je ne comprends rien. Que veulent-ils du Pape? Un vieillard comme lui; il ne ferait pas de mal à une mouche!

— Ciel, c'est peut-être *vraiment* une blague, dit Nowakoski sans certitude. Une blague très, très dégénérée.

— Si c'est une blague, rétorqua Jensen, elle n'est absolument pas drôle.

Mallory regarda en direction de la porte de la cabine. Que faisait Cousins? Que pouvait-il faire? Jésus-Christ, il n'y avait rien de plus enrageant que de faire face à une crise sans pouvoir faire autre chose que de s'asseoir et d'attendre.

— Que vont-ils faire du Pape — exiger une rançon?

Mallory haussa les épaules.

— Dieu seul le sait. Ils peuvent exiger n'importe quoi en échange du Pape . . .

— Ces salauds-là devraient être lynchés.

— Il faut d'abord les capturer, dit Nowakoski.

Mallory se mit à songer à la somme exigée en échange du Pape. Un million de dollars? Dix millions? Cent millions? Et qui paierait? L'Église? Diable, ils ruineraient l'Église catholique, ils leur prendraient jusqu'au dernier sou... L'Église reculerait-elle à une certaine somme, dirait-elle «désolée, mais il ne vaut pas tant?» Mais est-ce que Black September voulait vraiment de l'argent? Il en doutait. Mallory savait que *ce* groupe terroriste ne demandait jamais de l'argent.

— Et ces enfants de chienne sont à bord?

— Tu as bien lu.

— Armés?

— Très.

— Non. C'était impossible d'amener des armes à bord. Jensen tendit la main comme pour saisir un des pirates.

— Jésus-Christ, le service de sécurité était infaillible. Des détecteurs spéciaux, des rayons X, des fouilles, toute une machine!

— Eh bien, nous le saurons sûrement bientôt, murmura Mallory.

Il assigna Jensen au calcul du temps de vol requis pour le trajet vers la Jordanie; Nowakoski calcula la consommation d'essence et inventoria les réserves.

Mallory regarda sa montre. Dans quatre heures cinq minutes, il serait temps de changer de direction pour le Moyen-Orient au lieu de l'Amérique. Et s'il défiait les pirates? Quelle preuve avait-il de leurs intentions? Avaient-ils vraiment enlevé Jane et les autres?

Cousins revint, le visage livide et solennel.

— Tout est parfaitement normal derrière. Mauditement normal.

— Aucun indice quant à la note?

Cousins secoua la tête.

— J'ai l'impression qu'elle est là depuis peu de temps après notre départ. C'est une femme qui l'a trouvée. Ada Bronsky, cinquante-trois ans. Une infirmière. Elle a été la première à se servir de cette toilette.

Cousins frappa nerveusement du doigt sur le dos du siège de Mallory, frustré.

— Et qu'avez-vous dit à cette dame Bronsky?

— Je lui ai dit que c'était un message obscène.
— Et qu'est-ce qu'elle a dit?
— Rien. Elle a simplement sourcillé.
— Et maintenant? demanda Mallory.
— Contactez votre compagnie et demandez-leur de vérifier l'état de vos familles, répliqua Cousins. Inutile d'annoncer un détournement, si rien de tout ceci n'est vrai.
Mallory acquiesça, heureux d'avoir enfin un geste positif à poser. Il se mit à la fréquence Airinc.
— Airinc, ici le vol Trans Am neuf zéro un. À vous.
L'opérateur Airinc semblait un peu endormi.
— Trans Am neuf zéro un, ici Airinc. À vous.
— Compris, Airinc. Demandons contact avec New York. À vous.
— Compris, Trans Am. Restez à l'écoute.
Mallory s'enfonça dans son siège, sinistrement conscient de la portée qu'aurait son message dans les bureaux de New York. Myers, sachant très bien qu'une énormité venait de naître, téléphonerait immédiatement à Henderson, le vice-président des opérations. Henderson serait pris à son tour d'une attaque cardiaque, sachant que Mallory transportait le Pape. Un homme corporatif, ce Henderson. Un ex-pilote de ligne. Endurci, mais habile. En ce moment, il serait sûrement en train de contacter Airinc à New York pour demander une ligne directe avec le vol 901.
Tout se fit rapidement. L'unité SELCAL fit clignoter une lumière jaune et sonner une alarme, pour annoncer qu'Airinc appelait le vol 901.
Mallory pressa un bouton pour stopper l'alarme. Il augmenta le volume de son récepteur à haute fréquence.
— Trans Am neuf zéro un, en réponse à SELCAL, à vous.
— Compris, neuf zéro un. Ici Airinc à New York. Restez à l'écoute pour une communication directe avec M. Henderson. À vous.
— Compris, Airinc.
Quelques secondes plus tard, la voix directe et caustique de Henderson emplit la cabine.

— Mallory? Ici Henderson. Qu'est-ce qui se passe?

Mallory l'informa.

Il y eut une pause. On entendait clairement la lourde respiration de Henderson.

— D'accord, dit-il. Comme d'habitude, il n'y eut pas d'explosion. J'informe immédiatement les autorités locales. Et les autorités fédérales. Combien de temps vous reste-t-il avant le changement de trajet?

— Trois heures quarante-cinq minutes.

— Très bien. Est-ce que nous pouvons faire autre chose pour vous?

— Négatif. Tout est tranquille ici. J'imagine que tout cela est peut-être une blague ridicule... mais j'en doute.

— Je comprends. Je vous contacte dès que j'apprends quelque chose.

Mallory replaça le micro. Il n'avait plus qu'à attendre. Attendre et espérer. Il se tourna vers Cousins.

— Inutile d'informer le Pape. Du moins pas pour le moment.

— Je suis d'accord.

Nowakoski dit:

— Ciel, s'il y a vraiment des pirates armés à bord, il y a sûrement un moyen de les identifier.

— Vraiment? dit Cousins avec une note d'angoisse. J'aimerais bien savoir comment ces enfants de chienne ont réussi à monter à bord. Il secoua la tête comme un homme irascible qui ne voit aucune solution au problème auquel il fait face; il imaginait déjà une confrontation sur laquelle il n'aurait aucun contrôle. Selon la note et en assumant qu'elle est correcte, nous saurons à qui nous avons affaire une demi-heure après le changement de trajet, alors que le Capitaine Mallory ira les rencontrer.

Et alors? songea Mallory. Une fusillade? Les bons contre les méchants à trente-cinq mille pieds d'altitude? Quelqu'un avait bien planifié les choses. Mais tout avait une qualité irréelle. Tous les détournements dont il avait entendu parler étaient pleins de tueurs, de fusils et de grenades, de passagers frénéques et d'hôtesses blanches de peur. Mais cette fois-ci tout était normal... jusqu'à maintenant. Les passagers se délectaient présentement de filets et de bons vins.

Le groupe Black September prétendait être à l'origine de tout. Le nom même du groupe était terrifiant. Black September, septembre noir: des fanatiques voués à la destruction complète et finale de l'État d'Israël, les mêmes aliénés qui avaient massacré des passagers innocents dans les aéroports et qui avaient assassiné des athlètes olympiques à Munich. Leurs propres vies n'avaient plus de valeur pour eux, encore moins celles des autres.

C'était sûrement une blague. Faites que ce soit une blague. Mais ils connaissaient les noms. Jane. Mme Jensen. Le père de Nowakoski...

* * *

Pendant la première demi-heure de vol, la dame n'avait pas prêté attention à Squires. Mais quelqu'un s'était approché pour demander un autographe. Pas pour lui-même, bien sûr; les autographes sont toujours pour la Tante Claire ou un neveu hospitalisé. Le dommage était déjà fait. Sa paix fut immédiatement détruite pour la durée complète du voyage.

«Bien *sûr*... bien *sûr*!» Elle se contorsionna et réussit à le confronter face à face, même s'ils étaient assis l'un à côté de l'autre. «À vous voir là, simplement assis, comment pouvais-je savoir que c'était *vous*?»

Elle avait même un ton accusateur. La voix de la femme avait une enrageante tonalité métallique. Elle débutait lentement chacun de ses déluges de mots, en augmentant progressivement sa vitesse comme à travers une série d'engrenages jusqu'à une vélocité maximum. Elle parlait continuellement de son chat Willy, de son perroquet Marmaduke, de son ranch à Fresno au Texas, de son fils Roger qui avait une boutique de vêtements unisexes à Los Angeles et de son mari Manville qui était, semble-t-il, incapable de prendre une bonne décision.

Squires sentit son équilibre mental sur le point de chavirer. Passerait-il bientôt de l'autre côté? Serait-il réduit à l'état d'un idiot par les forces sadiques du destin qui le plaça sur cet avion maudit aux côtés de cette femme maudite?

Et cet homme à l'allure débraillée qui avait un peu trop fêté avant de monter à bord et qui pensait avoir séduit l'hôtesse . . .

Quelles autres contrariétés lui réservait ce voyage?

Chapitre 7

21h02, heure de Greenwich
Le nord de la Californie 14h02

L'agent Gilvenney ralentit son auto jusqu'à une vitesse de marche. Il fixait, les yeux plissés; ces damnées maisons étaient placées si loin de la rue.

— Voilà, dit Stafford, son partenaire. Numéro 203.

De jeunes yeux.

Gilvenney stoppa l'auto.

— Nous approcherons de la maison à pied, dit-il à Stafford.

— D'accord.

Gilvenney mit sa casquette et fit un signe vers la clôture.

— Va voir à l'arrière.

— D'accord.

Il sortit de l'auto comme un éclair. Gilvenney soupira. Un bon garçon, mais un peu trop hystérique.

Gilvenney prépara son revolver et jeta un coup d'oeil sur les fenêtres. Rideaux immobiles. Il avala. Il détestait approcher des maisons suspectes.

Il sonna. Le son du carillon le frappa comme le chant d'un choeur grec.

Il toussota.

— Il y a quelqu'un?

Pas de réponse. Il essaya la porte. Elle n'était pas verrouillée.

Une grande respiration.

Revolver à la main, il pénétra dans la maison.

Pendant un moment, il pensa que le cadavre était humain. Il regarda une deuxième fois. Les restes d'un très beau chien. Qui aurait pu faire une chose pareille?

— Gilvenney?

Stafford arriva en courant.

— La porte arrière était ouverte.

Son visage rose se plissa de dégoût quand il vit le corps du chien et les murs tachés.

— Il y a eu une bagarre, observa-t-il.

— Génial, dit lourdement Gilvenney. On vous enseigne des merveilles à l'Académie! Regardons un peu et découvrons ce qui a bien pu se passer ici.

Stafford fut de retour en un instant.

— Pourquoi, demanda-t-il, inscrirait-on les mots «Black September» sur les murs d'une salle à manger?

— Cela, répliqua Gilvenney, fera simplement partie de notre rapport. C'est un autre misérable qui découvrira pourquoi!

* * *

Le directeur du Service Secret était furieux.

— Aussi bien nous avoir épargné le trouble d'envoyer des agents à Rome. Ils sont simplement assis sur leurs culs à jouer à être des passagers sur cet avion. Les pirates font apparemment tout ce qu'ils désirent. Nous sommes leurs pantins. L'avion va changer de direction bientôt. Mais sans qu'un pirate ait besoin de coller un revolver sur la tête du capitaine. Merde, non! Inutile pour eux de poser des gestes aussi crus! Ils envoient simplement un gentil message au capitaine en lui disant de suivre leurs instructions. Et s'il n'obéit pas, on menace la vie des familles des membres de l'équipage. Gentil. Clair, net et précis. Et nous avons l'air d'une damnée bande d'amateurs.

— C'est une approche différente, Monsieur, une que nous... eh bien, pour parler franchement, une que nous n'avions pas considérée. Le directeur adjoint sentait la sueur couler à l'intérieur de sa chemise.

— Ça, éclata le directeur, c'est tout à fait évident! Qui est assigné à cet avion?

— L'agent Cousins, Monsieur.

— Et que diable fait-il?

— En ce moment, Monsieur... il ...eh bien, nous supposons qu'il attend d'autres développements. N'oublions pas que jusqu'à maintenant, il n'y a pas eu d'action concrète. M. Cousins et ses hommes — ils sont quatre — sont prêts à toute attaque physique pour prendre contrôle de l'avion.

— Ne vous leurrez pas, gronda le directeur. Nous avons été déjoués... jusqu'à maintenant. Il n'y aura sans doute aucune tentative pour prendre cet avion de force. Non, tout a été bien pensé. Et d'après moi, la prochaine étape sera tout aussi imprévisible que la première. Avons-nous des renseignements au sujet des familles?

— Non, pas encore, Monsieur. Les autorités font présentement enquête. Nous attendons des nouvelles bientôt.

Le directeur mordillait sa lèvre inférieure. Les implications étaient effroyables.

— Les enfants de chienne nous tiennent. Voilà la seule certitude. Jésus-Christ... ils ont tous les choix possibles, même le Pape! Qui voyage à bord un avion des États-Unis... Dieu Tout-Puissant! Si leur intention était de se moquer de nous, ils ont réussi à cent pour cent! Le *Pape!* Il secoua la tête. Puis il prit une grande respiration, s'empara du téléphone, poussa un bouton rouge et demanda: La Maison-Blanche, immédiatement.

* * *

Mallory se mit à songer au temps des B 17: les raids massifs en plein jour qui partaient de petites bases aériennes anglaises aux jolis noms, les détachements d'avions lourdement armés, pilotés par des enfants, qui s'allongeaient dans le ciel en essayant de se tenir en formation, puis s'élançaient vers le continent, chacun se réservant pour le moment où les guerriers *Luftwaffe* glisseraient dans le ciel, venant de tous les points de la boussole, à coups de canons et de mitraillettes, n'importe quoi pour vous faire tomber du ciel. Il ressentait encore la sensation — et l'odeur de cordite des tourelles; et les morceaux d'avions et d'hommes qui roulaient dans le ciel dans leur long voyage vers la terre. Vous étiez rapidement convaincus qu'il n'y avait plus aucun espoir de survivre au combat. Vous seriez bientôt morts. Et vous assistiez à l'événement presqu'en spectateurs.

Il en était pareil maintenant.

Il détacha sa ceinture de sécurité.

— Je vais faire ma ronde, dit-il.

Cousins secoua la tête.

— Vaut mieux rester ici, Capitaine.

Mallory répliqua:

— C'est mon avion, M. Cousins. Je suis le capitaine et je prendrai les décisions.

Pendant un moment, Cousins eut l'air d'un homme prêt à défendre son point de vue. Puis il haussa les épaules.

— Je suis d'avis qu'il ne faut pas précipiter les événements, dit-il. Pas encore, pas avant de savoir ce qui en est de vos familles.

— Je n'ai pas l'intention de précipiter quoi que ce soit, répliqua Mallory, en mettant sa veste et sa casquette.

Il se faufila à travers la paire d'agents secrets au regard inquiet, jusqu'à l'escalier en spirale qui conduisait à la section de première classe. Le Pontife était dans son compartiment; les autres membres de sa suite dégustaient leurs desserts.

Un prêtre aux joues roses demanda si l'avion suivait son horaire. Il parlait l'anglais précisément, mélodieusement.

Mallory l'assura que le vol suivait son horaire; avec deux minutes d'avance.

— C'est mon premier vol, rayonna le prêtre. Étrange de nos jours, n'est-ce pas? Mais je dois être franc. J'évitais l'expérience. Il sourit. Mais, discrètement, je crois. Quand j'ai appris que je ferais ce voyage, je me suis renseigné. J'ai trouvé un livre à la bibliothèque qui expliquait les éléments de base de l'aéronautique. J'ai appris ce qui permet à un avion de décoller. Une simple question d'augmentation de la vitesse de l'air, ce qui produit une baisse dans la pression statique; la pression liquide sur le dessus de l'aile est plus basse que la pression du dessous, ayant pour résultat un décollage.

Mallory réussit à sourire en dépit de tout. L'expression de l'homme était attachante.

— J'imagine que toutes ces connaissances vous ont permis de vous détendre lors de notre départ, Monsieur.

— Oh non, Capitaine, non! Au contraire. La vérité c'est que j'aurais préféré ne rien savoir! J'espère toujours apprendre quelque chose de plus concret! Le prêtre se mit à rire de lui-même.

Mallory entra dans la cabine des passagers. Il fut confronté par des rangées de visages. Des mâchoires mastiquaient nerveusement.

Il essaya d'éviter leur regard en traversant l'allée. Il dut croiser une des hôtesses. Elle le regarda avec surprise.

— Puis-je vous aider, Monsieur?

— Non merci. Une simple petite marche de santé. Question de raviver ma circulation.

Un peu plus loin, un homme l'arrêta.

— Apportez-moi un scotch, s'il vous plaît.

— Je ne suis pas un steward, Monsieur.

— Alors envoyez-moi un steward.

Mallory dit à l'homme de presser le bouton d'appel pour l'hôtesse s'il avait besoin de quelque chose. Chaque vol comptait ses soûlards. Ils étaient souvent un ennui; certains devaient parfois être maîtrisés physiquement; il était parfois nécessaire de demander une escorte policière à l'arrivée. Mais un soûlard bruyant était le moindre de ses soucis en ce moment.

Tout avait l'air si diablement *normal.*

Un homme vêtu d'un costume sombre tira sur sa manche. Il avait un visage familier.

— Vous êtes sûrement un des pilotes.

— C'est exact, Monsieur.

— Pourquoi vous promenez-vous dans l'avion?
— Monsieur?
— Les règlements de la Federal Aviation Agency exigent que l'équipage demeure dans la cabine de pilotage, sauf en cas d'urgence. S'agit-il d'un cas d'urgence?
— Non Monsieur; tout va bien. N'êtes-vous pas acteur? Il me semble avoir déjà vu votre visage.

Une femme cria du siège d'à côté.
— C'est Vernon Squires, annonça-t-elle, comme si elle était personnellement responsable de cette réalité.
Mallory souhaita la bienvenue à Squires. Une inébranlable pénétration se dégageait du regard de Squires. Mallory se souvint de l'efficacité de ce regard dans un film de guerre. Vernon y jouait le rôle d'un colonel allemand.
Un homme astucieux, pensa Mallory en continuant sa ronde. Une femme âgée voulut savoir si le Pape aimait le voyage; un homme et sa femme discutaient du décalage horaire entre Rome et San Francisco.
Qui était le terroriste? Cet homme robuste avec la chemise rouge? L'homme mince au costume gris? Tout le monde avait l'air si diablement innocent et indifférent.
Qui aurait pu être assez diabolique pour détruire cet avion et tuer tous ces gens? Mais depuis quand les terroristes se souciaient-ils des morts qu'ils causaient?
Cousins regarda Mallory avec un air inquisiteur quand il retourna dans la cabine.
— Alors?
Mallory secoua la tête.
— Rien de plus normal.
— Enfants de chienne, murmura Cousins. Mallory demanda à Jensen de contacter Airinc pour savoir s'il y avait eu d'autres développements.
— Il faut bien qu'ils fassent quelque chose éventuellement, dit Cousins. C'est alors que nous aurons notre chance.
Mallory répliqua:
— Et alors qu'arrivera-t-il de nos familles?
Inconfortable, Cousins détourna le regard.

Mallory s'enfonça dans le siège de gauche. Le côté mécanique était en ordre; c'est le côté humain qui ne l'était pas.

— Ils attendent encore, annonça Jensen.

— D'accord.

Jensen se tourna vers Cousins.

— Si nous atterrissons en Jordanie et s'ils amènent le Pape, j'imagine qu'ils libéreront Ginnie et les enfants, et les autres, non? Tout simplement comme ça? Est-ce que ces échanges fonctionnent vraiment ainsi?

— Certainement, dit Cousins. Quelque chose comme ça.

Il n'avait pas l'air convaincu.

— Vous êtes plein de merde, gronda Jensen. Nos familles sont en dixième position sur la liste de vos priorités. Ils ne sont pas indispensables, n'est-ce pas? Des gens sans importance. Dommage pour eux, mais quand on compare la sécurité du Pape, le prestige national, les relations internationales et les satanés indices Dow Jones à la vie de quelques citoyens, il n'y a plus de compétition, n'est-ce pas? N'est-ce pas?

— Un peu de calme, dit Mallory. Nous sommes peut-être victimes d'un vulgaire canular.

— J'en doute, répliqua Jensen. Il secoua la tête et se retourna, pâle et furieux.

Cousins l'interrompit.

— Écoutez, je suis vraiment peiné pour vos familles. Mais, diable, qu'est-ce que je peux faire d'ici? Je suis responsable du Pape et de cet avion... et je dois tout faire en fonction d'eux.

— Bien sûr, répliqua Mallory. Nous comprenons. Vous êtes dans une situation terrible. Comme nous et nos familles. Nous comprenons votre position. Essayez de comprendre la nôtre.

— Je comprends, dit Cousins. Je comprends vraiment.

La cabine de pilotage devint silencieuse sauf pour l'électricité statique de la radio et les bribes de signaux en morse envoyées par la station VORTAC de Benbecula dans le nord-ouest de l'Écosse.

Sois calme, se disait Mallory; calme et efficace. Ils veulent t'enrager avec Jane. Il ne faut jamais faire ce que veut l'ennemi. Qui avait dit cela? Il ne s'en souvenait pas.

— Jésus-Christ, cria Jensen, combien de temps faut-il pour savoir si une femme a été enlevée?

Il mâchait de la gomme avec une résolution furieuse.

— Un peu de temps, répondit Cousins. Ils nous contacteront. Bientôt.

— Le coeur de mon père est faible, dit Nowakoski. Très faible. Ce genre de merde lui sera fatal. Il se tourna vers les autres, comme pour faire appel à leur sens de la justice. Qu'est-ce qu'ils font avec un vieux comme ça, pour l'amour de Dieu? Il pourrait en mourir, simplement comme ça, sans même être frappé.

Mallory acquiesça. Il essaya d'avoir l'air sympathique, mais tout ce qu'il avait envie de dire était: «Que diable penses-tu que je puisse faire? Le faire libérer à cause de son âge et de son état physique?

Mallory regarda sa montre. Deux heures quarante-cinq minutes avant d'atteindre 45 degrés de longitude ouest au-dessus du sud du Groenland. Il n'avait pas d'autre choix que celui d'obéir. La vie du Pape était en danger et il fallait tout tenter pour le protéger. Jane et les autres étaient une raison de plus pour faire précisément ce qu'ils voulaient. Sans compter les deux cent soixante-dix-sept autres vies et l'avion de 40 millions de dollars. Jésus-Christ, y avait-il plus odieux et plus bas que de se servir de vies humaines comme de la vulgaire monnaie?

— Mais pourquoi les Arabes? songea Nowakoski à haute voix. Pour l'amour de Dieu, qu'est-ce qui nous lie à eux? Ciel, mon pauvre père disait toujours qu'il les plaignait parce qu'ils avaient été chassés de leur pays quand Israël fut créé. Et il avait peut-être raison. Il disait toujours: «Comment les habitants de New York se sentiraient-ils si un exalté aux Nations unies décidait que New York serait désormais la patrie des aborigènes ou de qui sais-je encore?» Jésus-Christ, il y a toujours deux côtés à une médaille, et mon pauvre père voyait toujours les deux côtés. Un homme juste. Et c'est lui que ces enfants de chienne ont choisi!

Ils virent soudainement clignoter la lumière jaune.

— Trans Am neuf zéro un, en réponse à SELCAL. À vous.

— Compris neuf zéro un. Restez à l'écoute pour un appel de M. Henderson. À vous.

— Compris.

Henderson ne mâchait pas ses mots.

— Mallory, nous avons un vrai problème; la note était exacte. Voici la situation. Les autorités locales nous informent que les individus en question ont disparu. Steve, ils sont allés chez vous. Votre fille n'est pas là, mais son auto est dans le garage. L'auto de Mme Jensen a été trouvée dans le stationnement d'un supermarché. Les clefs dans le démarreur, des sacs d'épicerie sur la banquette arrière. Aucun signe de vie de la part de Mme Jensen et de ses enfants. M. Nowakoski a aussi disparu. Mme Nowakoski est sortie pour visiter une amie; à son retour, il n'était plus là. Un voisin a parlé d'un camion de chez Sears. Les autorités font enquête. Il y avait cependant un message inscrit sur un mur dans chacune des maisons: «Black September». C'est tout ce que nous savons jusqu'à présent. Ça n'a sûrement pas l'air très bon. La police locale et le F.B.I. font tout en leur pouvoir en ce moment. Quelles sont vos intentions?

— Nous n'avons pas vraiment le choix, n'est-ce pas?

— Je suppose que non. Est-ce que les passagers sont au courant?

— Négatif. Inutile de les informer maintenant.

— D'accord, Steve. L'Air Traffic Control vous planifie déjà un nouveau trajet. Ils vous contacteront bientôt. Avez-vous été contactés par ceux... ceux qui sont à bord de l'avion?

— Négatif, répondit Mallory. C'est ce qu'il y a de plus étrange dans toute cette affaire.

— Je comprends.

Je me le demande vraiment, pensa Mallory.

— Nous changerons de direction dans quelques heures.

— D'accord Steve. Nous resterons en contact.

Nous aussi, pensa Mallory: nous vous enverrons une carte postale du Moyen-Orient. Il se tourna vers les autres.

— Si vous avez des idées brillantes, j'aimerais les connaître.

Nowakoski dit:

— Vous savez, peut-être qu'ils sont simplement... tous absents temporairement pour une raison toute simple. Ils n'ont peut-être pas été enlevés du tout.

— Ont-ils aussi tous décidé de décorer leurs murs avec l'emblême de Black September?

Nowakoski ne répondit pas.

Il ne fallait pas y aller d'un virage sec qui informerait ainsi immédiatement les passagers du changement de direction. Aussi bien les laisser se détendre aussi longtemps que possible. Il était même possible d'effectuer un virage qui demeurerait insoupçonné. La noirceur du ciel nocturne masquerait le virage de 180 degrés.

Mallory demanda à Nowakoski de vérifier le dernier rapport de la météo pour la région d'El Maghreb.

Tout finira bien, dit-il silencieusement à Jane. Nous sortirons bien de cette impasse.

Jensen fixait ses poings serrés en s'imaginant qu'il étranglait un de ces fanatiques.

— Doux Jésus, dit Nowakoski en passant à Mallory le rapport de la météo. Un simoun violent progressait au-dessus du sud d'Israël, de la Jordanie et du Sinaï.

Mallory secoua la tête et soupira. Une tempête maudite en plus de tout ça!

Chapitre 8

22h30, heure de Greenwich
Jérusalem/0h30

Le Premier ministre d'Israël relut le message pour la dixième fois. Puis il s'enfonça dans son fauteuil et croisa les bras sur sa poitrine. Il regarda les hommes assis devant lui autour d'une longue table de conférence. Leurs yeux pleins d'angoisse étaient fixés sur lui. Pauvres hommes, ils savaient très bien ce que voulait dire une assemblée au Knesset à une heure aussi tardive: une autre crise.

— Désolé d'avoir ruiné votre soirée. Il s'agit évidemment d'une question de nature extrêmement urgente. Il décroisa les bras et posa ses mains sur la table de conférence: une pose caractéristique, très appréciée des caricaturistes. Nous avons reçu un communiqué de Black September, dit-il. Ils déclarent avoir détourné l'avion qui transporte le Pape à San Francisco. Il atterrira en Jordanie dans moins de dix heures. Selon leur message, le Pape sera retiré de l'avion et tenu en otage pour une période maximum de 24 heures. Il sera exécuté si nous ne retirons pas nos forces armées de la Rive Gauche pendant cette période de temps. Si nous refusons, ils déclarent qu'Israël sera responsable de la mort violente du Pape.

Il sentit une sympathie momentanée en voyant l'effet produit par ses mots. Des mots qui blessaient, qui torturaient. Une autre confrontation déchirante. Chacun des hommes s'était déjà concentré et considérait les implications, les ramifications et les conséquences.

Le Ministre de la Défense, un homme mince vêtu de kaki, demanda:

— Pouvez-vous nous donner la position présente de l'avion et son trajet?

Le secrétaire fouilla dans ses notes.

— L'avion est un Boeing 747 appartenant à Trans American Airlines. Il est en ce moment au-dessus du nord de l'Atlantique et se dirige vers le Groenland. En atteignant le 45ème degré de longitude ouest, il changera de direction et se dirigera vers les îles Arcades, dans le nord de l'Écosse, où il effectuera un virage en direction d'El Maghreb en Jordanie. Son trajet l'amènera aussi au-dessus du sud d'Israël.

— Et si nous ignorions toute cette affaire?

— Le Pape sera tué, toujours selon leur message.

— J'en doute. À quoi servirait un tel geste? À rien, sinon à dégoûter le monde entier et à attirer la haine sur l'OLP et toutes ses organisations lunatiques.

L'homme qui parlait avait environ soixante ans, des cheveux gris hirsutes. Vétéran de la guerre de 1948, il ne pouvait aucunement supporter les discussions au sujet de Black September. Pour lui, c'était très simple: tous les terroristes étaient des fanatiques assoiffés de sang. Il fallait les ignorer, mais s'ils vous attaquaient, il fallait les tuer avant qu'ils ne vous tuent.

— Nous ne sommes pas responsables de ce détournement, déclara-t-il. Nous ne pouvons donc pas être tenus responsables de la mort du Pape, si nous en venons jusque là, ce dont personnellement je doute. Mais si Black September décide de commettre une telle atrocité, ce seront leurs mains et non les nôtres qui seront tachées de sang.

— Mais est-ce que le monde entier sera d'accord, demanda le Premier ministre.

— Est-ce important?

— Malheureusement oui.

— Nous n'avons pas provoqué cet incident...

— Non. Mais les terroristes prétendent que nous l'avons provoqué avec notre occupation continuelle de leur pays.

— L'occupation est défensive...

— Oui je sais, mon ami, et vous le savez aussi. Mais est-ce que le reste du monde le voit comme ça? Supposons un instant que nous obéissons à leurs ordres. Nous retirons nos forces et le Pape est libéré. Tout le monde respire en paix. Une autre crise réglée. Et après? Les forces militaires arabes occuperont immédiatement la Rive Gauche.

— Nous serions exactement au même point qu'au moment de la guerre de Six jours.

— Exactement. Et pour reprendre la Rive Gauche, il faudrait une expédition militaire majeure. Avec comme résultat possible, la guerre avec la Jordanie et la Syrie; et même un conflit — peut-être final — dont nous ne sortirions probablement pas vainqueurs, Messieurs.

Le Ministre de la Défense gronda.

— Nous n'avons jamais négocié avec des terroristes — et ce serait une erreur désastreuse de le faire maintenant! Il pointa chacun des hommes autour de la table. Nous savons tous à quel point ces décisions ont été difficiles — voire agonisantes — dans le passé. Nous avons tous été amèrement tentés d'obéir. Mais cette fois, il n'y a pas d'autre choix. Nous n'avons pas encore abandonné la partie. Et nous avons eu raison, Messieurs! Nous avons eu raison parce que toute tentative de discussion avec ces... maniaques aurait été un signe de faiblesse, et Dieu seul sait quelles nouvelles demandes auraient été faites. Les terroristes ne comprennent qu'une seule langue: la force. Inutile de leur parler en termes rationnels, parce qu'ils ne sont pas des individus rationnels. Seule leur cause a de l'importance pour eux. Ils se foutent bien des blessés et des morts. Et voilà qu'ils ont capturé un vieillard dont la mission est innocente, un homme qui n'a aucun tort envers eux, un homme qui ne veut que la paix dans le monde. Et ils menacent de tuer cet homme si nous n'obéissons pas à leurs ordres. C'est un geste monstrueux, perpétré par des êtres moins qu'humains et je déclare que leur obéir souillerait la mémoire des hommes et des femmes qui ont donné leurs vies pour créer et défendre cet état!

Il y eut des murmures d'approbation. Le Premier ministre soupira.

— Je comprends vos sentiments, mes amis. Il ne s'agit cependant pas d'un détournement ou d'un enlèvement ordinaire. Black September a capturé un des personnages les plus influents du monde. Il est vénéré par des millions de croyants à travers le monde. Pour eux, il est voisin de Dieu. Pensez un peu: il nous a fallu des milliers d'années pour créer Israël et être reconnus comme un état souverain, et pendant toutes ces années, nous avons été considérés comme les assassins du fils de Dieu, Jésus-Christ. Les historiens racontent cependant une histoire différente: ce sont les Romains qui l'ont tué. Très bien, mais je n'ai jamais entendu quelqu'un appeler un Italien un assassin du Christ. Messieurs, si nous permettons cette exécution pour sauver quelques kilomètres de territoire...

— Quelques kilomètres de territoire! Mon Dieu, des milliers d'hommes et de femmes ont donné leurs *vies* pour ce territoire, et c'est notre sécurité...

— Inutile de me le rappeler, déclara le Premier ministre en rougissant. Mon père et mon cousin sont enterrés sur la Rive Gauche. Ce que j'essaie de dire c'est qu'on nous place dans une situation extrêmement délicate. Même si la plupart des nations déplorent ce genre de tactique terroriste, nous devons nous rappeler qu'une sympathie existe pour leur cause. On ne peut pas les blâmer s'ils disent que les Arabes exigent simplement qu'Israël se retire jusqu'aux lignes territoriales d'avant la guerre de Six jours; on ne peut pas nier que la Rive Gauche leur appartenait avant 1967.

— Ceux qui parlent ainsi ignorent les faits.

— Exactement. Mais il faut voir le monde comme il est; nous devons considérer comment les gens voient cette situation et non comment nous voudrions qu'ils la voient.

Un général déclara:

— Au diable ce que dit le monde. Il n'y a qu'une seule chose qui importe et c'est la survie d'Israël. Les gens et les mots sont vite oubliés. Je vous semble sûrement insensible, mais nous devons faire face aux faits. Nous sommes responsables de l'État d'Israël; c'est notre devoir sacré d'assurer sa survie.

Le Premier ministre acquiesça sobrement.

— Je respecte votre point de vue. Mais il y a un réel danger de transfert de culpabilité. Je crois que la plupart des gens réagiront ainsi: les Arabes sont coupables de l'enlèvement du Pape; les Israéliens sont tout aussi coupables s'ils laissent mourir le Pape au lieu d'accéder à l'inévitable. Nous devons considérer notre position parmi les nations du monde. Notre but premier a toujours été la sécurité par la reconnaissance de l'existence d'Israël en tant qu'état-nation souveraine. Cette reconnaissance a été longue à acquérir — d'ailleurs, elle n'a pas encore été obtenue du bloc arabe. Les gens qui ont planifié cet incident savent évidemment que la plupart des pays alliés à Israël comptent d'énormes populations catholiques. Et ces catholiques créeraient un immense raz-de-marée de ressentiment contre Israël si nous manquions de protéger la vie du Pape. Et qui pourrait les en blâmer? Leur priorité est évidemment la sécurité du Pape; pour eux, la question territoriale est d'importance secondaire — voilà d'ailleurs un point à discuter quand le Pape sera hors de danger.

Un homme d'environ quarante ans, avec des lunettes noires, parla pour la première fois.

— Monsieur le Premier ministre, nous pourrions aussi considérer la possibilité d'accéder aux demandes des terroristes en exigeant la reconnaissance diplomatique des états arabes. Après tout, avec une telle reconnaissance, notre besoin de conquérir la Rive Gauche serait largement éliminé. Et psychologiquement, une telle tactique renverrait la balle aux Arabes et replacerait certainement le blâme sur eux dans l'éventualité d'une ou plusieurs morts.

La suggestion fut accueillie par des commentaires furieux. Le Premier ministre dut rappeler l'assemblée à l'ordre. Il demanda quels arrangements pourraient être pris pour sauver, par la force, la vie du Pape et des autres passagers.

Le Ministre de la Défense répondit.

— J'ai beaucoup pensé à cette éventualité. Nous connaissons la destination de l'avion. Il s'agit d'une base militaire désaffectée à quelques kilomètres de la frontière de la Jordanie. Si je devine correctement et en pensant à Entebbe, Black September ne prendra aucune chance. Je prévois qu'ils entoureront l'avion dès son atterrissage et j'imagine aussi que les passagers seront tenus sous surveillance armée dès ce moment-là. Il y a quelques hangars vides sur la base. Ils serviront sûrement de quartiers temporaires. Une attaque pourrait être organisée, mais je ne vois vraiment pas comment nous pourrions en assurer le succès sans causer la mort du Pape et de plusieurs passagers. Nous ne pouvons pas comparer cette situation aux événements survenus à Entebbe. Il serait impossible d'assurer la sécurité d'un individu en particulier. Et les Jordaniens? Nous permettraient-ils d'envahir leur territoire? Ils seraient eux aussi préparés pour une incursion militaire.

Le Premier ministre répliqua.

— Aurions-nous organisé une attaque si le Pape avait été détenu à Entebbe? J'en doute.

Un membre âgé du cabinet frappa la table de conférence avec son poing.

— Monsieur le Premier ministre, je respecte votre jugement et je comprends les pressions politiques auxquelles vous avez à faire face. Mais je déclare catégoriquement que la Rive Gauche est de beaucoup plus importante pour nous que la vie d'un individu, quel qu'il soit!

* * *

Le Président des États-Unis alluma sa pipe et secoua furieusement l'allumette pour l'éteindre.

— Diable, dit-il, que devient notre service de sécurité? Sommes-nous incapables de voler d'un continent à l'autre sans ce genre de problème? J'avais cru comprendre que les mesures de sécurité seraient impénétrables!

Le chef du Service Secret était clairement gêné et furieux.

— Monsieur le Président, nous ne connaissons pas encore complètement leur «modus operandi». Il est difficile de trouver exactement ce qui n'a pas fonctionné. Je vous assure cependant que tout est sous enquête... et nous faisons notre possible pour protéger ce vol; il y a cinq agents à bord de l'avion...

— Je ne veux pas de détails. Ce qui importe, c'est que nous sommes la nation hôte de la conférence à laquelle le Pape a été invité, et il voyage à bord d'un avion américain. Sa sécurité est notre responsabilité et nous avons manqué le bateau!

Le Secrétaire d'État demanda la position de l'avion. Un des généraux avait l'information sous la main.

— Ils sont présentement au sud-sud-est de l'Islande, Monsieur le Secrétaire. Le pilote doit changer de direction au centre-sud du Groenland. Le virage sera effectué au sud de Sob Story, une de nos centrales de radar.

— Diable, pourquoi volent-ils si loin à l'ouest avant de se diriger vers leur destination?

— Nous nous sommes posé la même question, Monsieur le Président. Nous en avons conclu que nos pirates ont une bonne connaissance de l'appareil 747SP. Un pirate quelconque aurait peut-être pris contrôle de l'avion dès son départ de Rome et ordonné immédiatement au pilote de se diriger vers la Jordanie. Après tout, la distance entre Rome et la Jordanie est beaucoup plus courte qu'entre le Groenland et la Jordanie. Ce qui nous laisse croire que nous avons affaire à des pirates qui connaissent les avions. Par exemple, ils savent qu'un Boeing 747 contenant assez d'essence pour l'amener de Rome à San Francisco est beaucoup trop lourd pour atterrir avant d'avoir dépensé la plus grande partie de son essence. Donc, si l'avion vole de Rome jusqu'au Groenland, *et puis* change de direction, il sera assez léger pour atterrir sur une piste courte et probablement molle comme celle d'El Maghreb. Ils auraient cependant pu écouler de l'essence en plein vol. Mais ils ont peut-être besoin de temps pour exécuter leurs plans. C'est du moins notre hypothèse en ce moment, Monsieur. Techniquement parlant, Black September a fait ses leçons et ses devoirs.

Le Président remercia le général de sa façon gravement

courtoise.

— Il me semble qu'il faut considérer sérieusement les demandes des terroristes; après tout, il est impensable que la vie du Pape soit dans un tel danger.

Le Secrétaire d'État fit remarquer que l'initiative devait être prise par Israël et non par les États-Unis.

— Dans le passé, Monsieur le Président, Israël a toujours refusé de négocier avec les terroristes.

— Le reste du monde, interrompit le Ministre de la Défense nationale, n'a pas le culot de suivre leur exemple.

Le Président acquiesça; les décisions étaient souvent plus simples pour les pays en état de guerre ou même de semi-guerre.

— Nous ne pouvons absolument pas permettre que la vie du Pape soit mise en plus grand danger, déclara-t-il. Il connaissait trop les horribles conséquences politiques qui surviendraient si les États-Unis étaient tenus responsables, directement ou indirectement, du meurtre du Pape.

Un général aux cheveux blancs répliqua.

— Voulez-vous dire, Monsieur le Président, que nous devrions tenter de persuader Israël de se retirer de la Rive Gauche?

— Nous ne pouvons pas *persuader* Israël de faire quoi que ce soit.

— Non, mais nous pouvons leur rendre la vie très difficile s'ils refusent. Il alluma un cigare et l'inséra entre ses dents; le geste fit se relever les coins de sa bouche en un sourire diabolique. De toute façon, continua-t-il, en ce qui me concerne, Monsieur le Président, nous serions sages de n'entreprendre aucune action.

— Aucune action?

— Précisément. D'après moi, les radicaux palestiniens sont allés trop loin cette fois-ci. Ce que ces fanatiques demandent est si diablement obscène que je crois qu'on devrait leur permettre... puisqu'ils se tueront eux-mêmes dans le processus!

— Nous suggérez-vous donc d'attendre et de ne rien faire?

— Plus ou moins. Nous devrions déclarer au monde entier

que nous sommes choqués et attristés par les actes de ces criminels; et déclarer catégoriquement que si le Pape est exécuté, son sang coulera uniquement sur les mains de ses assassins. Ce geste sera si dégoûtant qu'il portera un coup fatal au terrorisme de gauche dans le monde entier. Un coup fatal dont il ne se relèvera pas.

— Mais je ne crois pas, Général, que nous pourrions regagner le prestige perdu en ne prenant aucune initiative pour prévenir ce massacre. Le Président secoua la tête. Non, je ne peux malheureusement pas être d'accord avec vous.

Le Ministre de la Défense nationale déclara:

— J'aurais honte de me considérer Américain si nous ne faisions rien.

Le général sourcilla.

— Je suis d'avis, Monsieur le Ministre, qu'il serait diablement plus efficace de laisser Black September s'autodétruire que de négocier avec eux.

— La vie d'un innocent homme est en jeu. Un très puissant innocent homme.

— Une telle mort serait peut-être sa plus grande contribution à l'humanité.

— Votre attitude est dégoûtante.

Le général haussa les épaules en guise de réponse.

Le Président se tapa les doigts sur la table et mit fin à ces discussions. Il se tourna vers le Secrétaire d'État.

— Monsieur le Secrétaire, j'aimerais connaître votre point de vue.

Les têtes se tournèrent vers cet homme intense, à l'allure sévère.

— D'après moi, dit-il lentement, délibérément, nous faisons face à la possibilité très réelle d'une confrontation majeure avec l'Union soviétique. Il regarda les visages qui l'entouraient. Je crois que nous assistons à une des plus sérieuses crises des temps modernes.

Le Président l'interrompit.

— M. le Secrétaire, je ne serais pas prêt à dire que la situation présente engendrera une telle confrontation. Aucun détournement n'a jamais exigé une mobilisation massive de forces armées ou accru les tensions entre nous et le bloc communiste. De l'aveu général, le cas présent est unique et l'Union soviétique condamnera sûrement cet acte. Comment pourraient-ils l'accepter? Et comment pourraient-ils appuyer les terroristes? D'un autre côté, si vous suggérez que toute action non déguisée de la part des États-Unis pourrait conduire à . . .

— Monsieur, lança le Secrétaire, je crois simplement que nos actions pourraient possiblement conduire à une confrontation nucléaire . . . à cause de l'état fondamentalement chancelant des affaires au Moyen-Orient.

— Tout est possible. Le Président était clairement irrité.

— Monsieur le Président, nous avons, je crois, omis un facteur. Le sous-secrétaire du Service de Sécurité était le plus jeune membre du Conseil de sécurité — et connu comme un individu intensément ambitieux. L'armée jordanienne pourrait sûrement être le facteur qui fera la plus grande différence.

Un des conseillers personnels du Président sur la sécurité nationale acquiesça.

— Nous avons déjà contacté directement le gouvernement jordanien, dit-il d'une façon académique et précise. Je peux déclarer avec certitude que les Jordaniens ne feront rien pour empêcher l'avion du Pape d'atterrir à El Maghreb. L'armée jordanienne entourera sûrement la base aérienne — et empêchera probablement qu'on amène le Pape vers une destination inconnue. Les Jordaniens semblent croire que le Pape leur sera rendu après que les Israéliens auront accédé aux demandes de Black September. Il nous est impossible de savoir s'il s'agit d'une supposition ou d'un fait. Les Jordaniens disent qu'il leur est impossible d'intervenir d'aucune autre façon, sans mettre la vie du Pape en danger.

Un autre général demanda:

— Les Jordaniens ont-ils prévu la possibilité d'une attaque israélienne pour libérer les otages?

— Évidemment. Ils nous ont déjà dit qu'ils ne tolèreront aucune incursion israélienne en territoire jordanien; ils repousseront toute tentative avec tous les moyens à leur disposition. Il m'apparaît donc, Messieurs, qu'il y a peu d'espoir d'assistance de la part des Jordaniens. Nous devons faire face au simple fait que les Jordaniens ne voient aucune objection à ce qu'Israël soit forcé de se retirer de la Rive Gauche — surtout s'ils ne sont pas directement impliqués. Et pourquoi s'y objecteraient-ils? Ils n'ont qu'à s'asseoir et regarder les autres accomplir ce qu'ils ont eux-mêmes été incapables de faire. Qu'ont fait les Jordaniens quand l'OLP a détourné et forcé quatre avions civils à atterrir dans le désert près d'Ammân? Rien. Ils feront de même cette fois-ci. Je crois franchement que nous n'y pouvons donc rien. Soyons pratiques. Nous parlons de quelques heures d'un événement qui prend place à des milliers de milles d'ici, sur un territoire étranger et impliquant une bande de terroristes armés avec qui nous n'avons aucune relation formelle!

— J'en suis déjà trop conscient, murmura tristement le Président. Mais nous ne pouvons pas oublier, même pour un instant, que nous parlons ici d'un avion américain, avec des passagers américains de même que le Pape et plusieurs autres personnes dont nous sommes directement responsables. Nous n'avons pu empêcher la prise de cet avion. Nous ne pouvons échouer de nouveau. Il nous faut faire quelque chose.

— Monsieur le Président, il n'y a qu'une action possible, prononça un autre général. Il se leva; sa silhouette osseuse dominait la table de conférence et les hommes qui l'entouraient. Monsieur, chaque fois que les Israéliens ont utilisé la force pour libérer des otages ou retirer des pirates d'un avion, ils ont obtenu l'admiration et le respect du monde entier. Alors, Monsieur, si les Juifs sont capables de voler jusqu'à Entebbe, en Afrique du Sud, pour libérer leurs compatriotes, je déclare qu'il est temps pour nous d'utiliser la force pour libérer les nôtres! Sans songer au Pape et aux autres passagers qui voyagent sous l'égide du drapeau américain! Nous pourrions d'un seul coup regagner le prestige que nous avons perdu dans le monde.

— Et si des otages étaient tués comme à Entebbe? demanda le Président. Et si un de ces morts était le Pape?

— Nous aurions au moins essayé.

— Un bravo pour l'effort!

— Peut-être un bravo pour un geste positif. Diable, il sera peut-être tué de toute façon!

— Mais pas par nous, Général!

— Israël ne négociera jamais avec les terroristes! Le général criait presque, laissant libre cours à une frustration créée par le rejet et le retrait de tous les principes qu'il avait appris à l'Académie. N'y aurait-il donc jamais plus de victoires? Il n'y eut aucune victoire en Corée, aucune au Viet-nam; et maintenant aucune contre une bande de fanatiques radicaux. Si Israël refuse d'accéder aux demandes, le dirigeant de l'Église catholique sera exécuté et nous n'aurons rien fait!

Le Président soupira.

— Je partage plusieurs de vos opinions, Général. Mais, en considérant la situation présente au Moyen-Orient, je ne peux commander aux forces militaires des États-Unis d'envahir le territoire d'une nation alliée, violant ainsi sa souveraineté et mettant en danger la vie d'un nombre incalculable de soldats et de citoyens. Il croisa les bras et regarda autour de la table. C'est absolument impossible!

Le Secrétaire d'État acquiesça sobrement.

— Je crois, Monsieur, que c'est précisément ainsi que nous courrions le risque d'une confrontation nucléaire. Si nous utilisons les forces militaires américaines, il y aura sûrement un combat armé entre elles et l'armée jordanienne. À vrai dire, nous serions en train d'aider les Israéliens en prolongeant leur occupation de la Rive Gauche. Pensons-nous vraiment que l'Union soviétique n'interviendra pas? Le Kremlin saisirait sûrement cette occasion pour venir en aide à un état arabe faible et assiégé par les États-Unis. Quelle excuse logique pour leur permettre d'accroître leur puissance au Moyen-Orient. Messieurs, nous pourrions être plongés dans un conflit global en quelques heures!

Le général leva les bras au ciel.

— Pour l'amour de Dieu, il faut nous battre pour la vérité! N'avons-nous pas le culot pour risquer quoi que ce soit pour sauvegarder nos intérêts nationaux? Je déclare que tout pays a le droit de chasser et de détruire les pirates de l'air! Quels bâtards, Monsieur le Président! Jésus-Christ, nous ne serions pas en train d'envahir la Jordanie; nous serions en train de détruire le terrorisme international. Et si les Russes semblent avoir hâte de s'impliquer, bluffons-les comme nous l'avons fait pendant la crise cubaine!

Le Président semblait contempler l'énormité du problème et ses ramifications.

— Il doit y avoir un moyen terme entre l'impuissance et le cataclysme nucléaire. Il y a une solution. Il faut qu'il y en ait une. Et c'est nous qui devons la trouver. L'avion atterrira dans quelques heures!

* * *

Le Président et le Premier ministre d'Israël se connaissaient déjà très bien. Ils s'étaient rencontrés au début des années soixante quand l'un était un membre du congrès et visitait les endroits troublés du monde et l'autre un général de l'aviation israélienne qui partait encore en missions militaires sur des jets *Mystère*. Ils s'étaient rencontrés à plusieurs occasions depuis lors. Ils s'aimaient et se respectaient en partageant un point de vue commun sur la politique mondiale. Mais en dépit de tout, leur conversation téléphonique devint rapidement guindée; les deux hommes étaient conscients du fait qu'ils ne parlaient pas pour eux-mêmes en tant qu'individus mais en tant que chefs d'état et les décisions qu'ils prendraient aujourd'hui pourraient les hanter pour toujours.

Le président déclara:

— Je dois vous dire à quel point nous regrettons cet incident qui se produit au moment où le Pape voyage à bord d'un avion américain.

— Inutile de vous excuser, Monsieur le Président. Je suis confiant que tout a été entrepris pour assurer la sécurité du Pape. La question immédiate consiste à découvrir ce qui peut être fait.

— Je crois que vous serez d'accord pour dire que la vie du Pape est le facteur le plus important, mais nous ne devons pas oublier l'équipage et les quelque trois cents passagers.

Le Premier ministre répondit:

— Mais je dois aussi vous dire que nous considérons la Rive Gauche d'une importance tout aussi vitale. Vous comprendrez qu'elle est nécessaire à notre sécurité. À la lumière des récents événements, il nous apparaît inconcevable de nous retirer de la Rive Gauche pour sauver la vie d'un homme — quel qu'il soit.

— Mais, Monsieur le Premier ministre, vous devez savoir qu'il y aura un véritable raz-de-marée d'indignation — dirigé sur les États-Unis et Israël — si nous permettons cet ignoble meurtre.

— Nous n'en serions ni l'un ni l'autre responsables. Toute indignation devrait retomber sur les Arabes; ils sont les criminels, pas nous.

— Je suis évidemment d'accord, Monsieur le Premier ministre. Mais les États-Unis sont extrêmement troublés par cette situation. Elle est explosive; le meurtre du Pape pourrait tout autant troubler la paix mondiale que la mort de l'archiduc à Sarajevo; cet événement pourrait fort possiblement être celui qui détruira le délicat équilibre politique du Moyen-Orient une fois pour toutes.

— Je suis d'accord avec votre interprétation de la situation. Elle est extrêmement dangereuse. Nous ne pensons cependant pas devoir en souffrir. Nous sommes d'avis qu'une autre solution doit être trouvée.

— Comme à Entebbe?

— Une pensée intéressante. Mais pas très pratique. Nous n'avons pas le temps d'organiser une opération de cette importance. De plus, les circonstances ne sont pas identiques. À Entebbe, nous connaissions l'organisation de la base aérienne; nous étions de plus préparés à la confusion et à la négligence des autorités ougandaises. Les terroristes seraient trop conscients de cette possibilité; ils monteront, j'en suis certain, une garde extrêmement solide autour de cet homme, dès l'atterrissage.

— Vous avez sûrement raison, Monsieur le Premier ministre. Je dois vous dire que le Département d'État approche en ce moment l'OLP par l'entremise des Nations unies. Il est possible que Monsieur Arafat soit aussi horrifié que nous par cette situation. Il pourra peut-être exercer des pressions tempérantes sur Black September, mais, à vrai dire, Arafat ne voudra peut-être pas ou ne pourra pas faire quoi que ce soit.

— Il est bon de savoir que l'on fait une tentative d'approche. Je n'espère cependant pas de résultats positifs. Arafat semble avoir peu de contrôle sur les éléments plus radicaux de l'OLP et, même s'il répudie personnellement et publiquement de tels actes, je doute qu'il agisse ouvertement — même si son action devrait avoir des chances de succès.

— Alors, puis-je connaître vos intentions, Monsieur le Premier ministre?

Un soupir.

— En ce moment, je ne sais absolument rien.

Chapitre 9

23h53, heure de Greenwich
Le nord de la Californie/16h53

L'homme chauve semblait être le chef. Jane décida de l'appeler Telly. Le nom lui allait bien. Il était plus facile à retenir qu'Abou Youssef, le nom que les autres lui donnaient.

Ils étaient quatre. Telly, Scarface, Icy Eyes et un plus jeune qu'ils appelaient Billy the Kid. Robustes et les yeux sombres, ils étaient tous munis d'un arsenal d'armes.

Scarface et Telly entrèrent. Scarface se tint près de la porte en regardant chacun de ses prisonniers à tour de rôle, tout en gardant Jane pour la fin.

Telly annonça:

— Vous serez gardés ici pendant quelques heures. Cela ne sera pas très long. Il parlait l'anglais presque parfaitement; seuls quelques sons roulés le trahissaient. Vous serez libérés quand les formalités nécessaires auront été exécutées avec succès.

Jane demanda de quelle sorte de formalités il s'agissait.

— Ça ne te regarde pas.

— Pourquoi pas?

Il ignora la question.

— Vous devez comprendre, leur dit-il, que vos vies n'ont aucune importance comparativement à notre mission.

— Et votre mission, c'est quoi? demanda Jane avec insistance.

Il l'ignora encore une fois.

— Il est impératif que vous compreniez ceci: toute agitation de votre part entraînera les plus sévères conséquences. Nous ne désirons pas vous tuer, mais nous le ferons si cela devient nécessaire.

— Tuer? Virginia Jensen ne semblait pas croire ce que ses oreilles entendaient. Mais . . . mes enfants.

Telly renifla. Il la regarda avec dégoût.

— Je me fous de vos enfants. Je me fous de vous tous. Comprenez bien que vous ne comptez pas pour nous.

Jane répliqua:

— Nous ne raffolons pas de vous non plus.

La bravoure de ses mots dépassait la sienne. S'il la frappait, pleurerait-elle, implorerait-elle sa pitié? Son courage était terriblement fragile.

Telly soupira comme si toutes ces procédures l'ennuyaient.

— Vous avez sûrement constaté, dit-il, que quelque chose vous unit. Vous avez tous un proche parent dans l'équipage d'un avion Trans American qui amène supposément le Pape de Rome à San Francisco.

Les prisonniers se regardèrent.

Jane dit:

— Mon père devait voler de Londres à Bahrein.

— C'est vrai, répondit Telly. Mais il a été assigné à ce vol à la dernière minute.

— Et vous allez détourner l'avion? C'est ça?

— C'est déjà fait, leur dit Telly. Vous serez soulagés de savoir que nos instructions ont été exécutées sans question.

— Vous serez punis, dit Nowakoski, en le pointant d'un doigt accusateur.

Telly sourit glacialement, comme si la déclaration du vieillard n'était qu'une simple blague.

— Je vous le répète: vous serez libérés au moment venu. Nous ne vous ferons aucun mal à moins d'y être obligés.

Virginia Jensen semblait complètement déroutée.

— Mais... mais quelle en est l'utilité... à quoi bon nous garder ici?

Telly haussa les épaules.

— Les pilotes obéiront sûrement à nos ordres s'ils savent que leurs familles sont tenues comme otages et que leurs proches mourront s'ils n'obéissent pas.

— Mourront...? Le vieillard toussa.

Jane dit:

— A-t-on fait du mal à quelqu'un... jusqu'à présent?

— Je ne crois pas. Vous pourrez bientôt regagner vos foyers.

— Dans combien de temps?

— Vous le saurez en temps et lieu.

— Et nos... l'équipage?

— Ils seront relâchés aussi.

— Et le Pape? demanda Jane. Qu'est-ce qu'il lui arrivera?

— Rien. Il sera libre de retourner à San Francisco ou à Rome... dès qu'on aura accédé à nos demandes.

— Vous êtes diaboliques, déclara le vieillard, ses joues tremblant d'indignation. Comment osez-vous traiter Sa Sainteté ainsi!

Telly l'ignora et se dirigea vers la porte.

Jane demanda:

— Quel est le prix exigé pour la libération du Pape?

— Ça ne vous regarde pas.

— Je crois que si. Nous sommes impliqués, non?

— Je n'ai rien d'autre à dire. Telly croisa les bras.

— Vous êtes Palestiniens, n'est-ce pas?

Telly la regarda un moment; il fit signe que oui.

Jane dit:

— Alors vous essayez, d'une certaine façon, d'exercer une coercition sur Israël... en vous servant du Pape comme otage. C'est ça?

— Je te le dis, je ne suis pas disposé à discuter plus longuement. N'abuse pas de ma patience. Comme toutes les femmes, tu parles trop. Si tu espères vivre les prochaines heures, je te suggère de la fermer à double tour.

— Et si j'accepte, répliqua Jane, allez-vous tenir vos brutes loin de moi? Un de vos gars a essayé de me violer, ajouta-t-elle en remarquant l'air étonné de Mme Jensen.

Telly dit:

— Est-ce que ce viol a été réussi?

— Non.

— Alors tu n'as aucune raison de te plaindre. Il se frotta les yeux avec un air las. Vous serez nourris bientôt. En attendant, je vous suggère de vous asseoir tranquillement ou de dormir. Le temps passera vite. Tout sera bientôt fini et vous pourrez retourner chez vous.

Il se tourna et se dirigea vers la porte, sa silhouette courte mais puissante vêtue de jeans et d'une veste de cuir.

— Je n'ai plus rien à dire pour le moment, ajouta-t-il, comme si un journaliste lui avait tendu un micro.

Les deux hommes quittèrent la pièce; la porte claqua; une clé tourna.

M. Nowakoski sourcilla, désorienté. Quel monde, où même le Pape peut être enlevé et devenir le prisonnier de tels hommes . . .

Une petite voix entonna:

— Ils feraient bien d'apporter de la nourriture bientôt.

Jane sourit à la vue de Craig Jensen, dix ans, au milieu du plancher vide, les mains sur les hanches: un David petit format devant une tribu de Goliaths. Notre héros. Absolument sans peur.

— Oui, oui, chéri, bientôt. Virginia Jensen lui tenait les épaules comme pour l'arrêter.

— J'ai des bonbons, dit Jane à Craig. En veux-tu?

— Oh oui.

— Dis merci, lui rappela sa mère.

— Merci.

— Il n'y a pas de quoi, dit Jane en fouillant dans sa poche. Elle les avait achetés la veille, au marché. Toby était assis sur la banquette arrière de l'auto, reniflant par la vitre.

Toby. Pauvre Toby. La première de combien d'autres victimes?

— Est-ce que tu veux être pilote plus tard?

Craig songea pendant un moment.

— Peut-être, dit-il. Voler, c'est bien. Mais j'aime aussi l'électronique.

— Une belle carrière, acquiesça Jane avec solennité.

Craig dit:

— Vous n'avez pas eu peur de cet homme, n'est-ce pas?

— Un peu, admit-elle.

— Mais vous ne l'avez pas montré. C'est ce qui compte.

— Vraiment?

— J'ai entendu ça à la télévision, lui dit-il. Alors, ça doit être vrai.

M. Nowakoski murmura:

— Je crois que tout ira bien, Mesdames. Écoutez, s'ils ont capturé un homme aussi important que le Pape, vous savez bien que le monde entier le protégera. Tout ira bien, vous verrez.

— Mais oui, dit Virginia Jensen, presque avec courtoisie, comme si elle ne voulait permettre à aucune trace de doute de pénétrer son esprit.

Jane se demandait quelle serait la rançon exigée.

Quelque chose d'incroyable. Quelque chose qui soulèverait le monde. Peut-être en était-il déjà là? Impossible de le savoir, isolée dans cette pièce, sans radio, sans télévision.

Mais la vérité, c'est que les événements pourraient facilement mal tourner. Qu'arriverait-il alors? La porte s'ouvrirait-elle tout à coup, Telly et Scarface entreraient-ils en trombe en ouvrant le feu sur nous, continueraient-ils à tirer jusqu'à ce que les tremblements et les cris s'arrêtent, est-ce que la police ou un passant nous trouverait des jours, des semaines ou des mois plus tard, nos corps décomposés, étalés par terre comme celui de Toby, comme des masses sanglantes et désarticulées?

Ces gars sont vraiment des *terroristes,* pensa-t-elle. Ils se foutent de tout et de tous; ils ne pensent qu'à tuer...

Est-ce ainsi que sa si magnifique vie finirait?

Fini pour Jane parce que quelqu'un, quelque part, n'avait pas fait ce que quelqu'un d'autre lui avait dit de faire ou avait fait quelque chose qu'on ne lui avait pas demandé. D'une façon ou d'une autre, les choses ne suivaient jamais le plan établi. Les bonnes soeurs l'avaient appelée «l'incorrigible». Deux jours après avoir été expulsée de l'école, elle était confortablement installée dans une commune à Mendocino Country . . . ensuite, une période marquée d'un effort féroce pour s'adapter . . . et puis, un ennui paralysant consistant en un séjour de six mois dans les paradis artificiels de North Beach. L'adaptation était impossible. La fascination que la révolte exerçait sur elle était irrésistible.

J'espère qu'ils me tueront avant Virginia et ses enfants. Je ne pourrais pas voir les enfants mourir . . .

Je ne pourrais pas? C'était drôle, d'une façon étrangement morbide.

Elle pensa ironiquement à un jour de pluie où elle avait freiné trop violemment en descendant une côte à bicyclette. Elle avait dérapé. Elle se souvint de s'être sentie flotter dans l'air et d'avoir vu les guidons frapper le pavé. Tout avait étrangement ralenti; sa chute lui avait semblé plaisante. Elle ne se souvenait pas d'être tombée. Plus tard, on lui avait dit que la main de Dieu l'avait sûrement guidée ce jour-là. Selon les témoins, elle était tombée devant un camion. La Providence l'avait cependant fait rouler de côté — juste assez pour éviter les pneus massifs. Pendant plusieurs années, elle avait trouvé un réconfort dans la pensée que Dieu l'avait protégée ce jour-là parce qu'il avait encore besoin d'elle pour une cause sérieuse.

Était-ce pour servir de cible à un Arabe assoiffé de sang? Un peu cruel, mon Dieu. Le camion lui aurait apporté une mort rapide et sans douleur, salissante mais sans douleur.

Sa vie passerait-elle devant ses yeux, à cheval sur les balles qui la tueraient? L'école secondaire. Deux ans de collège. Un emploi ennuyant dans une maison d'édition où de jeunes hommes bornés obtenaient toujours les rares emplois intéressants. Elle avait sérieusement pensé faire comme son père. Une ambition splendide: elle prendrait des cours de pilotage; avec son aide, elle obtiendrait son brevet; elle serait une des premières femmes pilotes. À sa grande surprise, piloter devenait de plus en plus difficile à mesure que l'on apprenait comment. Le métier avait cependant un attrait particulier; c'était sûrement pour cela que les petites compagnies privées n'avaient pas de difficulté à trouver des jeunes hommes pour piloter leurs avions et ce, à des salaires ridicules, uniquement pour pouvoir inscrire plus d'heures sur leur carnet de vol. Et puis, elle rencontra Frank. Elle oublia le pilotage. Être avec Frank devint tout ce qui comptait. Frank, avec ses cheveux bouclés et son sourire à la Paul Newman. Il vendait de la machinerie industrielle; il avait *réussi;* il avait un *avenir.* Sa vie devint passion. Les étreintes, les baisers envoûtants. Elle comptait les heures — littéralement — jusqu'à la prochaine union.

Elle accepta un emploi comme commis dans un bureau de comptables parce que ce bureau était dans le même édifice que la compagnie de Frank. Ils se marièrent six mois plus tard. Ils se gorgèrent l'un de l'autre. Émerveillés devant le miracle qu'ils vivaient; deux êtres humains n'avaient certainement jamais connu autant de bonheur. Mais la vérité se fit connaître progressivement, insidieusement. La nature leur avait joué un vilain tour en les couvrant d'une solution magique qui les rendait irrésistibles l'un à l'autre; quand la magie disparut, il n'y avait plus rien entre eux. Frank, le divin, le parfait Frank, était en réalité un pauvre imbécile; ils ne se parlaient pas beaucoup; il ne lisait jamais; un dimanche après-midi de rêve pour lui se passait devant une partie de hockey à la télévision, une interminable bouteille de bière à la main. Elle fut épouvantée par l'idée qu'une vie entière avec Frank serait d'un ennui mortel.

Inévitablement, leur union se mit à s'effriter, sa structure fragile fut incapable de résister à la déception. La détérioration se fit rapidement. Frank était retenu au bureau deux ou trois fois par semaine. Il revenait à la maison enveloppé d'une vague odeur de parfum. Jane l'accusa d'être un coureur; il nia tout; il mentait bien, comme tous les vendeurs.

Jane rencontra un jeune pilote qui venait de divorcer; elle passa une fin de semaine avec lui à New York. Quand elle revint, Frank ne parla même pas de son absence; le lendemain, elle trouva une boucle d'oreille étrangère sous le lit. Frank s'était donc servi de leur appartement pendant son absence. Et en plein milieu de ce drame, sa mère mourut. Elle s'était plainte de maux de tête et de fatigue au cours des dernières semaines. Des migraines, comme elle disait. Un mercredi après-midi, elle s'étendit pour une sieste après le déjeuner. Et elle mourut. Une hémorragie cérébrale, avaient dit les médecins. Elle était seule. Jane avait téléphoné à 14 heures. Pas de réponse. Elle rappela une heure plus tard. Puis, une voisine téléphona. Pendant cette première journée paralysante, elle ne pouvait s'empêcher de voir sa mère morte pendant que le téléphone sonnait sans cesse tout près de son corps. Plus tard, elle se demanda si ce n'était pas la mort de sa mère qui avait donné le coup de grâce à son mariage. Mais elle cessa rapidement d'y penser; son mariage n'avait simplement plus d'importance pour elle; Frank n'avait été rien de plus qu'une phase, une erreur de jugement, une liaison à oublier rapidement. Et Jane avait déménagé chez son père. En premier, elle voulait simplement être là pour mettre de l'ordre dans les choses de sa mère. Mais étrangement, rien ne fut accompli. Les semaines passèrent. Six mois. Un an. Et maintenant ceci.

Jésus-Christ, elle ne pensait qu'à elle-même. La peur la poignarda au ventre quand elle pensa à la situation de son père... Non, elle ne voulait pas y penser. Elle s'y refusait. Il lui semblait qu'elle se réveillerait bientôt. Des terroristes arabes? Ils ne faisaient pas partie de sa vie; ils vivaient plutôt dans les nouvelles à la télévision ou dans les pages du Time et du Newsweek. Que faisaient-ils dans cet avion? Et comment réagissait son père? Ses réactions étaient sûrement calmes et professionnelles; il semblait toujours savoir quoi faire au bon moment.

— Je me demande, dit Craig. Son visage se plissa et révéla qu'il n'aimait pas avouer son ignorance. Qui est le Pape? Je veux dire, ajouta-t-il rapidement, que je sais qui il est... mais je ne sais pas ce qu'il *fait*.

— Tu n'es sûrement pas catholique.

Il secoua la tête.

— Non, mais j'ai quelques amis qui le sont.
— Le Pape est leur... maître spirituel.
— Oh!
— C'est-à-dire qu'il est le dirigeant de l'Église catholique. C'est un homme très important.
Craig hocha la tête en enregistrant toutes ces informations.
— C'est pour ça que ces gars-là le veulent.
— Peut-être. Nous ne savons pas encore.
— Je suis sûr que mon père est furieux.
— Moi aussi, j'en suis certaine.
— Il devient furieux parfois. Quelques fois contre moi. Votre papa est le capitaine, exact?
— Exact.
— Mon papa devrait être capitaine. J'imagine qu'il le sera bientôt.
— Absolument.
— C'est le meilleur pilote au monde.
Elle sourit.
— Je pensais que c'était mon père.
Craig sourcilla.
— Ils sont aussi bons l'un que l'autre.
— Merci.
— Il n'y a pas de quoi.
Il parlait d'une étrange façon, presque solennellement; il lui rappelait les jeunes gamins de Paris, si sérieux et polis. Virginia Jensen regardait dans leur direction.
Jane dit:
— Nous essayons de découvrir lequel de nos pères est le meilleur pilote au monde.
Virginia secoua vaguement la tête, sans sourire.
Jane dit:
— Depuis combien de temps votre mari est-il avec Trans Am?
— Environ dix ans, je crois.
— Il aime ça?
Elle tourna la tête; ses yeux s'emplissaient soudainement de larmes.

— Tout ira bien, lui dit Jane. Vous n'avez pas à vous inquiéter. Ils protégeront l'avion . . . et l'équipage. J'en suis certaine. Elle se tourna vers le vieillard. Vous aussi vous en êtes certain, n'est-ce pas, M. Nowakoski?

Il acquiesça en sourcillant.

— Oui, oui.

Il toussota; il semblait à bout de souffle.

— Êtes-vous né en Pologne?

Il la regarda, surpris.

— La Pologne? Oui, oui, je suis né en Pologne.

— Où? À Varsovie?

— Non. À Bydgoszcz.

— Pardon?

— Au nord-ouest de Varsovie. Environ cent milles; je ne sais plus. Il sourit. Il y a longtemps. J'étais un petit garçon quand je suis parti. De son âge, dit-il en montrant Craig. Nous avons vécu en Belgique pendant quelque temps. Puis, nous sommes venus en Amérique. Mon fils est né en Amérique. Je lui ai toujours dit à quel point il était fortuné. Vous les jeunes, vous ne savez pas à quel point vous avez de la chance.

Puis il se mit à rire. C'était, admit-il, assez ridicule d'avoir dit tout ça dans la situation présente, mais il disait toujours ça aux jeunes parce qu'il le pensait vraiment.

— Il faut être né ailleurs pour savoir à quel point la vie est belle en Amérique, dit-il.

Virginia Jensen retenait encore ses larmes.

Jane lui prit la main; une main froide et moite.

— Tout ira bien, dit-elle, en se maudissant de ne pas être capable de trouver des mots plus neufs et plus rassurants. Votre mari sera sain et sauf . . . et vous retournerez chez vous. Je sens ça dans mes os. Je ne me trompe jamais.

Un reniflement.

— Vraiment? Des miettes d'espoir peuvent quelquefois accomplir des miracles. Une de mes amies est comme vous. Elle *sent* les choses, vous savez. Et tout se passe toujours comme elle l'avait prédit.

— Alors, ne vous inquiétez pas, dit Jane.

— Je vais essayer. Elle regarda sa fillette puis ramena son regard vers Jane. Êtes-vous mariée?

— Je l'étais. Je viens de divorcer.

— C'est dommage.

— Pas pour moi. Un air positif de défi. Elle se mit à rire. Quelquefois le divorce est une période très heureuse dans la vie d'une jeune femme. Elle soupira; elle avait misérablement échoué dans sa tentative d'amuser cette femme; il n'y avait eu aucun sourire, aucune réaction. Les Virginia Jensen du monde entier étaient à une dimension. Que leur arrivait-il quand leurs enfants grandissaient et quittaient la maison? La vie devenait-elle vide et sans valeur? Le système en était le grand coupable.

Certaines jeunes filles avaient appris à penser en fonction de bébés et de couches. Personne ne leur avait appris quoi faire une fois les enfants élevés. D'après Jane, tout ceci pointait vers l'évidente conclusion que le voyage à travers la vie était plus facile par la route de l'endurcissement et du cynisme. Il fallait s'attendre à ce que la vie nous botte le cul; si vous le vouliez, vous pouviez lui botter le cul à votre tour.

Craig étudiait le foyer très attentivement.

Quelque part dans la maison, des voix s'élevèrent dans une cacophonie de colère.

Jane bondit de l'autre côté de la pièce et colla son oreille au mur humide. Elle entendait des sons, des sons enragés. Mais elle ne comprenait pas ce qu'ils disaient. Ce n'était pas surprenant, pensa-t-elle, puisque le baragouinage se faisait en arabe ou en palestinien enfin, dans cette langue maudite qu'ils parlaient.

Elle haussa les épaules en direction des autres.

— Je n'y comprends rien.

M. Nowakoski demanda:

— Est-ce quelqu'un sait où nous sommes?

Personne ne le savait.

— À la télévision, dit M. Nowakoski, les otages le découvrent toujours; un seul bruit et ils savent tout.

— J'ai essayé, dit Craig consciencieusement. J'ai entendu un avion et plusieurs autos. Mais c'est tout.

Virginia Jensen se mit encore une fois à pleurer. Jane désira soudainement lui dire de la boucler. Les larmes étaient ennuyeuses et totalement inutiles.

— C'est drôle, dit M. Nowakoski. Quand je suis venu en Amérique, des gens m'ont dit que j'étais fou; ils m'ont dit qu'il y aurait plein de bandits qui m'attaqueraient et me voleraient. Quand je suis arrivé, je les ai cherchés. Seigneur, je ne voulais pas être pris par surprise! Je les ai cherchés pendant des années. Rien. Jamais rien. Puis, je prends ma retraite; j'essaie de me reposer... et puis voilà!

La porte s'ouvrit. Scarface entra.

— Nous faisons des sandwiches. Nous avons du jambon, du fromage et du thon. Qu'est-ce que vous voulez?

Jane s'assit sur une des chaises de bois. Cet enfant de chienne a essayé de me violer il y a à peine une heure. Maintenant, il veut savoir si je veux un sandwich au jambon, au fromage ou au thon. Irréel; un rêve stupide et ridicule...

— Au fromage, dit-elle. Et je veux aller au petit coin.

Il la regarda un moment comme s'il se demandait si elle avait réussi à inclure une insulte dans ces quelques mots.

— Y en a-t-il d'autres?

Tout le monde décida d'y aller. M. Nowakoski expliqua que sa vessie n'avait plus la résistance qu'elle avait déjà eue.

Jane dit:

— C'était comment avant, M. Nowakoski?

— Pardon?

— Je m'excuse. J'ai dû mal comprendre.

Craig lui sourit secrètement.

Ils furent conduits l'un après l'autre aux toilettes, de l'autre côté du corridor. Jane y alla la première.

— À qui appartient cette maison? demanda-t-elle en revenant dans la pièce. Scarface était posté près de la porte.

— Pour le moment... elle m'appartient.

Il sourit comme s'il était vraiment amusé.

— J'avais pensé que tu me dirais à qui elle appartient vraiment, dit Jane.

— Tu dois penser que je suis très stupide.

— Non, pas *très* stupide.

Il sourit encore.

— Seulement un peu stupide.

Jane lui demanda d'où il venait.

— Tu poses trop de questions.

— Ça fait passer le temps. Combien de temps encore allez-vous nous garder ici?

— Un peu plus longtemps.

— Combien de temps?

— Tu verras bien. Ses yeux sombres explorèrent son visage comme s'il essayait de mémoriser chacun de ses traits.

Craig sortit des toilettes.

— Quelle sorte de fusil est-ce?

— Un Colt automatique... calibre 45.

— Un fusil d'armée, dit Craig à Jane, en retournant dans la pièce.

— Très bien, dit Scarface. Est-ce le fils du capitaine?

— Non. C'est le fils du second.

— Un garçon brillant.

— Oui, je le sais.

M. Nowakoski revint. Il opta finalement pour un sandwich au jambon.

— D'accord? demanda-t-il à Scarface.

— Oui, ça va.

— Je ne sais pas pourquoi j'avais demandé au thon, dit M. Nowakoski à Jane. Je n'aime pas le thon. J'étais nerveux, j'imagine. Je ne sais pas.

Quand tous les prisonniers revinrent dans la pièce, après que Scarface eut fermé la porte derrière eux, ils firent une découverte.

Craig n'était plus là.

Jane regarda le foyer. Des cendres fraîches étaient tombées de la cheminée.

Chapitre 10

0h37, heure de Greenwich
Au-dessus du sud-est du Groenland,
à 63°28′ de latitude nord
et 40°53′ de longitude ouest

Le Pape entra dans la cabine et regarda autour de lui comme un enfant qui se trouve soudainement en présence d'un jouet gigantesque, follement complexe et coûteux. Il était accompagné d'un de ses assistants, un homme vêtu de noir, gras et d'âge moyen, qui regardait tout et tous avec des yeux pleins de doute.

Le Pape dit:

— C'est très gentil de votre part, Capitaine, de nous permettre... Il s'arrêta, étonné par l'expression confuse de Mallory. Qu'est-ce qui ne va pas, Capitaine?

Mallory dit:

— Votre Éminence, je regrette infiniment d'avoir à vous informer d'une nouvelle très déplaisante. J'ai pensé que ce serait préférable de vous le dire ici puisqu'il n'y a aucune raison de l'annoncer aux autres immédiatement.

— Continuez, Capitaine.

— Je regrette... enfin, la vérité c'est que nous sommes victimes d'un détournement.

— Vraiment? Un peu de surprise. Un autre regard autour de la cabine, en quête d'appui. Son regard tomba sur Cousins.

Troublé, Cousins dit:

— Non, Votre Éminence... Je suis du Service Secret des États-Unis.

— Mesures de sécurité, dit Mallory sans conviction. Jusqu'à présent, ce détournement a été exécuté sans armes et sans explosifs, même si on nous a informés qu'il y en a à bord de l'avion, prêts à servir. Et, croyez-le ou non, mais nous n'avons vu aucun des pirates... jusqu'à maintenant. Mallory expliqua brièvement la situation.

Le Pape acquiesça.

— Je suis extrêmement peiné, dit-il, par le fait que ma présence vous ait mis, vous et vos familles, dans un tel danger. Ont-ils déjà fait connaître leurs conditions?

— Notre compagnie nous informe qu'une certaine demande a été faite directement au gouvernement israélien. Mais nous n'avons aucun détail.

— Ah... et nous nous dirigeons présentement vers le Moyen-Orient?

— Oui, Votre Éminence. Nous avons effectué un virage aussi lent que possible pour ne déranger personne.

— Vous avez bien fait votre travail. Je n'ai rien remarqué.

— Dans quinze minutes, dit Mallory, je dois, selon leurs instructions, me rendre à l'arrière de la section des passagers. Je présume que je rencontrerai alors un ou plusieurs de ces pirates.

Cousins dit:

— Jusqu'à maintenant, les circonstances du détournement ne nous ont pas permis d'élaborer des tactiques.

— Je comprends la difficulté.

— Mais nous devons assumer qu'ils disent la vérité au sujet des armes et des explosifs à bord de l'avion. Et avec ce que nous savons sur Black September, nous devons faire face au fait que nous faisons affaire avec des gens qui n'hésiteront pas à faire sauter cet avion — eux compris — si les événements tournent au vinaigre. Nous devons plonger les yeux fermés et suivre leurs instructions, pour le moment, au moins. Mes hommes ont été alertés.

— Je vois. Désirez-vous que j'informe aussi mes collègues?

— Nous préférerions que non, Votre Éminence. Il vaut mieux n'alarmer personne.

— Vaut mieux dormir une bonne nuit, dit Cousins. Nous en aurons besoin.

— Très bien, nous garderons la nouvelle pour nous, dit le Pape en faisant un geste de la tête vers son assistant.

Mallory dit:

— Votre Éminence, excusez-moi de dire une chose pareille, mais vous ne semblez pas très surpris par cette nouvelle.

Le Pontife sourit.

— Quand vous avez vécu aussi longtemps que moi, Capitaine, le monde offre peu de surprises. Il regarda encore une fois en direction du tableau de bord. En dépit de notre problème, Capitaine, j'aimerais, si ça ne vous incommode pas, profiter de cette occasion pour inspecter votre cabine d'un peu plus près . . .

* * *

Mallory se leva de son siège.

— Je crois que c'est l'heure de mon rendez-vous.

Cousins acquiesça.

— Josephs et MacDonald vont garder un oeil sur vous, dit-il.

— Très bien, dit Mallory sur un ton qu'il espérait confiant.

— Bonne chance, Capitaine. Jensen lui fit un signe très formel.

— Êtes-vous certain de ne pas avoir besoin d'un de nous? Nowakoski semblait empressé de quitter son poste.

— Merci quand même; peut-être une autre fois.

Nowakoski sourit machinalement.

Cousins accompagna Mallory jusqu'au salon situé derrière la cabine de pilotage.

— Souvenez-vous, dit-il, qu'ils sont nerveux comme des diables dans de l'eau bénite. Ils ne savent pas ce que vous leur réservez. Plus vous serez calme, mieux ce sera. Je sais que ce ne sera pas facile.

— Ça, c'est certain, approuva Mallory.

— Mais votre calme et votre assurance vous aideront beaucoup.

— Très bien, j'essaierai de m'en souvenir.

— J'aimerais bien aller avec vous.

— Non, vaut mieux suivre les ordres. D'ailleurs, espérons qu'ils ne savent pas que vous êtes à bord.

Cousins acquiesça. Ils se serrèrent la main.

— À plus tard.

— J'imagine que oui, dit Mallory.

Il descendit l'escalier en spirale qui menait vers la section de première classe. La plupart des passagers dormaient, mais un prêtre lisait sous une lampe solitaire. Mallory assuma qu'il lisait la Bible; mais le livre était un guide de la ville de San Francisco.

— J'ai hâte de voir cette ville. Elle me paraît magnifique.

— Oui, magnifique, dit Mallory.

Malheureusement, l'avion se dirige dans la mauvaise direction; aussi bien jeter votre guide par la fenêtre.

Il avança vers l'arrière de l'avion. Là aussi, on avait baissé l'éclairage; la plupart des passagers avaient pris la position maladroite de tous les passagers du monde quand ils essaient de dormir dans leurs sièges.

Mallory avançait avec précaution. Les passagers endormis étendaient souvent leurs jambes dans l'allée.

Il fit signe à Dee.

— Reste calme, lui dit-il. Quelle épreuve pour la jeune femme, surtout qu'on lui avait demandé de garder le silence. Une main attrappa la manche de Mallory. C'était Vernon Squires, l'acteur.

— De retour, Capitaine.

— Heureux de vous revoir, M. Squires.

— Qu'est-ce qui ne va pas?

— Rien. J'ai tellement aimé ma première visite, Monsieur, que j'ai eu envie de revenir.

— Pas très convaincant, Capitaine.

— Inutile de vous faire du souci, Monsieur.

— Je préfère ne pas être tenu dans l'ignorance. Certaines gens refusent de savoir, mais pas moi, Capitaine.

— Tout va à merveille, Monsieur.

— J'en doute beaucoup, déclara Squires.

Mallory hâta le pas, en souriant sommairement aux passagers qui ne dormaient pas. L'un d'eux était-il un terroriste?

Il arriva à l'arrière de la cabine. Tout semblait désert.

— Capitaine Mallory!

Il se retourna, surpris. Une femme. Jeune et belle. En premier, il pensa qu'elle était une des passagères. Il la salua, puis il s'arrêta.

Une aura intense l'entourait.

— Je vous ai surpris, Capitaine. Vous ne vous attendiez pas à voir une femme.

Mallory secoua la tête.

— Non, je ne m'y attendais pas, admit-il.

— Je m'appelle Fadia. Vous êtes le capitaine Steven Mallory. Vous avez 51 ans. Vous habitez au 203 Welland Way à Walnut Creek, en Californie. Vous avez une fille nommée Jane.

Mallory sentait battre son coeur.

— Comment va Jane?

— Cela dépend de vous, répliqua Fadia. Elle parlait avec pondération; son anglais était excellent mais doté d'un fort accent. Vous n'avez pas à vous inquiéter à son sujet, tant que vous suivrez nos ordres.

Mallory se mordit les lèvres. Une professionnelle, cette fille. Elle était vêtue élégamment d'un ensemble de style safari; elle gardait une main dans sa poche comme les mannequins dans la revue *Vogue.* Elle avait un sourire confiant.

Elle se déplaça quand un passager se dirigea, en bâillant, vers les toilettes.

— Vous comprenez sûrement que je ne suis pas seule, Capitaine.

— Combien êtes-vous?

Elle secoua la tête avec impatience.

— Pas la peine, Capitaine. Me croyez-vous assez stupide pour répondre à cette question?

— Ça ne coûte rien d'essayer.

— N'en soyez pas trop certain. Le sourire avait disparu. Je dois vous rappeler que nous avons des armes et des explosifs à bord de cet avion, et que nous n'hésiterons pas à nous en servir si c'est nécessaire. J'espère cependant que cela ne sera pas nécessaire; je préférerais un voyage sans agitation jusqu'à El Maghreb.

Elle sortit une petite boussole de sa poche et dit:

— Je suis heureuse de voir que vous avez changé de direction.

— On fait tout pour plaire chez Trans Am.

— Très drôle, Capitaine. C'est bien de pouvoir garder son sens de l'humour. Maintenant, la première chose à faire est de nous occuper de M. Cousins et de ses associés.

Il avala.

— Qui?

— Allons, Capitaine, ne me prenez pas pour une idiote. M. Cousins est en charge de quatre agents du Service Secret et sa mission est de protéger le Pape. Malheureusement pour eux, leur mission est déjà un échec. Nous allons donc, vous et moi, nous diriger vers l'avant de l'avion, puis au second étage, dans le salon. Vous arrangerez un rendez-vous avec Cousins dans cet endroit. Il alertera alors ses compagnons avec son émetteur-récepteur portatif et leur demandera de se joindre à lui. Où est M. Cousins en ce moment? Ça n'a pas d'importance; je ne vous forcerai pas à inventer un mensonge. La seule chose à noter, Capitaine, c'est que j'ai cinq kilos de *plastic* autour du corps. Au premier assaut, je ferai détoner les explosifs. Immédiatement. Et l'avion explosera sûrement en deux morceaux très distincts. À vrai dire, la destruction complète de cet avion et de tous les passagers serait une certitude absolue.

— Vous incluse.

— C'est absolument évident. Maintenant, continuons, Capitaine. Et essayons d'agir aussi discrètement que possible. Nous ne voulons pas effrayer les autres passagers, n'est-ce pas?

Elle avait une voix plaisante et mélodieuse; elle aurait dû parler de vêtements et de beauté et non d'explosifs.

Mallory dit:

— Je ne crois pas que vous ayez des armes et des explosifs à bord. Il était impossible de les dissimuler à la sécurité.

Elle sourcilla et tira un Luger allemand de sa poche.

— Satisfait?

Mallory était visiblement étonné.

— Comment avez-vous amené *ça* à bord?

— Efficacement. Soyez un bon petit capitaine et je vous le dirai peut-être plus tard. En ce moment, nous perdons du temps. Passons aux actes.

— Écoutez, dit Mallory, cet avion est rempli de gens innocents... et le Pape est...

— Conservez votre énergie. Elle secoua la tête. Il n'y a rien à discuter. Comprenez-le. Le bien, le mal, les petites injustices ne nous importent absolument pas. Nous ne nous soucions que des résultats. Vous avez des ordres à suivre et j'ai les miens. Vous devez vous rendre à El Maghreb. C'est tout. À part de cela, vous n'avez aucun souci.

— Mais la sécurité de mes passagers m'inquiète.

— Quand nous atterrirons, vos passagers descendront et ils ne seront plus vos passagers.

— Ils seront mes passagers, Mademoiselle, jusqu'à ce qu'ils se rendent à leur destination qui est San Francisco.

— Mais il y a eu un léger changement de plans, n'est-ce pas? Vos passagers auront l'occasion de voir le Moyen-Orient *avant* de voir San Francisco. Et maintenant, un peu d'action. Je n'ai pas à vous rappeler que la sécurité de vos passagers dépend strictement de votre obéissance. Elle fit un geste de la main. Appelez M. Cousins à l'interphone. Dites-lui que nous nous rendons au salon du deuxième étage. Je désire le rencontrer là.

* * *

Son assurance était terrifiante. Elle salua Cousins d'un geste désinvolte, comme s'il n'était qu'une connaissance sans importance.

— Contactez vos hommes, M. Cousins. Dites-leur de vous rencontrer ici.

— Non, dit Cousins pour la mettre à l'épreuve.

— Vous avez peut-être remarqué, dit-elle, cette petite chaînette qui pend de la poche de ma veste. Elle est reliée à un relais. Un simple petit coup fera instantanément détoner cinq kilos d'explosifs.

— Je ne vous crois pas. Cousins croisa les bras et lui jeta un regard de défi.

Elle haussa les épaules et secoua la tête comme un professeur qui réprimande un élève dissipé.

— Ne soyez pas stupide, M. Cousins. Je sais que tout ceci est un dur coup pour votre fierté professionnelle. Une vraie honte. Mes condoléances. Mais ce n'est pas la fin de tout, n'est-ce pas? Ses lèvres se serrèrent. Mais vous devez comprendre, M. Cousins, que ce sera la fin de tout si vous ne faites pas comme je dis.

— Vraiment?

Mallory se passa la langue sur les lèvres. Il eut soudainement le besoin de tousser, mais il avait peur d'émettre le moindre petit son. La jeune femme dit:

— J'avais prévu vos doutes, M. Cousins. C'est pour cette raison que je porte des vêtements qui me permettent de vous prouver que je ne mens pas. En tenant son revolver d'une main, elle défit les boutons de sa veste. Elle portait un chemisier ample qu'elle souleva. Le *plastic* était enroulé proprement autour de sa taille, comme un pansement chirurgical.

Cousins fixait les explosifs. Pâle et furieux, il secouait la tête.

— Très bien. Je suivrai vos ordres . . . pour le moment.

— Très sensé, M. Cousins. Dites à vos hommes d'approcher lentement, les mains vides et bien en évidence.

Cousins se retourna pendant qu'il parlait dans le microphone caché sous sa manchette. Deux des hommes de Fadia apparurent alors avec des revolvers à la main. Ils étaient jeunes, les cheveux foncés, vestes sport et chemises à col ouvert. Elle leur parla en une langue que Mallory prit pour de l'arabe. Les hommes acquiescèrent rapidement et prirent position de chaque côté du salon. Fadia était de toute évidence un des chefs de l'organisation, quelqu'un qui commandait l'obéissance. Qu'avait-elle fait pour mériter ce poste? Sans aucun doute, une jeune femme très endurcie; elle n'hésiterait pas à tuer — ou à faire sauter l'avion et tous les passagers.

— Qui sont tous ces curieux personnages? demanda Cousins.

— Mes associés, répliqua Fadia.

— Allez-vous nous les présenter?

— Ce ne sera pas nécessaire.

Deux des agents du Service Secret apparurent dans l'escalier.

— Désolé, leur dit Cousins. Nous semblons avoir perdu la partie.

Fadia leur fit signe avec son Luger.

— Entrez et asseyez-vous ici.

Cousins leur fit signe d'obéir.

— Faites comme elle dit.

Fadia leur demanda de s'identifier. D'un autre geste, Cousins leur donna sa permission.

— Maddox.

— Greene.

Elle se tourna vers Cousins.

— Avez-vous d'autres hommes à bord?

Cousins secoua la tête.

La bouche de Fadia se durcit.

— C'est votre *dernier* mensonge, M. Cousins. Comprenez-vous? Est-ce assez clair? Maintenant, appelez Josephs et MacDonald. Immédiatement.

La poitrine de Cousins se souleva comme celle d'un homme sur le point d'avoir une attaque cardiaque. Mais c'était sans espoir. Il soupira et appela les deux autres hommes.

— Merde! s'exclama-t-il. Comment diable avez-vous su nos noms?

— Nous avons beaucoup d'amis, M. Cousins. La cause palestinienne a plus de sympathisants que vous ne le réalisez. Ce sont de tels gens qui nous informent. Quand des gardes de sécurité armés voyagent à bord d'avions américains, plusieurs documents sont requis donnant leurs noms, types d'armes, etc. Il en fut ainsi pour ce vol. La chance nous a permis de connaître le contenu de ces documents juste avant le départ.

Cousins bondit vers Mallory.

— Il y a un enfant de chienne dans votre compagnie qui divulgue de l'information.

La jeune femme le poussa presque doucement de la pointe de son revolver.

— Assez parlé, M. Cousins. Elle jeta son regard sur les deux autres agents qui entraient dans le salon. M. Josephs et M. MacDonald, joignez-vous à vos collègues, s'il vous plaît.

— Allez-y, murmura Cousins, en fixant le plancher.

Quand les hommes furent assis, Fadia dit:

— Maintenant, enlevez tous vos vêtements.

Ils la fixèrent.

— Vous voulez rire.

— Immédiatement, s'il vous plaît.

— Non, claqua Cousins, il n'en est pas question!

— Nous n'avons pas le temps de discuter, dit Fadia. Déshabillez-vous ou vous le regretterez, je vous le promets.

Cousins commença à se lever, mais un des Arabes le repoussa dans son siège et colla un revolver sur le côté de sa tête.

— Si vous n'obéissez pas, dit-elle, vous nous obligerez à vous faire subir des douleurs très profondes. Mes associés ont des couteaux. Et ils sont d'habiles . . . chirurgiens. Maintenant, je dois vous expliquer que vous ne nous intéressez aucunement. Nous devons cependant être assurés que vous ne nous créerez aucun problème. Vous enlèverez donc tous vos vêtements. Un homme nu n'a aucune tendance vers l'héroïsme. Vous avez en plus, Messieurs, plusieurs petits appareils utiles étalés sur votre corps. Ce n'est qu'en vous déshabillant que nous les trouverons tous.

Elle sourit. Elle venait de faire un semblant de blague.

Elle se tourna vers Mallory.

— Vous serez sûrement heureux d'apprendre, Capitaine, que cet ordre ne s'adresse pas à vous ni aux autres membres de votre équipage. De cette façon, je crois que nous nous sentirons tous plus en sécurité en sachant que notre pilote est correctement vêtu.

Ce qui était extraordinaire, c'était que la jeune femme avait une sorte de charme glacial.

Cousins, le pauvre et déjoué Cousins. Il dit à ses hommes d'obéir.

— Il n'y a absolument rien à faire.

— Mettez vos armes sur le plancher, Messieurs.

— Vous ne vous en sortirez jamais, dit Cousins.

Fadia sourit.

— Pourquoi dit-on toujours cela? Croyez-vous que ces quelques mots vont nous convaincre d'abandonner immédiatement notre mission? Le croyez-vous vraiment, M. Cousins?

Vaincu, Cousins secoua la tête.

Pendant que les agents se déshabillaient, les pirates prirent leurs armes et les appareils fixés sur leurs corps. Un des hommes secoua la tête, refusant d'enlever son slip devant la jeune femme. Un revolver pressé contre son oreille gauche le fit changer d'idée. Quelques instants plus tard, tous les hommes furent nus. Un d'eux prit la position gauche et cagneuse d'un homme nu, les mains sur ses organes génitaux.

— Très bien, dit la jeune femme en regardant les hommes, sans gêne. Maintenant, asseyez-vous et attachez vos ceintures de sécurité... avec soin, je vous prie. Encore une fois cet humour glacial. Nous allons vous menotter à vos sièges et l'un à l'autre, comme une chaîne. J'espère que vous ne serez pas trop inconfortables. Elle parlait maintenant plaisamment, comme un guide touristique.

— Une vraie schizophrène, pensa Mallory.

— Si vous désirez aller aux toilettes, les informa-t-elle, j'ai bien peur que cela soit impossible. Nous ne prendrons aucun risque. Le moindre geste suspect et vous perdrez des organes très vitaux.

— Nous donneriez-vous au moins une couverture? Cousins avait un ton plaintif.

La jeune femme secoua la tête; ses cheveux noirs roulèrent sur ses épaules.

— Désolée, Messieurs, je ne peux vous rendre ce service.

Vous êtes tous trop bien entraînés et très adroits. La seule façon de vous tenir à l'oeil en tout temps est dans cette position... révélatrice. Rien de personnel, je vous assure. Maintenant, n'oubliez pas, pas un mot, pas un geste. Mes collègues n'hésiteront devant rien.

Elle fit un signe à ses hommes puis se tourna vers Mallory.

— Très bien, Capitaine, maintenant occupons-nous du reste du voyage.

Elle a l'âge de Jane, pensa-t-il. Aussi intelligente et aussi belle. Elles sont très semblables. Si elles se rencontraient dans d'autres circonstances, elles deviendraient des amies. C'était une pensée étrangement déconcertante.

Elle fit un geste vers la porte de la cabine.

Il la précéda.

Jensen et Nowakoski se retournèrent, les yeux grand ouverts, en voyant Mallory entrer accompagné de cette fille armée d'un revolver. Elle les regarda sans plus d'intérêt qu'elle n'accorda au reste de la cabine.

— Je vous présente Fadia, dit gauchement Mallory.

— Je me joins à vous pour le reste du voyage, leur dit-elle. Vous pourrez faire votre travail comme d'habitude. Capitaine, je vous suggère de vous asseoir; à partir de maintenant, votre seul souci est de piloter cet avion jusqu'en Jordanie. Tout se passe selon nos plans. Vos familles sont saines et sauves, Messieurs...

— Je l'espère bien, gronda Jensen.

— Mon père souffre du coeur, dit Nowakoski. Comment avez-vous pu enlever un vieillard comme lui? Il pourrait en mourir.

Elle dit:

— J'espère sincèrement que cela n'arrivera pas.

Jensen rétorqua:

— Si vous faites du mal à ma femme et à mes enfants...

— Rien ne leur arrivera, dit-elle impatiemment, à condition que vous obéissiez à nos ordres. Elle écarta le sujet d'un coup de tête. Comme je l'ai expliqué au Capitaine Mallory, nous avons assez d'explosifs à bord de cet avion pour couler un cuirassé.

Toute tentative d'ingérence entraînera la destruction de tout — de l'avion, de vous, de moi et de tous les passagers. Comprenez-vous cela?

Mallory leur parla du *plastic.*

Jensen lui demanda:

— Comment ont-ils amené des armes et des explosifs à bord? Les mesures de sécurité étaient diablement serrées.

— C'était vraiment très simple, divulgua Fadia. Comme je l'ai expliqué à M. Cousins, notre organisation a des sympathisants dans le monde entier. Heureusement pour nous, l'un d'eux est cuisinier à l'aéroport de Rome. Il avait évidemment accès aux contenants utilisés pour transporter les repas à bord de l'avion. Il a simplement remplacé des sandwiches par des revolvers et des pâtisseries par du *plastic.* Ces items furent ensuite enveloppés dans du papier d'aluminium et notre homme fit une marque sur les contenants appropriés. Vous serez peut-être un peu à court pour le second service...

— C'est donc pour cela que vous avez mis tant de temps à vous manifester, dit Mallory.

— Très malin, Capitaine. Oui, nous avons dû attendre jusqu'après le dîner, quand la cuisine serait vide et les lumières baissées. Le minutage est très important dans ce genre d'entreprise, ne croyez-vous pas?

Aucune réponse.

— Déjouer votre système de sécurité ne fut pas particulièrement difficile pour nous.

Jensen attaqua.

— Mais est-il nécessaire d'enlever des femmes et des enfants et de mettre en péril la vie d'un vieillard qui ne vous a jamais fait de mal...?

— Malheureusement, dit-elle, oui.

— Tu es une maudite chienne.

— Oui, j'imagine que j'en suis une, dit-elle, indifférente. Elle prit le siège derrière Mallory et plaça son revolver sur ses genoux. Nous avons un long voyage à faire, Messieurs; je suggère que nous essayions tous de le rendre agréable. Je dois vous dire que j'ai une connaissance approfondie de l'aviation;

j'ai un brevet de pilote et j'ai été opérateur d'une tour de contrôle pendant un certain temps. N'essayez donc pas de me déjouer avec vos connaissances techniques. C'est une des faiblesses américaines, vous savez. Vous vivez tous avec l'impression que les autres peuples sont un peu lents dans les questions techniques. C'est sûrement un choc pour vous de constater que les femmes étrangères peuvent opérer des calculatrices électroniques et piloter des avions aussi bien que des Américains. Et je sais aussi comment utiliser ce pistolet. Et très efficacement. Et je dois vous assurer que je n'hésiterai pas à l'utiliser si cela devient nécessaire. Voyez-vous, l'enjeu est beaucoup trop énorme pour nous inquiéter d'une ou deux vies. Des nôtres ou des vôtres. Je n'hésiterai pas à tirer si nécessaire. Et laissez-moi aussi vous assurer que je suis complètement sans pitié et sans conscience. D'accord? Est-ce que tout le monde a compris?

Mallory soupira. Il la croyait.

— Maintenant, dit-elle, je crois que nous allons vérifier votre force d'inertie. Je suis horripilée par l'idée que nous nous dirigerions peut-être pas vers El Maghreb . . .

* * *

Le général de l'Allemagne de l'Est était envahi par le doute. Il étudia les cartes qui dominaient le mur de son bureau. Un de ses assistants avait tracé une ligne qui indiquait le trajet que le 747 Trans Am suivrait jusqu'en Jordanie. Il volerait vers le sud-ouest de Hambourg, pénétrant le territoire de l'Allemagne de l'Est près de Magdebourg, puis se dirigerait directement sur Dresde avant de passer la frontière de la Tchécoslovaquie.

Une curieuse coïncidence voulait que les manoeuvres des États du pacte de Varsovie soient exécutées au nord-ouest de Dresde. Une opération majeure. On y utilisait les plus sophistiquées des armes soviétiques dans des champs de bataille d'un parfait réalisme. L'exercice était connu sous le nom de «Red Shield IV». Plus de cent mille troupes y prenaient part.

S'agissait-il d'un complot américain très élaboré pour obtenir des données secrètes uniques ou peut-être pour mettre leur propre système de défense à l'épreuve?

Tout était possible avec ces Yankees. Ils étaient un peuple sournois, selon le général, toujours en train de comploter.

Les gens de l'Air Traffic Control semblaient penser que le détournement était authentique. Le problème c'est qu'ils n'avaient pas le temps de confirmer les faits auprès de l'OLP ou de Black September, même s'ils avaient pu compter sur une personne sûre, quelqu'un qu'ils pouvaient croire, ce qu'ils ne détenaient pas...

Pourquoi, pensait le général, ce détournement prend-il place à ce moment-ci et pourquoi l'avion est-il obligé de suivre ce trajet particulier? C'était sûrement plus qu'une coïncidence. Et pourquoi les pirates s'entêtaient-ils à ne pas permettre le moindre changement de trajet...?

Il décrocha le téléphone.

Chapitre 11

0h42, heure de Greenwich
Le nord de la Californie/17h42

Craig Jensen s'agrippa au rebord de la cheminée. Ses doigts se refermèrent sur la maçonnerie vieille et irrégulière. Il grimaça. Le rebord était coupant. Cela lui faisait mal. Il avait déjà lu que des enfants faisaient le métier de ramoneur. Pauvres petits gars; il ne les enviait pas. La montée avait été un cauchemar de puanteurs et de saleté, d'égratignures et de coupures. Les restes d'un instrument rouillé avaient entaillé son bras. Il fut sur le point d'abandonner plusieurs fois. Mais il avait continué parce qu'il lui semblait que la descente serait pire que la montée. Il s'agrippa à une brique avec précaution. Elle était instable, mais elle ne céda pas. La senteur était terrible; sa gorge chauffait et la poussière envahissait ses narines. Il se força à ne pas éternuer pour éviter de faire du bruit. Il lui semblait déjà avoir fait énormément de bruit; chaque pouce avait été une terrifiante symphonie de craquements et de roulements de pierre. Il savait qu'il y avait une grande possibilité que sa tentative d'échappement ait déjà été découverte. Les hommes l'attendaient peut-être là-haut, à quelques pouces de lui, en riant de sa stupidité.

Il se mordit la lèvre. Oui, il s'imagina que c'était un peu ridicule... mais l'occasion s'était présentée; il avait regardé le foyer; il s'était retourné; personne ne l'observait; ils étaient tous trop préoccupés par leur besoin d'aller aux toilettes. Il était donc entré pour regarder. Et puis, il se mit à grimper.

Il était maintenant presque arrivé.

Une grande respiration.

Un vent frais balaya son visage quand il sortit de la cheminée.

Une autre grande respiration. Le goût en était inouï. Il se retourna. D'abord vers la gauche, puis vers la droite. Personne. Le toit était désert.

Monter la cheminée avait été périlleux, mais la sortie l'était tout autant. Il monta encore de quelques pouces et fut à moitié sorti de la cheminée. Il leva une jambe avec soin. Des larmes de peur emplirent ses yeux quand le mouvement dérangea son équilibre et qu'il se sentit basculer. Ça va. Une autre petite torsion et son pied serait de l'autre côté. Il haleta et essuya son front avec le dessus de sa main noircie. Maintenant. Il se projeta et s'agrippa à son pied qu'il sortit délicatement de la cheminée. Il eut le désir fou de crier de joie quand il sentit ses orteils toucher au toit. Il avalait l'air comme du Coca-Cola. Un autre effort et il sortit son autre jambe. Il pouvait maintenant se tenir debout et regarder autour de lui.

Des champs, des arbres... et ce qui lui semblait être une route, là-bas vers la droite.

Ça va. Il fallait aller par là. Se rendre à la route. Arrêter une voiture et demander qu'on l'amène au plus proche poste de police.

Mais est-ce que les hommes à l'intérieur de la maison le verraient se sauver de la maison? Il n'y avait aucun abri. Il lui faudrait courir le risque. Courir comme un diable et espérer le meilleur.

Il frissonna. Il courait le risque de se faire tirer dans le dos. Un vrai risque. Il pourrait *mourir*.

Il se mordit la lèvre inférieure, puis il s'arrêta parce que sa mère lui avait souvent répété de ne pas le faire.

Il faut continuer, se disait-il. Il n'y a personne d'autre qui puisse le faire. C'est à toi de décider.

Très bien, se répondit-il. Je le ferai. Maintenant.

Le toit était jonché de pierres et allait apparemment céder sous son poids. Le seul endroit praticable était l'arête centrale, un trajet qui l'effrayait parce que le toit creusait au centre comme le dos d'un vieux cheval. Mais il lui fallait continuer; il n'y avait pas d'autre moyen de sauver sa mère et les autres. Il soupira. C'était une énorme responsabilité. Il se sentait petit et insignifiant. Que lui feraient ces hommes s'ils l'attaquaient? Il frissonna. Puis il se regarda. Il était incroyablement sale. Il secoua la tête de surprise; il ne savait pas que les cheminées étaient aussi salissantes. Sa mère serait fâchée, c'était certain; ses jeans étaient presque neufs; elle l'avait déjà grondé quand il les avait portés pour jouer dans la cour. Il était maintenant difficile de deviner de quelle couleur ils étaient.

Il lui fallait maintenant descendre du toit. Il ne savait pas comment. C'était ridicule; il avait réussi à se hisser jusqu'au haut de la cheminée et jusqu'au centre du toit; il se sentait coincé en l'air, comme un chat apeuré.

À la télévision, les gens semblaient toujours être capables de sauter d'un toit à l'autre; il y avait toujours des tuyaux et des arêtes aux endroits stratégiques. Le toit n'était rien qu'une suite d'angles aigus et de bardeaux chancelants.

Il s'étendit et regarda en bas. Un tuyau d'écoulement. Mais comment l'atteindre? Il était placé sous l'avant-toit. Pour l'atteindre, il lui faudrait étendre un pied par en arrière et y aller à l'aveuglette. Et puis après? Il ne savait pas. La seule chose à faire était d'essayer. S'il manquait son coup, il ferait une longue chute et atterrirait sur un hangar de bois.

Le tuyau craqua et grogna et sembla vouloir céder sous son poids. Il supplia le tuyau d'être fort. S'il te plaît, tuyau. Tiens bon juste un peu plus longtemps.

Il prit la plus grande des respirations. Il lui fallait maintenant transmettre tout son poids sur le tuyau. Et éloigner le tuyau du mur . . .

Dans les films de Laurel et Hardy, les meilleurs moments

étaient toujours ceux où les tuyaux brisaient et plongeaient les deux compères dans les plates-bandes.

C'était soudainement très drôle.

Il savait que son père serait fier de lui. Il pouvait presque le voir secouer la tête et l'encourager à continuer, à prendre le risque.

Une autre grande, grande respiration. Il laissa ses mains glisser du toit.

Un morceau de maçonnerie tomba. Mais le tuyau tint bon. Il le tenait si fort que ses jointures craquaient. Il les entendait craquer.

Il se laissa glisser le long du tuyau en s'y agrippant comme à une corde. C'était douloureux parce qu'il n'y avait pas de place pour ses doigts qui saignaient. Il toucha enfin terre à côté du hangar.

Il était excité... et il avait peur. Il voulait raconter à quelqu'un ce qu'il venait de faire. Mais il resta immobile pendant un moment pour analyser la situation, comme le faisaient les cowboys et les détectives privés.

Pas un son ne venait de la maison. On ne le manquait pas. Pas encore.

Très bien. C'est le moment de courir. En s'accroupissant, il se rendit jusqu'au coin de la maison pour jeter un coup d'oeil. Personne en vue. Par là-bas... c'était la route.

Il prit une longue pause; ses dents entaillaient sa lèvre inférieure. Il serra les poings et courut. Le sol semblait courir avec lui. Ses pieds touchaient à peine au gazon emmêlé. Chaque membre, chaque muscle était en parfaite harmonie.

Il gardait les yeux mi-fermés, le visage tendu par l'anticipation: de cris, de coups de feu...

Le vent glissait de chaque côté de son visage. Devant lui, des rangées d'arbres bondissaient à chacun de ses pas. Il sentit ses jeans glisser. Il les releva d'une main. Dans quelques instants, il serait hors de la vue de la maison. Il ne fallait pas ralentir...

Il s'imagina entendre des voix. Son esprit projeta immédiatement une séquence rapide d'images comme une annonce publicitaire télévisée: un homme prenait une carabine, une

Winchester, portait l'arme à son épaule, en plissant les yeux au-dessus du canon . . . un garçonnet en plein centre de sa mire.

Une pression délicate et professionnelle sur la gâchette.

Bang.

Craig se lança dans les arbres. Il haleta en aspirant l'air. Son coeur battait comme s'il allait lui sortir de la poitrine. Il se retourna. Pas d'homme, pas de carabine. Pas de coup de feu. Tout avait été imaginaire.

Il eut soudainement l'envie de s'étendre entre les arbres. Mais il ne pouvait pas. Il lui fallait trouver du secours. Et rapidement, avant que les hommes constatent son absence. Parce qu'ils le poursuivraient. Il secoua la tête; il n'aimait pas y penser.

Il était assis à côté d'une grille. Très bien. Il la suivrait. Elle semblait aller dans la bonne direction, vers la route.

En courant le long de la clôture, il se demanda pour la nième fois pourquoi tout ceci arrivait, pourquoi ces hommes étaient venus dans un camion de Sears pour enlever sa mère et Karen et lui et les amener ici . . .

Il trébucha et tomba. Une écorchure à un genou. Il se surprit à inventer machinalement des excuses, en faisant remarquer qu'il ne l'avait pas fait exprès; c'était un accident, quelque chose qui pouvait arriver à n'importe qui, n'importe quand . . .

Il se leva et continua.

Puis il vit la maison. À peine visible à travers les arbres. Il sourit. Du secours enfin. Il se faufila à travers les arbres.

Mais il s'arrêta soudainement. Il regarda. Sans le croire. Il reconnut la maison. C'était *trop* familier: l'endroit même d'où il venait de s'échapper. La grille lui avait simplement fait faire le tour de la maison. Il avait couru toute cette distance pour rien.

Il sentit des larmes lui monter aux yeux. Il clignota pour les faire disparaître. Pleurer n'arrangerait rien. C'était stupide. Il avait une mission importante. Jusqu'à présent, il n'avait que perdu du temps précieux.

Il se retourna encore. Très bien. Il se dirigeait maintenant dans *cette* direction.

* * *

George Donato était très pressé. Un air très connu: essayer d'accomplir le plus possible en quelques heures. Pour un as de la vente (même s'il le disait lui-même), c'était une opération facile à réaliser. Le vendeur ordinaire a toujours trop de temps devant lui; le vendeur exceptionnel essaie toujours de trouver une petite place pour vingt-cinq heures dans chaque journée. Le temps, c'est de l'argent et George essayait de ne pas l'oublier.

Le problème, évidemment, c'est que le vieux Horrocks avait insisté pour parler encore de quincaillerie et de comment les affaires n'étaient plus ce qu'elles avaient été; selon lui, c'était la décadence totale depuis déjà cinquante ans. Une vieille histoire que la répétition n'améliorait pas. D'ailleurs, qui aurait pu s'intéresser aux histoires de ce vieux fou quand Alice Forbes l'attendait à 22 milles de là. Ah, Alice. La généreuse Alice. Son erreur avait été de donner rendez-vous à Alice *après* le vieux Horrocks. Il aurait dû intervertir l'ordre. Il aurait fait quelques milles de plus, un bien petit prix pour les charmes sensuels d'Alice.

Il lui avait acheté un autocuiseur, un tout nouveau produit, exactement le genre de choses dont elle raffolait. Détaillé à $22,98, il l'avait obtenu pour à peine $11,49. Une incroyable aubaine quand il pensait à ce qu'il recevrait en retour.

Plus il y pensait, plus il regrettait d'avoir rencontré Horrocks avant Alice. Il *savait* qu'Horrocks était une vieille et volubile buse. Alors pourquoi? Une erreur de tactique stupide qui ne devrait jamais être répétée. Jamais plus. Le projet du moment était donc de rendre hommage à Alice avant le retour de son mari. Pas de flânage aujourd'hui. Dommage, parce qu'un gars ne pouvait pas se permettre de se détendre et de se concentrer quand il y avait toujours la possibilité qu'un débardeur (200 livres, six pieds quatre pouces) entre chez lui pour y trouver un bon repas et puis découvrir il n'en sait quoi . . .

La police d'assurance n'était valide que pour trente minutes.

Baise-les et quitte-les, se disait-il; ne flâne pas, apprend à vivre pour n'aimer que plus tard. Cette phrase lui plaisait; charmé par son propre génie, il la répéta. Il fredonna un air de *Camelot*. On ne pouvait pas dire qu'Alice était grasse. Il secoua la tête emphatiquement. Mais il y avait une générosité inhérente dans ses courbes. Des proportions extraordinaires avec un peu en trop ici et là; le tout équilibré et distribué comme seule Mère Nature pouvait le faire... Alice, une abondante source de plaisir.

Il conduisait trop vite et il le savait très bien. C'était comme si Alice elle-même pressait son pied sur le sien. Il essaya de ne pas penser à elle; ce genre de pensée embrouillait sa vue et affectait son adresse de conducteur.

Dix minutes. Peut-être même neuf. Et il serait en sa présence, il s'imprègnerait de sa chaleur, toucherait à sa marchandise, en caresserait l'emballage.

Il regarda sa montre et jura. S'il arrivait en neuf minutes, il ne pourrait passer que trente et une minutes avec elle. Puis il lui faudrait partir. Se sauver.

Trente et une minutes avec Alice. C'était une infraction.

Mais c'était infiniment mieux que rien du tout.

En tournant le coin, il sentit ses roues arrière glisser sur la chaussée. Moins vite, bébé.

Puis il vit le garçonnet.

Sale, *vraiment* sale ce petit diable, debout au milieu de la route en agitant les bras.

George appuya sur les freins. L'auto glissa. Il reprit rapidement le contrôle et dépassa la petite silhouette désemparée.

«Petit enfant de chienne!»

Les enfants de nos jours n'ont aucun sens du danger... se tenir au milieu de la route comme ça, juste après un tournant... Une nouvelle sensation peut-être, ils couraient toujours après une nouvelle sensation...

Il jeta un regard derrière lui en alignant son auto.

L'enfant agitait encore frénétiquement les bras. Une autre fois, petit, mais aujourd'hui il y a des choses beaucoup plus importantes sur mon agenda...

Il dirigea son regard vers le rétroviseur.

Jésus-Christ, avait-on déjà vu figure plus *affligée*?

Non. Il n'avait pas le *temps* Jésus-Christ!

Alice l'attendait. L'affriolante Alice.

Un autre regard dans le rétroviseur. La petite silhouette disparut comme dans un film.

Une autre fois, petit.

Un autre regard.

«Jésus-Christ!»

En maudissant sa stupidité, sa faiblesse de caractère et son manque total de charité, George Donato appuya violemment sur ses freins. L'auto fit un arrêt strident. George avait déjà mis la transmission en marche-arrière. Le moteur gronda et le véhicule s'élança vers le garçonnet comme pour le prendre dans ses bras.

George appuya sur le bouton qui activait la fenêtre.

— Je suis terriblement pressé, petit.

— S'il vous plaît, Monsieur, ils ont enlevé ma mère et d'autres gens. Il faut alerter la police!

George le fixa. Sort maudit. Perdre ainsi du précieux temps — Alice — à converser avec un débile.

— Qui a enlevé ta mère?

— Des hommes.

— Quels hommes, pour l'amour du Christ?

— Je ne sais pas qui ils sont.

— Je n'en doute pas. Maintenant, écoute, j'ai mieux à faire que de jouer à ce jeu...

Il regarda le garçon de la tête aux pieds.

— D'où sors-tu, d'une cheminée, pour l'amour du Christ?

— Oui, dit le petit garçon.

— Je...

George était sur le point de s'éloigner, il n'avait pas de temps à perdre avec ce genre de blagues; sa mission était vitale, très importante. Mais il commençait étrangement à croire le garçon.

— Que veux-tu que je fasse?

— Il faut que je parle à la police, Monsieur.

George secoua la tête en essayant de penser. Il se souvenait d'avoir vu un poste de patrouille routière. Mais où? Il ne s'en souvenait plus.

— Nous allons trouver un téléphone et les appeler, d'accord?

— Oui, oui. Mais, s'il vous plaît, il faut faire vite, Monsieur, ils sont peut-être à ma poursuite.

— Toi? George le regarda. Une blague, un coup monté? Dis-tu la vérité?

— Oui, Monsieur.

— Tu veux dire que ces hommes te poursuivent peut-être?

— Oui. S'il vous plaît, il faut faire vite.

— D'accord, dit George, monte. Il soupira quand il vit la petite silhouette couverte de suie s'asseoir à côté de lui sur le siège recouvert de cuir véritable. Est-ce que le manuel d'instruction spécifiait qu'on pouvait détacher la suie avec un linge humide et un peu de savon?

— Je vais te trouver un téléphone, dit George. Puis tu te débrouilleras tout seul.

L'enfant semblait faible de soulagement. S'il jouait la comédie, il faisait un travail fantastique, selon George; et George, en tant que vendeur par excellence, avait une très haute opinion de son habileté à juger les gens.

— Comment t'appelles-tu?

— Craig Jensen, Monsieur.

— Et tu ne sais pas pourquoi ces hommes ont enlevé ta mère?

— Je crois que le Pape y est pour quelque chose.

— Le *Pape?*

— Oui. Mon papa le pilote jusqu'à San Francisco.

— Tu me fais marcher, fiston.

— Non Monsieur, c'est *vrai.*

* * *

— Tu vois, lui dit-il, il y avait cet enfant. Tout seul . . . et tout sale. Et je me suis arrêté.

— Le bon samaritain. Alice avait un ton de doute.

— Oui, dans ce genre-là.

— Une *femme* enfant?

— Ciel non. Bien sûr que non. Mais j'ai dû le conduire à une cabine téléphonique. Et puis je n'avais pas de monnaie. Nous avions dix-neuf sous... une pièce de cinq sous et quatorze sous, Seigneur Jésus... alors, il a fallu trouver une tabagie pour avoir de la monnaie afin d'appeler la police... et ils ont dit d'attendre qu'ils arrivent... et je crois que le petit disait la vérité.

— Il y en a au moins qui disent la vérité, rétorqua Alice en raccrochant.

* * *

— Vous trouverez l'aéroport, Capitaine.

— Peut-être. Mais il faudra sûrement faire quelques essais. Comprenez-vous ce que je veux dire?

— Continuez.

— Supposons que je trouve la piste au premier essai, ou même au second. Avec cet avion, chaque approche consomme énormément d'essence.

La jeune femme encaissa ces renseignements avec beaucoup de doute.

— Si cet avion manque d'essence, ma jeune dame, nous sommes tous damnés. Je suggère donc que nous ralentissions à une vitesse de croisière plus économique. De cette façon, nous réduirons efficacement notre consommation d'essence et nous en aurons une plus grande quantité en réserve quand nous arriverons en Jordanie.

Les yeux de la jeune femme semblaient pénétrer les siens comme si elle essayait d'y extraire la vérité. Puis, elle acquiesça.

— D'accord.

Mallory soupira et demanda à Nowakoski de régler les positions. Il venait d'acheter une heure d'un temps très précieux. Mais que pouvait-il en faire?

* * *

Fadia croisa les bras. Une position dure et inflexible. Un dévouement total à son projet. Le temps devenait maintenant critique. Un temps de vigilance constante, mentale aussi bien que physique. Il fallait ignorer la transpiration dans ses mains et à la base de son cou. Sans importance. Une réaction involontaire. Maudit soit cet amas de soupapes et de tuyauterie et de chair qu'était son corps! Il persistait parfois à réagir comme s'il appartenait à quelque *bourgeois* pleurnichard.

Respirer calmement, avec contrôle. Aucun frémissement du corps ou de la voix ne devait la trahir devant ces hommes. Glaciale, sans nerfs: voilà l'image qu'elle devait projeter. Son devoir était de les dominer jusqu'à l'atterrissage à El Maghreb. Ils la détestaient. Avec raison. Et leur haine était renforcée par leur impuissance. Ils étaient pris dans un piège inextricable et ils le savaient.

Et le fait qu'elle était une femme rendait le tout encore plus difficile à supporter. Des coups bas à leur stupide fierté de mâle.

Ils n'accepteraient jamais le fait qu'elle n'avait aucun sentiment d'animosité envers eux. Elle n'avait aucun sentiment pour eux en tant qu'individus; ils étaient simplement des instruments qui se trouvaient au mauvais endroit, au mauvais moment.

Le dernier rapport de la météo ne montrait aucune amélioration. Un système interne de basse pression s'étendait lentement au-dessus de l'Afrique du Nord. Un abrupt gradient de pression s'était développé et avait activé un fort courant d'air autour du centre de la région de basse pression. Une tempête de sable. Les Arabes employaient le mot *Samoûn* ou «vent qui empoisonne l'atmosphère».

Mallory se tourna.

— Nous avons un énorme problème, ma jeune dame. Il nous sera peut-être impossible d'atterrir à El Maghreb.

Fadia le fixa.

— Vous atterrirez, Capitaine.

Mallory haussa les épaules.

— Pas nécessairement. Il y a une violente tempête de sable. Très violente. Savez-vous ce qu'est une tempête de sable?

— Évidemment.

— Alors je n'ai pas à vous expliquer les détails. Si elle est trop violente, il nous sera impossible d'atterrir. Un point, c'est tout.

— Vous atterrirez.

Mallory secoua la tête.

— Vous ne comprenez pas. Il me faut un minimum de conditions atmosphériques pour atterrir en une pièce. Si vous connaissez si bien les avions, vous devez savoir au moins ça. Cette tempête est un monstre — des vents au-dessus de cinquante noeuds, selon le rapport de la météo. On n'arrive parfois pas à voir à plus de cent pieds au devant de soi dans de telles conditions. Je ne sais pas si les conditions seront aussi mauvaises à El Maghreb, mais il n'y a aucune possibilité d'atterrir sains et saufs si la visibilité est inexistante. Nous ne voyageons pas dans un Piper Cub, Mademoiselle.

— J'en suis parfaitement consciente.

— Aussi bien attirer votre attention sur un autre détail. Si cette tempête dure, nous courons la chance de ne pas même voir votre aéroport, encore moins d'y atterrir.

— Vous le trouverez, Capitaine.

Mallory dit:

— J'espère que vous réalisez que je dis la vérité.

— J'ai une confiance totale en vous.

— Heureux de vous l'entendre dire. Et je vais vous dire autre chose.

— Quoi?

— Nous allons ralentir cet avion.

— Ralentir? Non, je l'interdis!

— Il le faut.

— Pourquoi?

— Supposons que la tempête fasse encore rage quand nous approcherons d'El Maghreb. Notre seul point de repère est un phare à basse fréquence qui n'offre pas assez de précision pour nous guider près de l'aéroport dans de mauvaises conditions de visibilité.

Le Luger était toujours sur ses genoux. Elle pouvait le prendre, viser et tirer en une seconde. Mais elle ne pensait pas que ce serait nécessaire. Ces hommes ne risqueraient pas leur avion et la vie de leurs passagers dans une fusillade. La sécurité était leur premier souci. Ils étaient des professionnels. Leurs gestes étaient donc prévisibles. Mallory, le capitaine, était sûrement un homme habile qui se comportait bien dans une situation difficile. Il rageait sûrement sous cette apparence calme que tous les pilotes semblaient maîtriser. Mais il ne montrait pas sa rage. Un homme intelligent. Ne jamais laisser l'ennemi savoir qu'il vous intimide. Qui avait dit cela? Elle ne s'en souvenait plus. Mallory n'avait rien du jeune premier. Mais il avait encore un air intéressant — viril même. Il avait des mains solides et fortes. Un bel homme avec une mâchoire ferme et bien faite, un front intelligent, une bouche déterminée. Et une certaine tendresse dans le regard. Dans d'autres circonstances, le connaître mieux aurait peut-être été intéressant...

Elle se réprimanda d'avoir permis à ses pensées de suivre une ligne aussi conventionnelle. Elle était là à remplir la plus grande mission de sa vie et elle perdait du temps et de l'énergie à contempler l'intimité avec un homme assez vieux pour être son père.

Concentre-toi Maria! se commanda-t-elle. «Fadia» n'était qu'un pseudonyme. Elle avait été baptisée Maria Burckhardt à Dortmund en Allemagne de l'Ouest où elle est née en 1950. Sa mère est morte alors qu'elle n'était qu'une enfant. Son père, un vendeur d'assurances prospère, avait été un officier SS pendant la guerre. Il ne cachait pas son admiration pour Hitler et pour la philosophie nazie. De temps en temps, de vieux camarades visitaient sa belle maison à Dortmund; tard dans la nuit, ivres et farceurs, ils se rappelaient les beaux jours alors que le monde entier tremblait devant eux. Au cours de son enfance, elle s'était demandé avec étonnement comment ils avaient pu perdre la guerre; ils étaient tellement plus forts, plus intelligents et infiniment plus courageux que leurs ennemis. Mais pourquoi répétaient-ils sans cesse les mêmes histoires? À l'université, elle avait vécu avec un étudiant activiste, un garçon aux cheveux noirs et indisciplinés avec des yeux presque épeurants. Il lui enseigna la vérité: sur le monde, sur la lutte pour le pouvoir, sur l'obsession des Nazis et sur l'apathie de la génération de son père devant eux et comment le nouvel état, avec son complexe industrio-militaire, recommencerait la même histoire. Il fit la lumière sur toute cette histoire; elle vit les parasites, les exploiteurs, les victimes, la stupidité, la culpabilité. Erich, mort depuis longtemps, tué par un policier au cours d'une émeute à Munich pour protester contre la visite du shah d'Iran. Elle devait tout à Erich. Sans lui, elle n'aurait jamais compris; aujourd'hui, elle ne serait qu'une ménagère dans une morne banlieue, et non un combattant pour la plus grande cause révolutionnaire de toute l'histoire du monde...

Chapitre 12

2h26, heure de Greenwich
Le nord de la Californie/19h26

Ils travaillaient en silence à bourrer et à gonfler les coussins et le chandail, les recouvrant ensuite d'une couverture. Un peu plus de forme. Ils reculèrent et acquiescèrent avec incertitude; ce n'était pas mal — mais ce n'était définitivement pas bon. Un petit coup ici peut-être, ou un autre petit coup là. Peut-être qu'en ne *sachant* pas qu'il n'y avait là que des coussins . . .

Cinq minutes plus tard, Icy Eyes et Billy the Kid revinrent avec un plateau de sandwiches. Scarface resta dans l'entrée à surveiller.

— Mangez, dit Icy Eyes en mettant les assiettes sur la table. Il jeta un regard sur les prisonniers. J'espère que tout sera à votre goût, ajouta-t-il ironiquement.

Jane dit:

— Le garçon dort. Parle un peu moins fort.

Icy Eyes regarda la forme inerte sans intérêt. Billy the Kid s'appuya contre le mur et croisa les bras. Ils avaient tous deux l'air de vouloir rester un bon moment.

Ne regarde pas la Jensen ou le vieux! Non, ne regarde pas là!

Jane pouvait presque entendre sa voix stridente. Elle n'osait pas les regarder. Un croisement de regard révélerait instantanément leur culpabilité aux Arabes.

Une distraction. Vite.

— Les sandwiches ont un goût de merde.

— Tu as une langue sale, fille.

Jane haussa les épaules.

— Ce sandwich est sale.

— Qu'est-ce qui ne va pas?

— Le beurre est rance.

Scarface et Billy the Kid échangèrent quelques mots incompréhensibles.

— Le beurre est frais, dit Scarface. Il l'a acheté hier.

— Où?

— Le marché au . . ., Scarface eut le regard sauvage d'un homme qui découvre qu'on se moque de lui. Il se retourna et se dirigea vers la porte. Billy the Kid le suivit.

Jane essaya d'avoir l'air désintéressé.

Puis le vieux Nowakoski sentit le besoin de demander s'il y avait d'autres nouvelles de l'avion, Jésus-Christ!

Jane aurait voulu lui lancer son sandwich. Vieux fou! Avait-il déjà oublié Craig? Ne savait-il pas que leur seul espoir était ce garçon et le secours qu'il pourrait trouver avant qu'ils découvrent son absence . . .?

— Il n'y a pas d'autres nouvelles, dit Icy Eyes.

— Où est l'avion en ce moment?

— Je ne peux vous le dire.

La porte se referma. La clé tourna.

Jane respira de nouveau. Un soupir silencieux de soulagement. Incroyable, fantastique, mais ce tas de coussins les avait déjoués! Gentils coussins, gentil chandail . . .

En ce moment même, Craig racontait peut-être son histoire aux agents du F.B.I.

Ah, s'il vous plaît, pensa-t-elle.

Virginia s'apprêta à parler. Jane leva un doigt à ses lèvres en signe de prudence, en montrant la porte. Ils écoutaient sûrement.

— Un bon sandwich, dit Virginia. Ses yeux disaient qu'elle s'inquiétait à en mourir de son petit garçon et voulait désespérément en parler.

— Je maintiens que le beurre est pourri, dit Jane.

— Tu les as contrariés en en parlant.

— Ils m'ont enragée aussi, dit Jane, alors, c'est 1 à 1.

Elle se tourna vers le vieux Nowakoski et lui demanda s'il aimait son sandwich. Il sourcilla.

— Ça va, mais je n'ai pas beaucoup d'appétit.

— Vous sentez-vous bien?

— Oui, oui. Il sourit à moitié. Ne vous souciez pas de moi. Souciez-vous de...

Jane l'interrompit juste à temps.

— Dis-moi, Virginia, où as-tu rencontré ton mari?

L'épouse du second était visiblement troublée, mais elle réussit à répondre.

— Dans une soirée organisée par le bureau d'assurance où je travaillais. J'étais secrétaire. Un emploi plaisant. Enfin, il y avait cette soirée de Noël et un des agents y amena Cliff; ils avaient tous les deux servi dans l'armée au Japon. Cliff entrait au service de Trans Am la semaine suivante et il fêtait déjà l'événement. Et Cliff se mit à me faire des avances immédiatement. Je ne l'avais pas beaucoup aimé. Il était dragueur et un peu stupide; tu sais, comme quelqu'un qui a trop bu. Mais il m'apparut beaucoup plus gentil quelques jours plus tard quand il m'appela pour m'inviter à sortir avec lui.

Jane acquiesça.

— Et vous, M. Nowakoski, comment avez-vous rencontré votre épouse?

— Mon épouse? Le vieillard sourit, surpris par la question. C'était il y a très longtemps. Vous ne voulez pas entendre ces vieilles histoires?

— Mais oui. Allez, M. Nowakoski, pas de secrets.

Il regarda au plafond.

— Je crois que c'était en 1927. Il y a longtemps, bien avant votre naissance. Je travaillais alors dans une usine, dans une petite ville du New Jersey. Il rit en se souvenant des détails. Je travaillais à l'expédition et j'allais souvent dans le service de l'emballage parce qu'il y avait toujours des jolies filles là. Un jour, il y avait une nouvelle. Très, très bien. Je demandai son nom à une des autres employées. Pesowski. Mes yeux s'allumèrent! Un nom polonais! Je me félicitais de l'avoir choisie! Je me dirigeai donc vers elle. Je lui dis mon nom et je lui dis que je gagnais 26 sous de l'heure et que j'étais né à Bydgoszcz et que je me demandais si elle voudrait me parler après son travail. Il rit. Ses joues s'empourprèrent. Vous savez, la chose la plus drôle c'est qu'il me fallut beaucoup de courage pour approcher cette fille et lui dire ces choses, mais je voulais que tout soit clair immédiatement parce que je sentais que cette rencontre avait de l'*importance*. Mais ce fut étrange, elle ne fit que me dévisager!

— Dévisager?

— Oui. Elle ne comprenait pas un mot d'anglais! Il me fallut tout répéter en polonais!

Jane se mit à se détendre. Chaque minute donnait une meilleure chance à Craig. Mais son père? Que lui arrivait-il? Était-il encore vivant? Non, elle ne voulait même pas penser à la possibilité de sa mort. Tout irait bien. Il avait un instinct de survivant. Il l'avait souvent répété. Quiconque, disait-il, était sorti indemne de vingt-cinq missions en B17 en 1943, méritait une médaille de survivance.

— Je suis certaine que tout ira bien, dit Virginia Jensen.

— Sûrement, dit M. Nowakoski.

— Ils y arriveront bien.

— Oui.

— Ils ne permettront pas que le Pape . . . et tous les autres soient tués.

— Bien sûr que non. Absolument pas.

— Le vrai danger, pensa Jane, c'est qu'il arrive un malheur dans l'avion. Quelqu'un pourrait perdre le contrôle et faire feu sur quelqu'un et frapper un endroit vital. Et Dieu sait combien de vies seraient alors détruites. Et les hommes politiques échangeraient des notes diplomatiques et tout le monde dirait quelle honte c'était . . .

— Je les crois, dit M. Nowakoski. Ils disent qu'ils nous relâcheront dès que tout sera réglé avec le Pape. Je les crois. Ils nous veulent seulement à cause de l'équipage de l'avion. Dès qu'ils auront atterri, ils n'auront plus besoin de nous. Ils nous relâcheront.

Ou ils se débarrasseront de nous, pensa Jane.

* * *

Craig, nous comptons sur toi.

L'uniforme de la patrouille routière ne convenait pas à la tête grise et au corps porcin de cet homme. Craig n'avait jamais vu un policier aussi vieux. Dépassé quarante ans, certainement. Mais il avait un air important. Les autres policiers étaient polis envers lui et l'appelaient Monsieur.

Il était rude et direct.

— Tu nous fais marcher, fiston.

— Non, Monsieur.

— Oui, petit. Maintenant, avoue-le. Tu as entendu cette histoire à la radio et tu as voulu simplement t'amuser à nos dépens.

— Non . . .

Sa voix était terrifiante. Comme un coup de tonnerre dans la nuit.

Puis elle devint soudainement douce.

— Ah, allons petit, nous ne sommes pas fâchés contre toi. Tu voulais simplement t'amuser, non?

Craig secoua la tête.

— Non, Monsieur . . .

— Mais oui. Nous comprenons. Diable, nous avons déjà eu ton âge.

— Non, Monsieur. Ce n'est pas un jeu . . . juré. Il se souvint. Sa mère le lui avait répété souvent. «*Juré?*» Une grande respiration. Mon père pilote le Pape jusqu'à San Francisco. C'est pour ça qu'ils nous ont enlevés.

— Vous?

— Oui, nous sortions du supermarché . . .

Le gros homme se mordit la lèvre.

— Pour quelle compagnie ton père travaille-t-il?

— Trans American, Monsieur.

— Et comment s'appelle-t-il?
— Jensen, Monsieur, comme moi, je vous l'ai déjà dit...
Les hommes se regardèrent. Un moment de réflexion, puis le gros homme décrocha le téléphone.
— Le F.B.I., immédiatement.

* * *

Mallory contacta la cabine avec l'interphone. Dee Pennetti répondit.
— Comment vont les passagers?
— Assez bien, Capitaine. Personne n'a l'air de se douter de ce qui se passe. Pas de questions... rien.
— Très bien, dit Mallory. Il se demanda comment ces pauvres gens réagiraient quand ils sauraient. Toi et les autres filles, ça va? Y-a-t-il d'autres problèmes?
— Non, tout va bien jusqu'à maintenant. Un peu étrange; on dirait n'importe quel autre voyage; personne n'a causé de problèmes ou quoi que ce soit.
— Et le Pape?
— Il dort, Capitaine.
— Il dort?
— Oui, Monsieur. La plupart des membres de sa suite ont les yeux grand ouverts, mais lui, il dort. Pas mal décontracté, ne trouvez-vous pas?
— Pas mal, répéta Mallory.
— Puis-je vous apporter quelque chose, Capitaine? Du café, peut-être?
— Bonne idée. Trois tasses, s'il vous plaît.
Fadia frappa sur son épaule.
— Quatre tasses.
— Quatre tasses, répéta Mallory. Et une autre demi-douzaine au salon. Et, oh, écoute, essaie de ne pas avoir l'air trop surprise quand tu iras là.
— Pardon?
— Il y a cinq hommes nus... et menottés.
Une pause.
— Très bien, Capitaine.

Imperturbable Dee.

Mallory soupira. Pour la première fois en quinze ans, il sentait le besoin de fumer une cigarette. Il goûta le tabac et ressentit l'étrange satisfaction d'expirer un nuage de fumée gris-bleu. Le tabac l'inspirerait peut-être, lui donnerait une idée, inventerait une arme pour se défendre. N'importe quoi valait plus que cette basse obéissance à chaque commandement.

Diable, il doit y avoir quelque chose à faire. Pense un peu, pour l'amour du Christ!

Il soupira de nouveau. Les pirates avaient fait un sacré bon travail de planification; ils semblaient avoir pensé à tout. Mais personne ne pensait à tout; il y avait toujours une porte de sortie . . .

Jensen s'était tourné vers Fadia. La voix tremblante de colère, il déclara:

— Je veux que tu saches que si on fait du mal à un des membres de ma famille, je te tuerai. Je jure devant Dieu que je te tuerai.

Fadia haussa les épaules, indifférente.

— Très bien, M. Jensen, maintenant que vous vous êtes défoulé, j'espère que vous vous sentez mieux.

Jensen était sur le bord de la rage.

— Enfants de chienne, vous vous pensez au-dessus de toutes les lois, n'est-ce pas? Vous brandissez vos fusils et tout le monde s'incline devant vous. Qu'est-ce qui vous donne le droit d'enlever ma famille? Dis-le moi, espèce de . . .

Banalement, comme si elle faisait la même déclaration pour la cinquantième fois, elle dit:

— Je ne souhaite pas de mal à votre famille, M. Jensen. À vous non plus, d'ailleurs. Mais il y a des choses qui doivent être faites. Malheureusement, il semble impossible d'accomplir ces choses . . . sans parfois blesser des gens. Je suis désolée. J'aimerais mieux qu'il n'en soit pas ainsi, mais c'est impossible.

Jensen lança:

— Je me demande si tu es aussi brave sans ton revolver.

— Vous n'aurez pas l'occasion de le découvrir, répliqua Fadia. Fin de la discussion! déclara-t-elle au reste de l'équipage.

— N'oublie pas ce que j'ai dit, gronda Jensen.
— Ferme ta sale gueule, cria-t-elle.
Elle se retourna quand la porte de la cabine s'ouvrit. Un des hommes en veste sport dit quelque chose. Elle acquiesça. Dee entra avec un plateau de tasses de café.
Mallory aperçut les corps roses menottés aux sièges du salon, derrière la cabine.
Pauvres gars.
Dee fut surprise de voir Fadia. Elle s'attendait à voir un homme.
— Les gars ont froid. Puis-je leur apporter des couvertures?
Fadia secoua la tête.
— Sers le café et va-t-en.
Dee ouvrit la bouche, puis changea d'idée. Les lèvres serrées, elle servit le café.
— Un instant.
— Oui?
Fadia dit:
— Change ma tasse avec celle du Capitaine Mallory.
— Il n'y a rien...
— Alors, il n'y a aucune raison pour ne pas les échanger, n'est-ce pas?
— C'est ridicule...
— Peut-être, mais tu le feras quand même. Et lentement pour que je puisse garder un oeil sur les deux tasses.
Dee soupira. Elle prit la tasse de Mallory et la donna à la jeune femme.
Mallory regarda l'hôtesse.
— Est-ce buvable?
— Mais oui, Capitaine, Délicieux.
— Tu peux t'en aller maintenant, dit Fadia. Et merci pour le café.
— De rien, répliqua Dee en sortant.

Chapitre 13

3h28, heure de Greenwich
Près de l'Allemagne de l'Ouest, à 56°1′ de latitude nord et 4°49′ de longitude est

Étendue confortablement sur une chaise longue, l'hôtesse Fran Ludwig se prélassait à bord d'un magnifique yacht. Elle portait le plus mignon bikini rose avec des rayures et des pois blancs. Et Robert Redford était assis à l'arrière du bateau avec, comme seuls vêtements, une casquette, une canne à pêche et un sourire adorable . . .

Elle luttait contre la réalité. Ce n'était pas juste de la ramener; elle voulait rester juste un peu plus longtemps. Dieu seul savait ce qu'allait faire le beau Robert Redford; il avait un petit regard en coin . . .

Elle se releva sur son siège. Jésus-Christ, pensa-t-elle — mais immédiatement, elle s'excusa mentalement; elle avait oublié la présence du Pape. Elle ouvrit grand les yeux, coupable d'avoir désiré Robert Redford . . . Lucy Sullivan dormait à côté d'elle, les mains tendues sur ses genoux, comme quelqu'un qui demande la charité.

L'hôtesse Ludwig refoula le sommeil et regarda sa montre. Vingt heures quarante, heure de San Francisco. Confuse, elle fixa la lumière vive qui brillait à travers le rideau de la fenêtre. Elle réveilla Lucy.

— Quelle heure as-tu?

— L'heure? Vingt heures quarante, heure de San Francisco.

— Bizarre. Comment peut-il y avoir un lever de soleil pendant un vol qui part et atterrit le soir?

— Oh, c'est probablement le soleil de minuit. Rien d'étrange quand on survole le cercle polaire en été.

— Oui... tu as sûrement raison. On devrait peut-être faire du café pour les passagers. Ils se réveilleront sûrement bientôt.

Elle regarda par la fenêtre. La lumière du jour. Une solide couche de nuages très loin en bas.

En revenant de la cuisine, un passager prit le bras de Fran.

— Je m'appelle Squires.

— Oui, Monsieur Squires. Je vous connais...

— Vous pouvez peut-être me renseigner.

— Je serais heureuse de vous rendre service mais... je dois retourner à la cuisine.

— Je crois que ceci est important.

— Oh?

— Il est exact, n'est-ce pas, que nous nous dirigeons vers San Francisco.

Il parlait d'une façon précise et saccadée, comme dans ses films. L'hôtesse Ludwig acquiesça; oui, absolument, ils allaient à San Francisco.

— Mais en êtes-vous certaine?

— Monsieur?

— Si nous nous dirigeons vers San Francisco, expliquez-moi ce lever de soleil à l'ouest!

— Mais, Monsieur, c'est que nous sommes au-dessus du cercle polaire et le soleil de minuit...

— Ma jeune dame, interrompit-il, ce serait admissible si le soleil était au nord, mais le soleil se lève devant nous. Ce qui veut dire que, si vous avez raison, nous nous dirigeons vers le Pôle Nord. Ou cet avion a effectué un virage et se dirige vers l'est, à l'opposé de notre supposée destination. Observez. Vernon Squires pointa vers la fenêtre puis croisa les bras sur sa poitrine comme un magicien qui vient de compléter un tour.

L'hôtesse Ludwig s'apprêta à répondre puis elle s'arrêta. L'homme avait raison. Le soleil se levait sur le nez de l'avion! Elle secoua la tête pour chasser les derniers vestiges de sommeil.

— Ou peut-être, dit Squires, est-ce le Pape qui nous a préparé ce mignon petit miracle!

Elle se mordit la lèvre; quelque chose n'allait absolument pas.

— Je reviens dans un instant, Monsieur.

— Je m'ennuie déjà.

— S'il vous plaît... ne mentionnez rien aux autres passagers pour le moment.

— Si vous voulez.

— Merci.

Elle se hâta vers le téléphone. En se tournant vers le mur pour ne pas être entendue, elle pressa le bouton de la cabine de pilotage.

— Ici Fran Ludwig dans la section des passagers. Pouvez-vous me dire pourquoi le soleil se lève à l'ouest...?

* * *

Le Pape priait — pas pour lui-même mais pour les hommes et les femmes dont la vie était en danger à cause de sa présence à bord de l'avion. Il priait aussi pour les terroristes palestiniens, poussés par les circonstances à des mesures aussi désespérées. Le temps viendrait-il où le monde pourrait vraiment vivre en paix? La race humaine était-elle à jamais condamnée à s'entretuer? Le temps viendrait-il où les hommes réaliseraient qu'aucune cause ne justifie la perte de vies? Les hommes savaient comment créer des machines miraculeuses comme l'appareil extraordinaire qui glissait présentement dans le ciel. De tels génies pourraient sûrement être chargés de régler les problèmes de notre existence...

Il songea à son avenir immédiat. Il y avait une possibilité, une très grande possibilité, que son séjour sur la terre se termine dans quelques heures — quelques minutes même. Ainsi soit-il. Cette hypothèse ne l'effrayait pas; si elle se réalisait, son seul devoir serait de faire face à la mort avec dignité et miséricorde pour ceux qui l'auraient causée...

* * *

— Je dois être franc avec les passagers, dit Mallory.

Fadia réfléchit pendant quelques instants.

— C'est le temps ou jamais.

— Vous êtes trop gentille, répliqua Mallory.

— Allez-y Capitaine. Épargnez-moi votre sarcasme.

Jensen annonça qu'ils atteindraient la frontière de l'Allemagne de l'Est dans cinq minutes.

— Mais nous n'avons pas encore obtenu l'autorisation de survoler l'Allemagne de l'Est.

Mallory acquiesça. L'Air Traffic Control les avait avisés qu'une autorisation avait été obtenue de tous les territoires que survolerait le vol 901 pour se rendre à El Maghreb: du Groenland, de l'Écosse, de l'Allemagne de l'Ouest, de la Tchécoslovaquie, de la Hongrie, de la Roumanie, de la Yougoslavie, de la Bulgarie, de la Grèce, de la Turquie, de Chypre, d'Israël — de tous, sauf de l'Allemagne de l'Est. Il demanda encore une fois à la tour de Brême d'aviser l'Allemagne de l'Est de l'arrivée imminente du vol 901 et de voir à émettre une autorisation de survol d'urgence. Il ne s'attendait à aucun problème. Le monde entier devait être au courant de l'histoire de ce vol. Dieu seul savait combien de gens le suivaient déjà, à ce moment même.

Diable, que se passait-il en Amérique? Personne ne semblait pouvoir leur donner de renseignements valables. Tout le monde parlait sans rien dire. Aucune nouvelle de Jane et des autres. Mais, avait dit Henderson, les fedayin s'en occupent.

Il s'éclaircit la gorge et prit le micro.

— Mesdames et Messieurs, ici le Capitaine Mallory. Je sais que plusieurs d'entre vous viennent de se réveiller et je suis désolé d'avoir à vous faire commencer la journée avec de mauvaises nouvelles. Malheureusement, cet avion se dirige présentement vers la Jordanie... au Moyen-Orient. Je regrette d'avoir à vous annoncer que nous sommes victimes d'un détournement. Ne soyez cependant pas alarmés. Je sais que cette nouvelle est affligeante, mais les pirates nous assurent qu'ils ne vous veulent aucun mal. Ce vol a été choisi à cause de la présence du Pape à bord. Je suppose qu'une demande sera faite pour assurer sa libération. Nous n'avons cependant aucun détail. Je veux que vous compreniez bien que vous n'êtes pas la cible de cette opération. On m'affirme que vous serez libérés dès l'atterrissage. En attendant, les hôtesses vont vous servir un goûter. Je regrette profondément que tout ceci se soit produit. Je suis certain que tout ira bien. S'il vous plaît, ne tentez aucune action. Il y a un pirate armé dans la cabine de pilotage et d'autres dans la section des passagers. Nous ne savons pas combien ils sont. Donc, asseyez-vous silencieusement et essayez de vous détendre. Nous faisons de notre mieux pour vous sortir de cette impasse aussi rapidement que possible. Merci.

* * *

— Non, dit la femme. Elle frappa le bras de son siège avec son poing pour ajouter de l'emphase à sa réponse. Non, non, non! Il n'en est pas question! C'est impossible. Elle accrocha la manche de Squires; elle avait une poigne étonnamment féroce. Ce n'est absolument pas possible. Pour l'amour du Christ, dites-moi que ce n'est pas possible. Je veux dire... *la Jordanie*... non, non, non!

Son visage s'était légèrement tordu; ses yeux semblaient sortir de leur orbite. Squires déplia les doigts de la femme un à un.

Il lui dit que l'avion se dirigeait vraisemblablement vers l'est.

— Seigneur.

— Enrageant, n'est-ce pas?

— *Enrageant?* Oh mon Dieu. Elle secoua la tête comme si la race humaine la désespérait. Je ne sais pas quoi dire... je me sens à côté de moi-même. Complètement à côté.

— Quelle position inconfortable!

— Qu'allons-nous faire? Elle prit son bras. Je veux dire, que Diable allons-nous *faire*?

— Attendre, dit-il. Attendre la suite des événements.
— Attendre?
— Exactement.
— Dieu non, il faut *faire* quelque chose!
— Que suggérez-vous?
— Je crois que je vais m'évanouir, répondit-elle.
— Très bonne idée, soupira Squires.

* * *

Le contrôleur de l'Allemagne de l'Ouest semblait inquiet.
— Trans Am neuf zéro un, nous venons de contacter à nouveau la tour de Schonefeld en Allemagne de l'Est et nous leur avons expliqué votre situation. Mais nous n'avons pu obtenir d'autorisation pour survoler leur territoire. Nous vous suggérons donc de suivre un trajet d'attente avant d'atteindre la frontière de l'Allemagne de l'Est, jusqu'à ce que nous obtenions l'autorisation nécessaire.
Mais Fadia secouait déjà la tête.
— Pas de tactiques pour nous retarder, pas de fourberies, Capitaine. Vous suivrez une route directe, selon les instructions.
Elle semblait aussi calme que si elle avait refusé une seconde tasse de café. Mallory essaya de lui faire voir le danger de la situation.
— Vous avez entendu le contrôleur de l'Allemagne de l'Ouest. Jusqu'à présent, on nous refuse la permission de survoler l'Allemagne de l'Est.
— Vous connaissez mes instructions.
— Oui, mais vous devez comprendre. C'est un territoire hostile...
— Pas de diversions, Capitaine.
— Mais...
— Faites comme je vous le dis, insista Fadia.
Mallory sourcilla.
— Tour de Brême, ici Trans Am neuf zéro un. On ne nous permet pas d'attendre. Nous devons continuer notre route. Avisez l'Allemagne de l'Est que nous n'avons pas le choix. Il y a

un pirate armé dans la cabine de pilotage.

— Très bien, Trans Am neuf zéro un. Je vais transmettre votre message. Nous vous suggérons de vous brancher maintenant sur le radar de Schonefeld à la fréquence un deux cinq virgule huit cinq. Bonne chance.

— Merci quand même. Nous changeons maintenant pour la fréquence un deux cinq virgule huit cinq.

Jensen pointa du doigt en criant.

— Merde, nous avons de la compagnie! Regardez!

Elles glissaient dans le ciel, quatre formes allongées avec des fusées et des missiles accrochés à leurs ailes déployées.

— Des MIG 21, dit Jensen.

— Sommes-nous déjà en Allemagne de l'Est?

— Nous venons de traverser la frontière, Capitaine.

Mallory regarda Fadia. Ses traits étaient tendus. Il devina qu'elle n'avait pas prévu ce problème.

Les avions volaient au devant du 747 comme s'ils voulaient montrer leur agilité. Puis ils disparurent. Mallory soupira, le ventre plein de noeuds. C'était comme dans le bon vieux temps: en avançant dans le ciel allemand, vous deveniez une cible pour des adversaires déterminés à vous décrocher du ciel. Était-ce les fils des pilotes qui conduisaient les Messerschmitts et les Focke-Wulfs? Leurs petits-fils, peut-être?

— Diable, où sont-ils? Jensen se contorsionnait pour essayer de les voir.

Mallory ne regardait même pas. Ils reviendraient assez rapidement. Il prit l'interphone et dit aux passagers de ne pas se soucier des MIG; ils examinaient le boeing simplement parce qu'il n'était pas censé survoler l'Allemagne de l'Est. Tout irait bien; pas de problèmes...

Pas de problèmes, mais beaucoup de merde, pensa-t-il.

— Ils reviennent, annonça Jensen.

Le MIG de tête s'était placé à côté du boeing; il montait et descendait comme s'il était retenu par une bande élastique. Le pilote, qui portait un casque orange, regardait l'avion avec plus qu'un intérêt routinier.

— Sale voyeur! dit Nowakoski.

Mallory dit à Jensen de contacter le contrôleur de l'Allemagne de l'Est.

— Dis-lui de demander à ses avions de garder leur distance; ils pourraient nous frapper.

Le MIG s'élança. Mallory prit une grande respiration. Il attendait ce moment. L'avion se mit à bercer ses ailes. D'abord l'aile gauche, puis l'aile droite, puis de nouveau vers la gauche. Des mouvements précis qui ne trompaient pas: le langage international de l'air.

Le MIG vira soudainement vers la gauche en une courbe descendante.

Mallory pointa.

— Il nous dit que nous avons officiellement été interceptés et qu'il nous faut le suivre.

— Non, dit Fadia. Suivez votre trajet.

Jensen essayait d'expliquer la situation au contrôleur de l'Allemagne de l'Est.

— Le revoici, cria Nowakoski.

Le MIG répéta son signal d'un peu plus près cette fois, comme si le pilote voulait s'assurer qu'on le voyait.

— Ignorez-le, c'est un ordre.

— Il sera difficile à ignorer s'il commence à tirer.

— Il ne tirera pas.

— Comment le savez-vous?

Jensen intervint.

— Capitaine, Schonefeld dit qu'il ne peut rien faire. Il faut obéir aux ordres du MIG. Il attend votre réponse sur la ligne un.

Mallory pressa le bouton.

— Contrôle de Schonefeld, ici Trans Am neuf zéro un. Écoutez attentivement, s'il vous plaît. Comme vous le savez sûrement, nous étions en route de Rome vers San Francisco dans un avion plein de passagers . . . en plus du Pape et de son entourage. Comprenez-vous cela? Confirmez, s'il vous plaît.

— Affirmatif, vol neuf zéro un. Je comprends votre message. Mais le commandant a juridiction et insiste pour que vous obéissiez à ses ordres . . .

— Écoutez, dites au commandant qu'il y a un pirate armé

qui m'empêche de changer de trajet.

— Si vous ne suivez pas ses instructions, les chasseurs ont reçu l'ordre d'ouvrir le feu.

— *Ouvrir le feu*? Seigneur Jésus, nous sommes à bord d'un avion civil sans défense! Le *Pape* est un de nos passagers. Le *Pape*. Me comprenez-vous? Nous avons été détournés et nous sommes obligés de survoler votre territoire. Nous devons suivre ce trajet et nous rendre en Jordanie. Je ne puis changer mon trajet parce que j'ai un fusil derrière la tête.

— Il recommence son baratin, observa Jensen, les traits tirés.

— Négatif, Trans Am. Je ne puis obtenir cette autorisation pour vous. Obéissez aux ordres, s'il vous plaît.

— C'est impossible, attaqua Mallory. Il y a un terroriste armé dans ma cabine de pilotage qui me force à survoler l'Allemagne de l'Est. Je ne puis absolument pas suivre vos instructions.

Il s'enfonça dans son siège. Bon, que ta volonté soit faite. Il avait tout dit ce qui pouvait être dit; si ces imbéciles voulaient tirer sur lui, il ne pouvait pas les en empêcher.

— Regardez-les! Jensen pointa encore du doigt.

Les chasseurs se glissèrent aux côtés du jumbo jet, en virant à angle aigu, puis en se faufilant vers la gauche. Ils avaient l'air enjoué, avec un côté meurtrier: des bébés mécaniques cabriolant autour d'un géant. Ils revinrent, l'un après l'autre, assez près pour voir les taches d'huile et les marques sur leur corps métallique.

— Gardez votre maudite distance! jappa Jensen.

Un des avantages du plus récent modèle B-17: les artilleurs pouvaient vous prévenir quand des chasseurs venaient de derrière. Dans un 747, vous n'avez aucun préavis. Vous n'avez qu'à attendre.

— Une grande ville au devant de nous, dit Nowakoski.

Mallory se mouilla les lèvres. Une minute ou deux de grâce. Ils ne tireraient pas au-dessus d'une région peuplée.

— Vous devez changer votre direction à trois trois zéro degrés, dit le contrôleur de l'Allemagne de l'Est.

— Négatif. Je ne puis tourner... et vous savez très bien pourquoi, diable!

— Vol neuf zéro un, vous avez ordre de tourner à trois trois zéro degrés...

— Négatif, négatif, négatif!... nous sommes incapables d'obéir!

— Très bien, vol Trans American neuf zéro un. Vous avez précisément une minute. Si vous n'avez pas changé de direction dans soixante secondes, votre avion sera détruit.

— *Détruit?*

Il avait vu des films où de vieux bombardiers étaient frappés par de tels missiles. En une fraction de seconde, ils devenaient une déconcertante masse de fragments de métal virevoltant désespérément dans le ciel.

Les chasseurs avaient de nouveau disparu.

— Nos avions prennent des positions de tir derrière vous, vol neuf zéro un.

— Je ne puis suivre vos ordres. Si je le pouvais, je le ferais. Mais j'ai un fusil derrière la tête. Comprenez-vous cela?

— Quarante secondes.

Mallory s'agitait sur son siège. Fadia était debout derrière lui, son revolver en main.

— Pour l'amour de Dieu...

— Ne changez pas votre direction, Capitaine. Vous devez obéir à des ordres.

— Mais vous avez entendu...

— Ne changez pas votre direction. Un seul petit virage et un de vous mourra.

— Trente secondes.

Nowakoski commença à se lever de son siège; elle tourna le canon de son pistolet vers lui.

— Restez dans vos sièges. Nous poursuivons notre chemin.

— Mais le damné contrôleur...

— Quinze secondes.

Une tactique d'évasion... L'idée traversa l'esprit de Mallory. Ridicule. Échapper à des missiles avion-avion à bord de ce monstre? Impossible.

Il n'y avait rien d'autre à faire que d'attendre et d'espérer.

Et songer aux maudits passagers qui ne savaient pas ce qui se passait.

À bien y penser, ils étaient chanceux, eux.

— Cinq secondes, Capitaine. Quatre. Trois. Deux. Un. Zéro.

— Jésus.

Le silence.

Mallory grimaça, anticipant sur la terrible explosion qui ferait éclater le jet en mille miettes, les fusées ravageant sa peau fragile, une boule de feu brûlant les passagers rangée après rangée, leur corps déchiré tournoyant dans le ciel...

Les ongles de Jensen pénétraient la chair de ses jambes, la peau recouvrant ses jointures était blanche et tirée.

Puis le contrôleur de l'Allemagne de l'Est les contacta de nouveau. Le soulagement pétillait dans sa voix.

— Vol Trans Am neuf zéro un, vous avez l'autorisation de survoler l'Allemagne de l'Est. Ne changez pas votre direction. Bonne chance.

Mallory respira de nouveau... un sursis.

— Merci, dit-il. Transmettez mes salutations au commandant.

Les MIG volaient à côté du boeing. Le pilote en chef éleva une main gantée et les salua. Puis ils disparurent.

Mallory se tourna vers Fadia.

— Nous avons failli éclater en mille miettes.

Elle semblait indifférente.

— Mais nous sommes encore là, n'est-ce pas?

Jésus-Christ, il ne s'en faisait pas de plus froide qu'elle. Il dit:

— Comment pouviez-vous être certaine qu'ils ne tireraient pas?

Elle haussa les épaules.

— Pensez-vous vraiment qu'ils auraient tiré sur *cet* avion? Moi, non.

— Vous êtes imperturbable, admit Mallory. Il faut vous donner au moins ça: vous êtes imperturbable!

Mais il souhaita qu'elle eût choisi une autre carrière.

* * *

Le général de l'Allemagne de l'Est se rapporta immédiatement.

— Nos chasseurs ont inspecté le boeing de près. Il ne transportait aucune caméra ou antenne de détection et avait l'apparence d'un 747SP standard de Trans American Airlines. Le capitaine refusa de changer son trajet même s'il devait faire face à une destruction imminente par nos intercepteurs. Nous croyons donc qu'il pilotait vraiment sous la menace du revolver d'un pirate de l'air. Sa seule chance de survie était que nous le laissions passer à la dernière minute, ce que nous avons fait. Je suis certain que l'avion n'était pas en mission d'espionnage. Je mettrais ma réputation militaire en jeu.

En raccrochant le téléphone, il se félicita silencieusement d'avoir si adroitement réglé une situation chargée de dynamite politique. Il fit néanmoins une pause incertaine avant de sortir de son bureau.

Chapitre 14

4h10, heure de Greenwich
Le nord de la Californie/21h10

Le vieux Nowakoski s'était endormi. Étendu dans sa chaise, la bouche ouverte, la tête penchée sur une épaule, il avait l'air d'un cadavre. Il ne faisait aucun bruit. Inquiète, Jane s'était approchée de lui et avait écouté pour s'assurer qu'il respirait encore. Pauvre vieux. À quoi rêvait-il? À quoi rêvaient les vieillards? À ce qu'ils avaient fait dans leur jeunesse? Ou à toutes les choses qu'ils n'avaient pas faites?

Aucun signe de vie de la part de Telly et des autres; Jane et Virginia Jensen parlaient néanmoins encore de maisons, de nourriture et de vêtements, de tout sauf du sujet qui occupait vraiment leurs esprits.

Dans combien de temps aurons-nous de l'aide? Plus de trois heures s'étaient écoulées depuis que Craig s'était échappé. S'il s'était vraiment échappé. Rien ne le confirmait. Il avait pu suffoquer dans la cheminée; son corps y était peut-être pris . . .

Elle espéra que Virginia Jensen n'y avait pas pensé.

Un avion les survola. Il semblait voler bas. Les deux femmes se regardèrent. Pendant un moment, elles inventèrent des images d'hélicoptères pleins de troupes d'assaut qui volaient à leur secours. Mais l'avion les dépassa; le son se mêla aux murmures du vent.

Un bruit de pas à l'extérieur. Une clé tourna dans la serrure.

Les femmes se redressèrent sur leurs sièges; M. Nowakoski s'agita.

Scarface entra.

— Que veux-tu? demanda Jane.

Il la regarda, puis il regarda les autres.

— Avez-vous encore faim?

— Non. Nous ne voulons plus de vos sales sandwiches.

Il sourcilla.

— Comme vous voulez. Désirez-vous aller aux toilettes? La petite? Le garçon, peut-être?

La peur envahit le corps de Jane.

— Il dort.

Virginia Jensen expliqua qu'il dormait beaucoup.

— Comme le vieux, huh?

Virginia acquiesça. Avec trop d'enthousiasme. Une mauvaise actrice, une minable menteuse.

Jane dit:

— Combien de temps allez-vous nous garder ici?

— Pas longtemps, je vous l'ai déjà dit.

— Combien d'heures?

Il secoua la tête, irrité.

— Tu sais bien que je ne te le dirai pas. Pourquoi insistes-tu?

— Parce que tu pourrais t'échapper.

Il la fixa.

— Non, je ne m'échapperai pas. Tu perds ton temps à essayer de me déjouer. Tu parles trop; et grossièrement en plus.

Jane dit:

— Je suppose que vous vous prenez tous pour des héros.

— Des héros? Il sembla rougir malgré son haussement d'épaules. Non, nous ne sommes pas des héros. Nous ne prétendons pas en être. Nous sommes de simples soldats.

— Les soldats n'enlèvent pas des femmes, des enfants et des vieillards.

— C'est parfois nécessaire. N'est-il pas vrai qu'après l'attaque de Pearl Harbor, les autorités américaines ont kidnappé tous les citoyens de descendance japonaise?

— C'était la guerre, dit Jane, souhaitant avoir eu une réponse plus convaincante.

— Nous sommes en guerre, dit-il. Nous nous battons depuis trente ans.

— Mais vous n'avez pas fait beaucoup de progrès, n'est-ce pas?

— Tu ne diras sûrement pas la même chose après-demain.

— Et qu'est-ce qui se produira après-demain?

— Tu verras bien.

— Est-ce que mon mari sera encore vivant? La voix de Virginia Jensen avait un ton suppliant.

— Oui, tout le monde sera sain et sauf. Cette opération a été planifiée brillamment. Tout se déroule bien.

Il s'assit et appuya le dossier de sa chaise contre le mur. Il croisa les jambes; son soulier gauche glissa de son pied, révélant un grand trou dans sa chaussette.

— Tu vas avoir une ampoule, dit Jane.

— Une quoi?

— Une ampoule... là, où il y a un trou.

— Ah, je n'avais pas remarqué.

— La guerre, c'est l'enfer, dit-elle.

Il ne sourit pas.

— Bien sûr, dit-il, en pensant que la remarque était superflue. Puis il étudia la pièce, un coin à la fois, comme s'il cherchait les indices d'une tentative d'évasion.

Le vieux Nowakoski se réveilla. Il fut surpris de voir Scarface.

— Que s'est-il passé?

— Rien, lui dit Scarface. Vous pouvez vous rendormir.

— Pourquoi êtes-vous ici?

— Je suis venu parler de politique avec Mme Sutton.

— Vous avez bien dormi? dit Jane à M. Nowakoski. Elle le regretta immédiatement. Scarface s'était tourné vers la couverture.

— Le garçon dort très profondément.
— Oui, toujours, dit Virginia en rougissant.
— Est-il malade?
— Non, il va très bien. J'ai... vérifié juste avant votre visite.
Scarface fixa la forme inerte. Puis il décroisa les jambes et se leva. La chaise bondit avant de trouver son équilibre sur le plancher nu.

Jane tremblait. Dans un instant, il s'approcherait de la forme. Un instant plus tard, il découvrirait qu'il n'y avait pas de garçonnet là. Et après? Vengeance immédiate? La panique tordait ses entrailles. Elle essaya de ne pas accrocher le regard de Virginia Jensen. Nowakoski semblait avoir oublié le garçon; il remplissait sa pipe.

Scarface avançait paresseusement comme quelqu'un qui voit une urgence minime dans sa mission mais qui l'accomplit parce que c'est son devoir.

Il marchait entre Jane et Virginia Jensen, en ne regardant aucune d'elles.

Il était maintenant à six pieds de la couverture qui réchauffait deux coussins.

L'arrêter! Pour l'amour du Christ, fais quelque chose! N'importe quoi!

Jane balbutia:
— J'avais l'impression que tu voulais baiser. Sa voix craqua; elle toussota pour l'éclaircir.
Il s'arrêta et la fixa.
— Quoi?... Qu'as-tu dit?
Sa tentative de nonchalance n'était pas très convaincante, mais il ne sembla pas s'en apercevoir.
— Tu semblais très intéressé à mon corps tantôt.
Sa bouche s'entrouvrit. Il devint momentanément muet.
Joli, se dit-elle. Continue; ça fonctionne.
— On ne peut trouver meilleur moment, suggéra-t-elle.
— Maintenant?
— Oui. Pourquoi pas?
Il grimaça comme s'il ne croyait pas ce qu'il entendait.
— Que dis-tu?

— À vrai dire, j'ai envie de baiser. Un haussement d'épaules qui en disait long. Elle sentait les yeux des autres sur elle. Je m'ennuie à mourir ici. Ça ferait passer le temps.

Le vieux Nowakoski bafouilla puis aspira bruyamment.

Scarface fixait le vide.

— Tu veux faire passer le temps?

Jane acquiesça.

— Et tu peux t'avérer un bon baiseur. Ça pourrait être amusant. Ça ferait alors plus que passer le temps. Mais jusqu'à maintenant, je ne sais pas comment tu baises, alors je ne saurais dire.

— Et... tu *veux* le savoir?

Il essayait de parler cavalièrement, mais il n'y arrivait pas. Il paraissait excité.

— Si tu veux, dit-elle.

Scarface semblait se livrer un combat intérieur. Le devoir versus le désir? Sans raison, Jane se demanda s'il pensait en arabe.

Sa langue glissa sur sa lèvre inférieure. Il acquiesça à moitié.

— Viens avec moi, dit-il.

Sa grosse main se ferma sur son épaule. Elle se leva. Il la conduisit vers la porte. Elle se tourna vers les autres.

— À tantôt.

— Oui, oui, bien sûr, balbutia le vieillard, décontenancé, complètement désorienté.

Virginia Jensen la regarda, en secouant doucement la tête comme si elle voulait lui montrer qu'elle ne savait pas quoi dire.

Telly lisait un journal dans le corridor. Lui et Scarface échangèrent quelques mots. Telly avait l'air furieux. Encore des mots. Maintenant, Scarface avait l'air furieux. Il dit quelque chose. Telly se tourna, dégoûté.

— Je pense qu'il n'est pas d'accord, dit Jane.

— Je me fous de lui. Il est malcommode.

— Et toi? demanda-t-elle.

— Je ne crois pas, dit-il sérieusement. Puis il la regarda. Était-ce une blague? Je ne sais jamais quand tu blagues.

— Je ne blaguais pas, l'assura-t-elle. Pour l'amour de Dieu, dans quel pétrin s'était-elle mise?

Il la conduisit à travers la cuisine délabrée, jonchée des restes de plusieurs repas. Un calendrier de 1965 était encore accroché au mur. Dehors, l'air était chaud et sec. C'était délicieux, après l'humidité glaciale de la maison. Elle sentit la chaleur l'envelopper. Elle respira profondément en regardant les éclaboussements d'étoiles dans le ciel. Elle se demanda si son père pensait à elle en regardant les mêmes étoiles. Que dirait-il s'il savait ce qui se passait? «Bien fait»? «Trois à zéro pour nous»?

Les battements de son coeur étaient redevenus réguliers. Plus ou moins réguliers. D'accord, elle s'était engagée. Elle avait deviné ce qui devait être fait et l'avait fait. C'était peut-être trop compulsif, trop coûteux; mais elle avait au moins gagné du temps. Cela en valait-il la peine? Seul le temps le dirait. Le plus sordide de tout c'est qu'elle devait maintenant fémininement faire de son mieux pour garder le gars à l'extérieur le plus longtemps possible. Ce qui, admit-elle innocemment, ne serait pas une corvée. Il était loin d'être répulsif.

— As-tu peur?

Elle secoua la tête. Résolument.

— Peur? Non, pourquoi aurais-je peur?

— J'ai pensé que tu aurais peut-être peur.

— Et toi? dit-elle.

— Moi? Il rit. De quoi aurais-je peur?

— Tu ne pourras peut-être pas avoir d'érection. Ça arrive parfois, surtout avec un nouveau partenaire.

Il la fixa.

— Tu es une femme extraordinaire. Je n'ai jamais rencontré quelqu'un comme toi. Tu dis tout ce qui te passe par la tête.

— Rien de mal à dire la vérité.

Il acquiesça.

— Alors je vais te dire une vérité.

— Vas-y.

— Tu m'excites énormément. Tu es très belle.

— Merci.

Il la prit par la taille et la serra contre lui.

— Tu vois, dit-il, je n'ai pas le problème dont tu parlais.

— Je vois, je vois. Éloignons-nous de la maison... Je ne veux pas que tes amis nous dérangent.

Il acquiesça d'une façon étrangement formelle et, main dans la main, ils marchèrent environ cent mètres.

Ses mains cherchaient ses seins. Des mains puissantes et douces à la fois. Il déboutonna rapidement son chemisier et lui enleva son soutien-gorge. Elle lui enleva sa chemise. Puis ils enlevèrent tous leurs vêtements.

Il la regarda de la tête aux pieds, les yeux doux et émerveillés.

Elle se sentit faiblir, s'adoucir, s'ouvrir.

Ils tombèrent ensemble sur le gazon humide, leurs membres s'entrecroisant immédiatement, leurs mains explorant instamment. Il était fort et bien musclé, elle s'abreuva de sa virilité et savoura le dévouement de ses mains et de son corps.

— Pas si vite, essaya-t-elle de lui dire. On a tout le temps, mon beau.

Mais il s'enfonça en elle immédiatement. Énorme, insistant. Une délicieuse intrusion qui semblait vouloir transpercer son corps.

Puis le choc se produisit... comme une explosion. Au milieu de l'acte physique, elle se métamorphosa. Ce n'était plus un sacrifice sexuel. Ce n'était plus un écartement des jambes à contretemps. C'était une union volontaire et complète.

Elle répondait à chaque coup par un autre coup et l'intensité grandissante projeta ses pensées au-delà de ses plus sauvages fantaisies. C'était l'ultime liberté, le culmination de toute la passion et de tout le désir qu'elle avait emmagasinés pendant toute sa vie.

Les émotions refoulées et étouffées par parents et amis, par professeurs et curés criaient maintenant leur libération et le plaisir qu'elle en tirait la dépassait. Ses jambes étaient enroulées autour de son libérateur et non de son ravisseur.

À chaque coup violent, elle sentait la renaissance de sa révolte profonde contre la société, contre le système. Il devint la personnification de sa haine pour le Viet-nam, le Watergate, l'ordre établi et toutes les valeurs qu'elle avait été obligée d'accepter mais qu'elle avait appris à détester.

Une nouvelle liberté, échapper à la conformité... elle était au septième ciel. Baiser Scarface était la fascinante personnification de baiser le système. C'était sa propre petite révolution et elle devint une révolutionnaire accomplie.

Elle ne pouvait plus se retenir maintenant. Il n'y avait que le rythme incessant du désir. Le tempo s'intensifiait comme dans une danse tribale. Des vagues énormes et chaudes, des vents violents; des bleus profonds, des pourpres criards; une chaleur qui explosait et se désintégrait en créant des formes qui dansaient sur chacun de ses nerfs, sur chaque fibre de sa peau.

Puis la paix.

Il respirait rapidement, une joue sur sa poitrine; ses cheveux bouclés chatouillaient son menton.

Elle répandit la sueur sur son dos. Il se serra contre elle, comme un enfant contre sa mère.

— Tu es une très belle femme, dit-il.

— Merci. Tu es aussi très beau.

— Non. Les hommes ne sont pas beaux.

— Pour les femmes, ils sont beaux. Elle toucha délicatement son menton. Une très belle cicatrice. Comment est-ce arrivé?

— Une balle israélienne, dit-il rapidement. Elle n'a fait que m'effleurer... mais elle a tué ma mère.

— Je suis désolée.

— C'était il y a plusieurs années. Il fit une pause. Je préférerais ne plus en parler.

— Je comprends.

Il sourit.

— C'était bon pour toi, huh?

— Très. Tu as eu de la pratique.

— Un peu, admit-il.

— Ici en Amérique?

— Oui. Quelques fois.

— Habites-tu ici?

— Oui.

— Où?

— Dans un dortoir d'université.

— Où? . . . *Quoi?*

— Un dortoir. Qu'est-ce qu'il y a de si étrange?

Elle se releva.

— Tu veux dire que tu étudies dans une université américaine? Laquelle?

— Je préférerais ne pas le dire. Je suis boursier de l'UNESCO. Ils payent tous mes comptes.

— Je me demandais ce qu'ils faisaient des recettes provenant de la vente de leurs cartes de Noël.

— Quoi?

— Laisse faire. Et tu as pris congé pour . . . ceci?

— Mais oui.

— Raconte-moi ton assassinat majeur.

— De quoi parles-tu? Je suis en sciences politiques. Il grimaça. Ça te dérange que je fréquente une université américaine?

— Je ne sais pas, dit Jane. Ça me semble tellement . . . bizarre.

— Bizarre? N'est-ce pas un endroit où l'on achète toutes sortes d'objets?

— Non. Ça c'est un *bazar*. Laisse faire. Je ne devrais pas avoir de difficulté à croire qu'un gars qui va à l'université puisse faire de telles choses. Il me semble qu'ils le font tous. Pourquoi n'arrêtes-tu pas?

— Arrêter?

— Oui. Tu es intelligent. Tu as la vie devant toi. Pourquoi tout risquer pour . . . la politique? Ça ne vaut pas la peine de risquer ta vie.

Il secoua la tête comme un professeur mécontent.

— Tu ne comprends rien, n'est-ce pas? Ça vaut un million de vies comme la mienne. Dix millions même. Vos soldats ne pensaient-ils pas la même chose lors de la Deuxième Guerre mondiale?

— C'était différent. C'était une *vraie* guerre.

— La nôtre *aussi*.

Elle soupira.

— Mais vous impliquez des femmes et des enfants innocents . . .

— Vos bombardiers ne l'ont-ils pas fait aussi?

Elle pensa à son père. À Dresde, à Hambourg. À Hiroshima. À Nagasaki.

— Comment t'appelles-tu?

— Je te dirai seulement le nom que me donnent mes camarades. Abou Gabal. Mon vrai nom est sans importance.

— Il appartient à ton autre vie?

— Oui, c'est ça. Il caressa un de ses seins en regardant son mamelon se raidir, fondre et se raidir de nouveau.

— Tu t'appelles Jane. Jane Sutton. Tu as 24 ans et tu es divorcée.

— Très bien!

— Pourquoi as-tu divorcé?

— Parce qu'on s'ennuyait.

— Tu as un peu honte de ça, je crois. Tu essaies d'avoir l'air très courageuse et dure. Mais ça te trouble.

— Peut-être. Je me demande si je me sentirai toujours comme ça. Je suis peut-être incapable d'aimer une seule personne pour la vie. Il y en a qui sont capables, moi, je ne sais pas. Mais oui, parfois ça me trouble.

Cette analyse la rendait inconfortable; elle changea de sujet.

— Tu es versatile. Universitaire, psychiatre et . . . terroriste.

— Les femmes américaines sont étranges.

— Étranges?

— D'un côté, très matérialistes — gourmandes des produits du travail de leur mari. De l'autre côté, très honnêtes, réalistes, je suppose.

— Les femmes palestiniennes ne sont pas comme ça?

— Un peu. Les plus jeunes apprennent les manières occidentales. Mais la majorité des femmes pense encore comme leurs mères. Elles sont heureuses d'être l'ombre de leurs maris. D'une certaine façon, je suppose que c'est agréable; mais d'un autre côté, c'est ennuyant. Ma mère avait une intelligence très vive. Mais elle n'a jamais eu l'occasion de l'utiliser. Dommage, du vrai gaspillage.

— Ton père est-il vivant?

— Oui. Il s'est remarié et il vit à Beyrouth. Je ne le vois pas très souvent. Nous nous disputons. Il s'est installé confortablement avec sa nouvelle épouse. Il donne le moins possible à l'OLP — une offrande symbolique. Il n'a plus le goût de se battre.

— C'est peut-être lui qui a raison.

— Non. La lutte pour la Palestine doit être intensifiée. C'est *notre* pays, tu dois comprendre ça.

— Je comprends. Du moins, je crois comprendre. Mais je connais plusieurs Juifs et je les aime.

— Je n'ai personnellement rien contre les Juifs.

— Alors comment peux-tu penser à les tuer?

— Je cesserai dès qu'ils quitteront notre pays. Je le promets.

— Ça ne vaut pas la peine de mourir pour un territoire.

— Au contraire, c'est la seule chose qui en vaut la peine — ça et une jolie femme.

— Tu es un beau parleur.

Il sourit.

Ils se mirent à se caresser.

— Je crois qu'il recommence à donner signe de vie.

Il grogna de plaisir.

— Pas surprenant.

— C'est un beau morceau.

Abou Gabal rit. Il avait un rire agréable, franc comme celui d'un enfant totalement insouciant.

* * *

L'hélice de l'hélicoptère tournait encore quand M. Beale sauta sur le gazon et courut vers le garçon entouré des agents de la patrouille routière.

— Craig Jensen?

— Oui, Monsieur.

— Gentil garçon. Je m'appelle Beale. Je suis du F.B.I. Ses cheveux poivre et sel s'entremêlaient dans le vent. Il ressemblait à un des professeurs de Craig, avec sa veste de tweed et ses lunettes à monture de métal. Du bon travail, Craig. Ton papa va être très fier de toi. Il parlait rapidement, automatiquement, comme s'il devait dire quelque chose avant de discuter de la question qui les préoccupait. Nous allons sortir ta mère et les autres de cette maison, mais nous avons besoin de toi. D'accord?

— Oui, Monsieur.

— Peux-tu nous guider jusqu'à cette maison?

— Oui.

Un des agents dit:

— D'après ses explications, c'est à environ cinq milles d'ici. Il n'y a qu'une maison. C'était une ferme. La famille est déménagée. Personne ne l'a encore achetée.

— Quel est le meilleur moyen de s'en approcher?

— Je ne suis pas certain. Elle est au beau milieu d'un terrain de dix acres.

— Il y a des arbres sur un côté, dit Craig. C'est là que je me suis caché. Les autres côtés sont bordés d'arbustes.

— Dieu merci, il fait nuit maintenant, murmura Beale. Quelle bénédiction!

Ils étudièrent un croquis qu'un des agents avait fait avec l'aide de Craig. Il donnait le plan du premier étage, du moins ce que Craig avait vu et ce dont il se souvenait.

— Il n'y a qu'une porte dans cette pièce où ils détiennent ta mère et les autres?

— Oui, Monsieur.

— Combien de fenêtres?

Craig essaya de s'en souvenir.

— Elles étaient recouvertes de planches . . . Deux ou trois, je crois.

— Et tu ne sais pas de quel côté se trouve cette pièce?

— Non. Nous sommes entrés par la porte du côté, là, et puis nous avons traversé le corridor jusqu'à cette pièce.

— D'accord, dit Beale, il nous faudra faire des suppositions. Il se tourna vers Craig. Je veux que tu viennes avec nous; tu peux nous être très utile. Nous allons sortir ta mère de là. Veux-tu venir avec nous?

Craig sentit son estomac papillonner, il savait qu'il avait peur. Mais il fallait y aller. Il se sentait comme un shérif dans un film de cow-boys: le moment de vérité. Il acquiesça.

— Gentil garçon, dit Beale. Allons-y.

Chapitre 15

4h40, heure de Greenwich
Près de Prague, en Tchécoslovaquie,
à 50°33′ de latitude nord et
14°28′ de longitude est

Mallory fit signe à Jensen.

— Demande un nouveau bulletin météorologique, Cliff.

— D'accord. Il pressa le bouton de l'émetteur-récepteur à haute fréquence et s'informa.

Brusque. M. Jensen était très tendu. Le pauvre diable pouvait difficilement être blâmé; il avait des problèmes; mais tout le monde avait des problèmes; ils avaient tous des familles pour lesquelles ils se faisaient du souci. Mais il n'y avait rien d'autre à faire pour les aider que d'atterrir à El Maghreb en un morceau.

Mallory regardait à mesure que Jensen obtenait des données météorologiques.

— Pas très bon, disait le rapport.

Le simoun soufflait encore, isolant le Moyen-Orient. Les stations métérologiques les plus près d'El Maghreb rapportaient une visibilité occasionnelle aussi basse qu'un seizième de kilomètre — beaucoup moins que le minimum requis pour l'atterrissage d'un 747.

Mallory se frotta les yeux. Il se retourna vers Fadia. Elle le fixa d'un regard assuré. Le revolver était encore sur ses genoux.

— La vérité, ma jeune dame, c'est qu'il faut songer à un autre aéroport.

Elle secoua la tête.

— Il n'y aura aucun autre aéroport.

— Il va falloir y songer si nous ne pouvons pas atterrir à El Maghreb.

— Non.

L'entêtement irritait toujours Mallory.

— Jésus-Christ, faut-il que je vous fasse un dessin? Les conditions sont mauvaises. Très mauvaises. L'atterrissage sera peut-être impossible à El Maghreb et si nous ne pouvons atterrir là, il va falloir atterrir ailleurs. Il faut commencer à faire des plans. Alors, pour l'amour de Dieu, dites-moi où aller si nous ne pouvons atterrir à El Maghreb.

Elle secoua la tête de nouveau. Elle refusait même de penser à aller ailleurs.

— Nous atterrirons à El Maghreb. Nulle part ailleurs. Est-ce clair?

— C'est clair, dit Mallory. C'est aussi ridicule que d'essayer d'atterrir sur une piste qu'on ne peut trouver.

— Ce sont mes ordres, insista-t-elle. Vous y obéirez.

Jensen se tourna vers elle.

— Tu t'en fous bien de tuer tous les gens à bord. Tout ce qui t'intéresse, c'est de suivre tes ordres stupides!

— Mes ordres vous semblent peut-être stupides, sourit-elle triomphalement, mais ils auront comme résultat le retrait total d'Israël de la Rive Gauche.

— *Quoi?*

— Le retrait immédiat et complet de la Rive Gauche, dit-elle, c'est le prix demandé pour la vie du Pape.

Mallory sentit sa colonne vertébrale devenir momentanément glacée.

— Tu es complètement folle, lui dit Jensen. Tous les maudits révolutionnaires sont fous. Vous ne voyez pas clairement. Vous ne pensez pas clairement. Vous devriez tous être à l'asile!

— Taisez-vous. Vous devenez ennuyeux, M. Jensen.

Son ton calme et blasé sembla aviver la colère de Jensen.
— Maudite chienne!
— Je vous avertis!
— Va te faire foutre avec ton avertissement! Avant que Mallory puisse l'en empêcher, Jensen avait enlevé sa ceinture de sécurité et se levait de son siège. Mais il y a peu de place pour des mouvements rapides dans la cabine de pilotage d'un 747. Se lever prenait un certain temps. Avant qu'il puisse atteindre son siège, Fadia s'était élancée sur lui avec une rapidité étonnante, et le frappa au front avec le canon de son revolver. Quand Jensen retomba sur son siège, elle fit un pas vers l'arrière de la cabine. Elle était debout, à demi penchée, et tenait le revolver fermement dans ses deux mains en le balançant de droite à gauche comme un éventail.
Elle cria.
— La prochaine fois, je tirerai. Je vous le promets. Comprenez-vous?
Mallory se pencha vers Jensen.
— Ça va?
Jensen était confus et amolli. La peau de son front s'était fendue; le sang coulait sur son visage et tachait sa chemise blanche.
— Ça va . . . je m'excuse . . .
— Donne-lui un coup de main, dit Mallory à Nowakoski.
— La prochaine fois, je tirerai, répéta Fadia.
Mallory lui dit de se taire. Il décrocha l'interphone.
— Qu'est-ce que vous faites?
Il l'ignora et dit à Dee de venir dans la cabine. L'hôtesse senior avait été infirmière avant d'être à l'emploi de Trans Am.
Nowakoski essayait de démêler la trousse de premiers soins.
— Ça ira, répétait-il à Jensen. Mallory se demanda comment il pouvait en être certain.
Jensen s'excusa.
— Désolé . . . je n'aurais pas dû faire ça.
— Oublie ça, lui dit Mallory.
— C'était complètement stupide . . . J'ai perdu le contrôle.

Quand Dee entrera, pensa Mallory, est-ce que Fadia regardera derrière elle? Est-ce que son mouvement permettra à quelqu'un de sauter sur elle et de la désarmer? Et après? Ouvrir la porte et tirer sur les deux Arabes qui gardent Cousins et ses hommes? Une opération rapide. Une version aérienne du massacre de la Saint-Valentin? Problème résolu? Situation sauvée? Et qui, pensa-t-il, serait l'héroïque volontaire? Une occasion glorieuse de mourir pour votre compagnie. Nul doute que le président de Trans Am lui-même serait présent à vos funérailles. Et puis après. De toute façon, c'était sans espoir; ça ne réglerait pas le dilemme. Il y avait au moins un autre pirate dans la section des passagers. Nul doute que ce pirate-là portait aussi un corset de *plastic* comme celui de Fadia. À la moindre tentative, l'avion exploserait en mille miettes.

Il soupira lassement quand Dee fut admise par un garde. Fadia était toujours debout à l'arrière de la cabine, le revolver encore stable dans ses mains habiles.

— Jésus-Christ, s'exclama Dee en voyant Jensen. Qu'est-ce qui t'arrive?

— Il a voulu jouer à de vilains jeux, dit Fadia. Je l'ai averti, mais il ne m'a pas écoutée.

En d'autres mots, semblait-elle dire, il ne pouvait que se blâmer lui-même.

Dee prit la trousse de premiers soins et s'occupa de la blessure de Jensen.

— Ça n'a pas l'air trop vilain, dit-elle quand elle eut fini. Vaut mieux la faire examiner à notre arrivée, mais je pense que tu vivras.

Jensen eut un mince sourire.

— Merci.

— Il n'y a pas de quoi. Je t'enverrai ma facture.

Fadia reprit son siège.

— Vous pouvez partir maintenant, dit-elle à Dee.

L'hôtesse demanda à Mallory si elle pouvait faire autre chose.

Mallory secoua la tête.

— Non, à plus tard. Merci.

— Tu sais, dit Nowakoski à Fadia, une des choses qui m'écoeure le plus chez toi, c'est ton maudit accent.

— J'ai fréquenté les meilleures écoles européennes, dit-elle.

— Tu parles comme une des filles dans *Upstairs, Downstairs.*

— Vraiment, dit Fadia sur un ton monocorde. Et vous, M. Nowakoski, vous me rappelez un des personnages de *All in the Family.*

* * *

Beale étudia la maison à travers ses jumelles. Elle semblait vide et sombre. Pas un seul signe de vie.

— C'est cette maison, dit le petit Jensen. Ils ont barricadé toutes les fenêtres. C'est pour ça qu'on ne voit pas de lumière.

— D'accord, dit Beale. Un bon gars, plein de sang-froid. Je comprends.

L'équipe de sécurité s'avançait rapidement et silencieusement à travers les arbres.

— Tu es descendu du toit?

— Oui. Là. Sur ce côté-là, il y a un tuyau.

— Et dans quelle direction as-tu couru?

Le garçon pointa.

— Par là. Voyez-vous la clôture?

Beale acquiesça.

— Je l'ai suivie mais elle m'a ramené au même point. Alors, je suis allé par là. Il pointa dans une direction différente.

— Très bien, dit Beale. Maintenant, nous allons nous approcher. Je veux que tu viennes avec nous. D'accord?

— Oui, Monsieur.

— Nous allons tout faire pour qu'il n'arrive rien de mal à ta maman et aux autres. Il tourna le dos à la maison et examina le plan. Il avait une lampe de poche qui éclairait d'un mince jet de lumière. C'est dans cette pièce qu'ils sont détenus. Est-ce exact?

— Oui, Monsieur.

— Et cette pièce est de *ce* côté de la maison, le côté le plus près de nous en ce moment?

Le garçon fixa le croquis, puis la maison. Il acquiesça.

Beale sentait des gouttes de sueur s'accumuler autour de son col. C'était une mission épouvantable, vue de tous les côtés. Les otages *devaient* être libérés. Mais, en toute vérité, il y avait peu de chances de les tirer tous de là indemnes. Il y avait trop de facteurs inconnus, trop de facteurs imprévisibles. La seule certitude, c'est qu'il n'y avait aucune discussion possible avec les hommes armés qui se trouvaient à l'intérieur de la maison. Les coups de feu étaient la seule langue que ces salauds comprenaient.

Il pointa vers le hangar, à côté de la maison.

— Est-ce là qu'ils ont mis le camion Sears?

— Oui, Monsieur, j'en suis certain.

— Il n'est pas relié à la maison, n'est-ce pas? Est-ce qu'on peut entrer par là?

— Je ne m'en souviens pas... Désolé.

— Est-ce qu'ils vous ont conduits du hangar à la porte d'entrée de la maison?

— Non. Nous sommes entrés par la porte du côté. Son petit doigt indiqua l'endroit sur le plan. C'est juste à côté du hangar.

— Et cette porte conduit dans le petit corridor à côté de la cuisine?

— Je crois que oui.

— Tu n'en es pas certain?

— Non... pas vraiment. Je ne l'ai vu qu'une seule fois.

Beale massa son nez. L'enfant faisait son possible.

— Mais il faut être le plus certain possible de l'endroit où se trouvent ta mère et les autres. Tu dis qu'ils sont de l'autre côté de la maison?

— Oui. Là.

— Et la cuisine est là?

— Oui. J'ai vu la cuisine quand nous sommes entrés dans la maison.

— Il y a une porte là?

— Je crois que oui. Ou peut-être simplement une ouverture. Je me souviens d'avoir regardé dans la cuisine.

— Très bien. Beale se tourna vers un grand homme, coiffé d'un casque, et lui indiqua la porte sur le croquis. Là. Voilà le point de départ. C'est le plus loin que nous puissions être des otages?

— Oui, Monsieur.

Des signes de tête nerveux; des respirations rapides.

— Souvenez-vous, dit Beale, qu'il y a au moins quatre terroristes. Il pourrait y en avoir d'autres. Il fit un signe vers la gauche à un homme. Reager, tu prendras position ici, à l'extérieur de cette chambre. Il pointa l'endroit sur le plan. Quand le bruit commencera, enlève une des planches de la fenêtre aussi vite que possible et assure-toi que les otages s'étendront sur le plancher. Couvre-les. Et si les terroristes entrent dans la chambre, tue-les. Bonne chance.

— Vous aussi, M. Beale.

* * *

Telly se rendit à la cuisine pour se verser une autre tasse de café. Il était furieux contre Abou Gabal parce qu'il était sorti avec cette maudite Américaine. Il était aussi furieux contre lui-même parce qu'il ne l'en avait pas empêché. Un flagrant manque de discipline. Une conduite honteuse, une grossière capitulation aux plus bas instincts. Abou Gabal paierait, c'était certain. Mais il aurait dû être empêché. Un mot du chef aurait été suffisant.

Mais le mot du chef avait été ignoré. Cette pensée l'ulcérait. Elle devint un noeud qui se serrait autour de ses intestins. Comment un homme pouvait-il prétendre être un chef quand il était incapable d'empêcher un incident aussi insignifiant? Diable! Il n'était peut-être finalement fait que pour être dans les rangs; ses espoirs les plus fondés, les plus secrets étaient peut-être inutiles; il ne monterait peut-être jamais dans l'échelon de l'organisation, il ne posséderait jamais de pouvoir réel...

Il ouvrit la radio.

Abou Khelil sortit du cabinet de toilette. Il s'arrêta un moment devant la porte des otages.

— Tout est encore tranquille?

Abou Khelil acquiesça.

— La petite et sa mère parlent. Le vieillard ne dit rien.

Telly acquiesça. Il prit une gorgée de café. Faible mélange

américain, incomparable au café turc de son pays.

Abou Khelil s'assit à la table de cuisine. Il écoutait la radio, la tête penchée à un angle curieux. On diffusait un bulletin sur le détournement, mais il ne donnait vraiment aucune nouvelle.

— Ils ne font que parler de rapports non confirmés, se plaignit Abou Khelil.

— Je sais, dit Telly. Mais ils ne resteront pas comme ça encore longtemps. Nous connaîtrons la finale bientôt.

— Penses-tu vraiment que les Israéliens vont céder?

Telly soupira. Question stupide. Seul le temps en donnerait la réponse. En attendant, la conjecture ne faisait que briser le silence . . .

Il grimaça. Une pensée effleura son esprit.

— Tu dis que la petite est réveillée?

— Oui.

— Et elle parle à sa mère?

— Oui.

— Et le garçon?

— Non. Il dort.

Telly sentit une étrange vibration intérieure. Le garçon dormait depuis combien d'heures? Il avait dormi pendant la dégoûtante conversation entre Abou Gabal et la jeune Américaine — une conversation qu'ils avaient entendue clairement dans le corridor.

Quelque chose n'allait pas.

Il se souvint de la forme sous la couverture, si inerte. Mais cette forme était-elle le petit garçon?

— Viens avec moi.

Il fit deux pas vers le corridor. Ses pas résonnaient sur le plancher comme des coups de tambour.

La voix d'Abou Khelil l'arrêta.

— De la fumée! Je sens de la fumée!

— Quoi?

Le jeune homme se tenait au centre de la cuisine en tournant lentement sur lui-même, les bras étendus.

— Le feu! Jésus-Christ, la maison est en feu!

Abou Bakr et ses maudites cigarettes! L'imbécile! Négligent!

Il jetait toujours ses mégots n'importe où...

— Peut-être dans les déchets?

Abou Khelil fouillait frénétiquement les armoires de cuisine.

Telly s'élança vers la porte arrière.

— Non, je pense que c'est dehors.

Diable, imaginez les conséquences qu'aurait un feu! Il fallait l'éteindre au plus vite — les pompiers — et probablement la police — seraient ici immédiatement. Où était Abou Bakr?

Il apparut. Avec une cigarette, évidemment.

— Qu'est-ce qu'il y a?

— Regarde! Un feu! Va chercher de l'eau!

Ils s'élancèrent à l'extérieur. La fumée venait du sous-sol. Des torchons pleins de pétrole brûlaient...

Telly s'arrêta. Si le garçon s'était *vraiment* échappé, il était peut-être responsable...

— Occupez-vous du feu, dit-il aux autres.

— Où vas-tu? Un ton stupide, blessé.

— Voir le petit garçon. Occupez-vous du feu. Il n'est pas si énorme. Éteignez-le.

Il s'élança à travers la cuisine enfumée, jusque dans le corridor.

La fumée s'était infiltrée jusque là aussi; elle était visible dans l'air, suspendue comme un maigre nuage.

Il déverrouilla la porte.

À cet instant, la porte avant de la maison s'ouvrit d'un seul coup.

L'homme portait une casquette et une veste à l'épreuve des balles. Il brandissait une carabine automatique.

— Pas un geste, commanda-t-il.

Il jappait ses mots. Il était de taille moyenne, avec de larges épaules et un cou épais.

— Éloigne-toi de la porte ou je te transforme le cul en passoire!

Même en essayant de s'échapper, Telly savait que c'était sans espoir. Il n'avait aucune chance. Il sacrifierait sa vie comme on jette le gant devant l'ennemi. Et ils étaient si nombreux, ces visages sombres, entassés devant la porte, les canons de leurs fusils tendus comme des membres avides. Soudain, ils infestèrent la maison; ils s'étaient matérialisés, ils étaient sortis de la noirceur...

Il sentit les premières balles siffler à quelques pouces de sa tête. Il entendit les craquements quand l'air emplit les trous creusés par les projectiles. En tombant sur le plancher, il essaya de dégainer son revolver. Une balle le frappa; elle trancha sa cheville presque en deux. Il ne sentit presque rien. Il dégagea son revolver et tira. Un des hommes dans l'entrée de la porte tomba, sans émettre un seul son. Telly rampait. Ses pieds glissaient sur le plancher nu. Il se roulait frénétiquement, tordant son corps d'un côté à l'autre. Une grêle de plomb traversa la boiserie au-dessus de lui. Presque incapable de croire qu'il était encore vivant, il réussit à se terrer sous l'escalier. Il hoquetait. Le plancher sautait sous le poids des bottes lourdes. Des hommes criaient avec des voix sèches et robustes.

Telly se précipita dans le corridor, jusque dans la cuisine. À temps pour voir Abou Khelil mourir.

Il était penché au-dessus de la table, le sang giclant de Dieu sait combien de trous. Il semblait fixer ses chasseurs, sans les voir. Il essaya de tirer mais son fusil était vide. Il se replia quand les balles s'enfoncèrent en lui, ses jambes se tordant comme si elles essayaient de changer de direction. Son poids fit virer la table; le pot de café se renversa sur son visage horrifié.

Instinctivement, Telly recula pour s'éloigner de l'adversaire. Il remplit son Colt. C'était un cauchemar, un cataclysme de coups de feu, de balles s'enfonçant dans la chair et les murs, de bottes et de figures qui se matérialisaient soudainement, de cris et d'exhortations, d'espoir saccagé...

Il s'empara d'une carabine qu'il avait laissée appuyée contre le mur.

Abou Gabal, le salaud! Il aurait dû être ici avec ses camarades, au lieu de baiser cette conne! Il n'y avait pas d'issue. Il s'élança vers l'escalier. Des balles coupèrent les barreaux, mais il avançait trop rapidement pour le tireur. Il se rendit sur le palier en un instant, ses pieds glissant sur le vieux tapis en décomposition. Encore une demi-douzaine de marches.

Il tira sur un homme qui se glissait le long du corridor, en bas de lui. Il vit la bouche de l'homme s'ouvrir; il avait l'air insulté; puis il tomba gauchement sur le plancher.

Telly entendit les hommes le suivre dans l'escalier.

Les chiens!

Il s'accula au mur, en se glissant lentement vers la pièce qui lui servait de chambre à coucher et de bureau temporaire. Il avait maintenant une bonne vue du haut de l'escalier, et il était protégé par deux murs.

Il se terrerait là. Il les tuerait tous, s'il le fallait, un à la fois. Il avait plein de munitions. Ce serait un affrontement magnifique, qui ferait sûrement les annales de l'histoire militaire...

Il se demanda alors pourquoi sa vue s'embrouillait.

Il clignait furieusement des yeux.

Il regarda soudainement sa chemise. Elle était trempée de sang. Le liquide coulait sur son pantalon, se coagulant en rayures collantes et laides. Il essaya désespérément de trouver la source du sang pour l'arrêter. Dieu, pourquoi ne sentait-il aucune douleur? Pourquoi n'avait-il pas senti le coup?

Il se posait encore ces questions quand il tomba sur le plancher.

Son pouls battait encore faiblement quand ils le trouvèrent, mais il mourut avant qu'ils ne l'aient descendu au premier étage.

Les coups de feu résonnaient comme des coups de bâton sur un toit de tôle galvanisée. Drus, saccadés. Un, deux, une fusillade. Un homme cria, puis sembla s'étouffer.

Jane haleta. Elle couvrit sa bouche de sa main, comme si elle avait peur de crier. Quelque chose clignota. La lueur venait de la maison. Dieu, c'était vraiment arrivé! Craig avait réussi!

Abou Gabal s'assit. Les yeux grand ouverts. Il murmura un blasphème et chercha son revolver dans ses vêtements. Il se leva et s'élança vers la maison.

— N'y va pas. Arrête, cria-t-elle.

Il s'arrêta... et se tourna vers elle. Il était complètement nu et Jane le vit comme cette statue du coureur grec qu'elle avait vue dans un musée.

Encore des coups de feu. Et des cris.

Effrayée, Jane chercha ses vêtements dans la demi-noirceur. Elle se demanda pourquoi elle avait crié après Abou Gabal. Pourquoi essayait-elle de le protéger?

Les pensées défilaient dans son esprit. La police viendrait-elle les chercher? Tireraient-ils en direction de tout ce qui bouge? Abou Gabal se tournerait-il vers elle en pensant qu'elle était responsable de ce drame? Devait-elle essayer de lui échapper, de se cacher dans les arbres?

Une balle frappa un angle aigu et siffla dans la nuit comme un insecte furieux.

— Les chiens! Il se tenait immobile, son corps élancé saupoudré de blanc par la lune.

— Qu'est-ce...

— Ils ont dû mettre le feu à la maison. Il y a plein de policiers. Dieu sait ce qui est arrivé à mes camarades.

Il grimaçait à chaque coup de feu en y pensant.

Il sauta dans son pantalon et remit sa chemise. Il tenait son fusil haut comme s'il allait frapper quelqu'un.

Elle pensa qu'il irait encore au secours de ses amis. Mais il hésitait. Il se tourna vers elle. Elle se rendit compte qu'elle sentait de la pitié pour lui. Pauvre gars, toutes les forces policières de l'Amérique étaient contre lui. Elle courut vers lui.

— N'y va pas. Ils vont te tuer...

Il se passa une main sur le visage. La vérité de cette déclaration était trop évidente. Il la regarda en se mordant la lèvre inférieure comme s'il voulait se punir, s'infliger une douleur, se faire saigner comme ses camarades.

Il se retourna abruptement. Il se mit à courir en s'éloignant de la maison, du feu et de la tuerie. Mais il s'arrêta. Il se retourna encore. Il la regarda comme s'il venait de se souvenir de son existence. Il revint vers elle. Il prit son bras — fermement mais sans serrer.

— Viens.

Elle ne résista pas; elle n'y pensa même pas; son esprit semblait incapable de prendre une seule décision. Elle acquiesça simplement et le suivit.

— Par ici.

Elle se sentit se sauver à travers les arbres. Les branches la pinçaient, les feuilles la giflaient comme des mains douces et mortes. Son processus de pensée était presque agréable. *Sauve-toi.* Il le faut. Dégage ton bras. *Fais-le!* Il ne te tient pas si solidement, pour l'amour de Dieu. Elle se savait capable de le faire. Mais elle continuait de courir et de le suivre. C'était comme si sa détermination et son combat désespéré pour survivre avaient pris le contrôle de son être aussi.

Des arbustes succédèrent aux arbres.

Abou Gabal s'arrêta. Il sembla se retirer, comme s'il avait peur de quitter la protection des arbres. Il respirait lourdement, il serrait les dents en regardant au loin. Un oiseau cria. Jane frémit.

Il n'y avait plus de coups de feu. La nuit était silencieuse. Une nuit idéale pour un bal forain ou un concert dans le parc.

Quand il parla, sa voix la surprit; elle sentit son coeur battre, presque douloureusement.

— Diable, comment ont-ils découvert où nous étions?

Elle dit:

— Je ne sais pas. Des mensonges, des mensonges — et il doit sûrement le savoir.

— Les chiens! Il murmurait en arabe tout en examinant le pistolet. Il lâcha son bras. Mais elle ne s'enfuit pas.

Il fit claquer le chargeur puis il l'appela vers lui.

Elle le suivit. D'un pas ou deux.

Ils s'arrêtèrent. Les phares d'une auto tranchèrent la noirceur, puis inondèrent les arbustes. Une auto passa et laissa voir son conducteur qui semblait soutenir le toit de l'auto avec sa main gauche.

— Il y a une route là! déclara Abou Gabal. Je ne savais pas.

— Moi non plus, dit Jane. Je n'avais aucune idée. Des mots stupides et insensés, mais ils tombaient de sa bouche comme s'ils avaient eu une volonté propre.

Il s'avança prudemment. Il reprit son bras. Quelques pas plus loin, une pente les amena jusqu'à la route. Étroite et rude, ce n'était sûrement pas une autoroute.

— Nous allons stopper une voiture, annonça Abou Gabal comme si c'était la chose la plus simple au monde.

— Bien sûr... très bonne idée.

Mais, se demanda-t-elle, est-ce qu'une auto de police allait déferler sur la route? Allaient-ils les cribler de balles comme Bonnie and Clyde? Ou tueraient-ils simplement l'Arabe? Rirait-elle?... pleurerait-elle? Ou se défendrait-elle avec son revolver? Elle ne savait pas; elle ne savait absolument plus rien. Il lui manquait la base même du comportement rationnel. D'un certain côté physique, elle n'était plus reliée au monde qu'elle avait connu.

— Une auto!

Sa poigne devint féroce. Il la tourna vers lui. Ses doigts semblaient injecter de l'urgence dans son bras.

— Tu vas essayer d'arrêter l'auto... tu vas essayer?

Un étrange ordre-supplication. Elle acquiesça. Il relâcha son bras quand des phares jumeaux émergèrent du virage. Ils balayèrent la route.

Une auto de police! Peut-être! Oui, définitivement, pour l'amour du Christ...!

Les freins crissèrent.

Elle était immobile, le bras étendu.

Ce n'était pas une auto de police. C'était une vieille Plymouth — 1958 ou 1959. Un cancer.

La fenêtre grinça quand le conducteur la baissa. C'était un individu sans trait distinctif, âgé d'environ cinquante ans. Et légèrement ivre. Il souriait stupidement.

— Tu veux faire un tour, chérie?

— Mais oui, s'il vous plaît.

— Monte... ça me fait plaisir... enchanté, je suis enchanté...

Sa pathétique tentative de galanterie devint un éclaboussement de terreur quand Abou Gabal émergea soudainement de l'ombre.

Il braqua son pistolet dans le visage de l'homme en ouvrant la portière de l'autre main.

— Avance!

Chapitre 16

5h18, heure de Greenwich
Washington, D.C./1h18

Beale fut immédiatement mis en contact avec le poste de secours.

— Eh bien? Le directeur était un homme qui ménageait ses mots.

— C'est fait, Monsieur. Mais un des terroristes s'est échappé avec un des otages.

— Jésus-Christ. Lequel?

— La fille du Capitaine Mallory, Monsieur: Mme Sutton. Ces deux-là étaient en train de... Beale secoua la tête; il refusait encore de croire ce que Mme Jensen lui avait dit. C'était de la jalousie, ou quelque chose du genre. Il ne voyait pas d'autre possibilité. Pour une raison quelconque, Monsieur, ils étaient à l'extérieur de la maison quand nous avons attaqué. Nous avons encerclé la maison, mais ils devaient être à une certaine distance de là.

— Jésus-Christ, murmura encore une fois le directeur. Et les autres?

— Les otages vont bien, Monsieur, ébranlés mais ça ira. Les

trois autres terroristes sont morts.

— Il aurait été intéressant de parler à l'un d'eux. Vous comprenez mon point de vue, n'est-ce pas?

— Oui, Monsieur, affirma Beale dans le micro de la radio de police; il fallait toujours partager le point de vue du directeur. Mais ils refusaient de se rendre. Les membres de Black September ne capitulent devant rien. Ils sont comme les Japonais à Tarawa.

— Et ce salaud qui s'est échappé? Tenez-vous une piste?

— Pas encore, répondit Beale, mal à l'aise. Le maudit Arabe avait disparu. Personne ne savait où il était ni où il avait amené Mme Sutton — ou même si elle était encore vivante. Impossible de prédire ce qu'il allait faire d'elle. Nous pensons qu'il contactera sûrement quelqu'un avant longtemps. Nous avons placé tous les sympathisants de l'OLP de la région sous surveillance et nous avons monté des barrages routiers aux endroits stratégiques...

— Évidemment.

Mais, pensa Beale, qu'advient-il des sympathisants de l'OLP qui nous sont inconnus? Combien étaient-ils? Où vivaient-il? La vérité, c'est que le terroriste pouvait disparaître à tout jamais. Il ne serait peut-être jamais retrouvé. À vrai dire, c'était certain qu'on ne le retrouverait jamais. La description donnée par les otages ne serait pas d'un grand secours — environ 25 ans, robuste, taille moyenne, cheveux noirs bouclés, traits réguliers. Environ cinq cent mille Californiens répondaient à cette description à la lettre.

Le directeur fit une pause. Beale l'entendait respirer, penser. Il tapait sur le récepteur téléphonique avec un rythme saccadé et intermittent.

Il parla enfin.

— Alors, où allons-nous maintenant, Monsieur Beale?

Inquiet, Beale répondit.

— Il y a plusieurs possibilités, Monsieur, mais en ce moment, je ne sais pas quelle est...

— Moi, je sais, dit le directeur.

— Monsieur?

— Il faut trouver un moyen d'avertir l'équipage que leurs familles ont été libérées.

— Mais, Monsieur, ils n'ont pas tous été libérés...

— Oui, je sais. Inutile de me rappeler la fille du Capitaine Mallory, Monsieur Beale. Absolument inutile. Il faut parfois tourner un peu la vérité pour résoudre une crise. Et c'est diablement justifié dans le cas présent. Il faut tout faire pour apaiser l'esprit de ces hommes. S'ils croient que leurs familles sont sauvées, ils seront peut-être capables de faire quelque chose. Dieu sait quoi. Mais en ce moment, ces pauvres gars sont impuissants. Ils craignent ce qui pourrait arriver à leurs familles s'ils posaient un geste. Voyez-vous ce que je veux dire? Il faut leur enlever ce fardeau.

— Mais le Capitaine Mallory...

— C'est essentiel.

— Monsieur, dire à un homme que sa fille est saine et sauve quand elle ne l'est pas... Seigneur, Monsieur, c'est immoral et contraire à...

— Il en est ainsi du détournement d'un avion plein de gens innocents.

Beale secoua la tête.

— La fille du Capitaine Mallory n'a pas été libérée et c'est... *injuste* — le mot sonnait si faiblement — de lui dire qu'elle l'est.

Le directeur soupira.

— Je sais, je sais. Mais il faut absolument apaiser l'esprit du Capitaine Mallory, si vous comprenez ce que je veux dire.

— Peut-être.

— Mais vous n'êtes pas d'accord.

— Non, Monsieur.

— J'apprécie votre franchise. Néanmoins, Monsieur Beale, il faut que j'en parle au Président. Si vous voulez bien m'excuser...

* * *

Mallory se rappelait la silhouette frêle et légèrement courbée, le visage pâle, les yeux vifs et si absorbés dans ce qu'ils percevaient. Il avait posé des questions intelligentes en examinant la cabine de pilotage. Quelle était la puissance des réacteurs? Pourquoi les ailes pointaient-elles vers l'arrière? Comment le pilote vérifiait-il sa position pendant le vol? À quelle hauteur le 747SP pouvait-il s'élever? À quelle vitesse? À quelle distance? Le vieillard s'était amusé; il s'était délecté dans l'amas de termes techniques, de systèmes, de soupapes, dans la forêt de leviers de commande.

Je l'*aime* bien, pensait Mallory.

Pour une raison quelconque, l'aimer semblait vaguement être un sacrilège. Les gens — le commun des mortels — ne se trouvaient habituellement pas liés intimement aux papes.

Néanmoins, Mallory l'aimait... et maintenant le Pape pouvait être tué.

Mallory connaissait bien les Israéliens. Il avait piloté à travers le monde pendant des années et il était devenu un sérieux observateur des affaires internationales. Il savait drôlement bien que le gouvernement israélien n'accéderait jamais à cette demande, quelle que soit la vie qui était mise en jeu. La réalisation d'un tel dilemme était horrifiante. En pilotant cet avion jusqu'en Jordanie, il imposait personnellement une sentence de mort au Pape, une sentence qui réunirait facilement les passagers et l'équipage.

C'était la terrible vérité. Black September avait mal calculé. Les Israéliens ne se plient pas au chantage. Mallory savait que cette politique leur était aussi importante que les dix commandements.

Le bon vieillard mourrait donc.

Que le monde aille au diable avec ses machinations, ses menaces et ses enlèvements...

* * *

Le revolver était posé sur ses genoux, ses doigts s'appuyaient légèrement sur la crosse et sur la gâchette. Jane ne regardait pas l'arme, mais elle était tout à fait consciente de sa présence. Elle se demandait si les secousses de la vieille Plymouth ne la déchargeraient pas accidentellement. Elle détestait les fusils — et soudainement, elle semblait entourée de ces objets de métal noir, laids, sans pitié...

— Je te l'ai dit, bonhomme, tu *peux* prendre la maudite auto... Laisse-moi seulement partir, huh?

L'homme se répétait pour la troisième fois.

— Silence, lui dit Abou Gabal pour la troisième fois.

— J'ai quatre dollars sur moi, bonhomme, c'est tout. Merde, je ne vaux pas la peine d'être volé. Tu peux prendre le maudit argent... Tiens, je vais le sortir de ma poche...

La peur faisait trembler ses lèvres; ses dents claquaient.

Abou Gabal lui dit de garder son argent.

Ils avançaient à toute vitesse sur une route de campagne.

Ils n'avaient vu qu'un seul autre véhicule, une Cougar décapotable pleine de jeunes échevelés. À chaque virage, Jane s'attendait à voir les lumières clignotantes d'un barrage routier, mais rien ne s'était concrétisé.

Abou Gabal lui parla à voix basse.

— Connais-tu cette région?

Elle secoua la tête.

— Je ne reconnais rien. Elle haussa les épaules. Où veux-tu aller?

— Près de San Francisco — Oakland. Tu connais?

Elle acquiesça.

— Y-a-t-il quelqu'un que tu veux voir là-bas?

— Peut-être, répondit-il avec prudence. Voilà que tu poses encore des questions.

— Quand je me sauve de la police, lui dit-elle, j'aime bien savoir où je m'en vais.

Il lui accorda un rapide sourire.

— Je te l'ai déjà dit, tu as un sens de l'humour très étrange.

Puis il se pencha vers elle.

— Arrête-toi, dit-il au conducteur.

L'homme ouvrit la bouche, stupéfait; ses yeux étaient refroidis de terreur.

— Que... Que vas-tu faire...?

— Rien. Arrête.

L'homme regarda autour de lui.

— Jésus-Christ, on est au beau milieu de nulle part...
— J'ai dit arrête!
Surpris par le ton d'Abou Gabal, l'homme appuya trop fort sur les freins. L'auto dérapa, rebondit sur la chaussée et glissa avant de s'immobiliser.
— Merde... Je m'excuse...
L'homme allait d'excuse en excuse. Il arrêta le moteur. La nuit était noire et parfaitement silencieuse.
Abou Gabal fit un signe avec son revolver.
— Descends et tiens-toi près de la portière. Compris? N'essaie pas de courir ou je tire.
— Bien sûr, bien sûr...
Pendant un court moment, les deux hommes se tinrent debout à côté de l'auto: le conducteur d'un côté, Abou Gabal de l'autre. L'idée lui traversa l'esprit comme un éclair: mettre le moteur en marche, appuyer sur l'accélérateur et partir! Mais c'était impossible; elle n'avait pas assez de temps.
— Descends, toi aussi, dit Abou Gabal à Jane. Prends les clés et ouvre le coffre.
— Ah, Jésus-Christ, *non* ...! L'homme se retourna gauchement contre l'auto; la bouche ouverte; il fixait le revolver. Non, non, bonhomme, fais pas ça, *s'il vous plaît;* j'ai une *famille* ...
Abou Gabal secoua la tête avec impatience.
— Je ne tirerai pas.
— ...et deux enfants, continua l'homme. Un vit à Los Angeles ou près de là, je crois, l'autre est encore à la maison... un garçon, dix-sept ans, et ma femme...
— Je ne *tirerai* pas, répéta Abou Gabal.
— Huh?
— Monte dans le coffre.
— Huh?
— Tu m'as compris. Dans le coffre!
— Là-dedans?
Une demi-douzaine de poussées avec le canon du revolver anéantirent la résistance de l'homme. Il monta gauchement dans le coffre, en déplaçant des outils et des boîtes pour se faire une place. Il s'enroula autour du pneu de rechange.

Abou Gabal ferma violemment le coffre.

Jane le fixa; la fermeture du coffre avait semblé si finale.

— Est-ce que ça ira là-dedans?

— Oui, oui. Ne t'inquiète pas. Maintenant, conduis, s'il te plaît.

La Plymouth avait eu la vie dure. Elle craquait et s'essoufflait en prenant de la vitesse. Le volant semblait dangeureusement instable dans les mains de Jane.

— Je crois que nous avons hérité d'un citron.

— Un citron?

— Un citron, c'est une auto défectueuse.

— Laisse tomber. Elle roule.

— Combien de temps vas-tu laisser cet homme dans le coffre?

— Pas très longtemps. Il haussa les épaules comme s'il était dans l'impossibilité de changer quelque chose aux circonstances. Nous ne voulons pas qu'il alerte la police et qu'il leur donne le numéro d'immatriculation. Il s'en tirera, tu verras.

Elle fixait droit devant elle.

— Veux-tu continuer dans cette direction?

— Est-ce qu'on va vers San Francisco?

— J'ai vu un panneau qui annonçait San Jose. Nous pouvons y prendre l'autoroute de San Francisco.

— Bon. Allons-y.

Elle le regarda. Il semblait déprimé. La tension de la fuite s'était envolée, ne laissant que la réalité de l'échec.

Ils roulèrent en silence pendant plusieurs minutes. Puis Jane demanda:

— Qu'est-ce qui arrivera à mon père?

— Rien. Je t'assure.

— Pourquoi nous avez-vous enlevés?

— C'est pour les raisons que nous t'avons expliquées.

— Mais que voulez-vous au Pape?

— Je ne veux pas en parler.

— Pas même *maintenant?*

Il secoua la tête.

— Tu dois comprendre que cet épisode ne change rien. Tu

vois, ton utilité s'est terminée au moment où ton père a appris que tu étais entre nos mains et qu'il a consenti à suivre nos instructions. C'est malheureux que trois de mes braves camarades soient morts, mais ça ne change rien au plan principal. Il soupira, déplorant l'imprévisibilité de cette vie. Nous nous attendions évidemment à des problèmes. Mais plus tôt, quand nous vous avons enlevés de vos foyers. Tellement de choses auraient pu mal fonctionner à ce moment-là, mais tout fut accompli sans difficulté. Il frappa sa paume de son poing. Comment ces salauds ont-ils su que nous étions là?

— Je ne sais pas, répliqua prudemment Jane.

— Ces morts étaient *inutiles*. Dieu, nous vous aurions libérés dans quelques heures.

— Je me le demande. Je crois que l'homme chauve aurait pu nous tuer.

— Jamais.

— Il nous aurait tués parce que nous vous connaissions tous de vue.

— Non. Je ne l'aurais jamais permis. Il la pointa du doigt. Tu es comme le reste du monde occidental. Tu nous vois comme des tueurs sans merci, sans considération pour la vie. Et pourtant, c'est parce que nous pensons à notre peuple que nous agissons ainsi...

— Et plusieurs innocents semblent mourir en cours de route.

— Mais non sans raison.

— Et qu'est-ce que ça veut dire ça, merde?

Il secoua la tête.

— Vos esprits sont fermés. Vous ne voyez et ne comprenez que ce que vous voulez bien voir et comprendre. Quand les Américains se battent et tuent pour atteindre leurs buts, tout est correct. Mais quand c'est nous qui nous battons et tuons, vous criez au meurtre.

— Mais ce sont des meurtres quand vous tuez des hommes, des femmes et des enfants innocents.

— Et comment appelles-tu le massacre des milliers d'hommes, de femmes et d'enfants qui étaient ici bien avant que les

Américains colonisent ce pays?

— De quoi parles-tu?

— L'homme blanc a massacré le peuple amérindien et l'a chassé de son pays. Vous avez conquis des territoires auxquels vous n'aviez aucun droit. Nous avons aussi été chassés de notre pays mais maintenant, nous nous battons pour le ravoir.

Jane se tourna pour répondre mais Abou Gabal éleva la voix et déclara avec fermeté:

— La seule chose qui compte, c'est la cause, le but.

— Ta vie est plus importante que n'importe quelle cause.

— Des sottises. Tu ne comprends rien.

La colère resserra ses doigts sur le volant.

— Merde, tu gaspilles ta vie pour une cause stupide qui sera complètement oubliée dans dix ans.

— Que veux-tu dire? Nous luttons pour notre pays depuis des siècles et on se souviendra toujours de ce qui arrive aujourd'hui. Ce que nous faisons est très valable; en effet, il n'y a rien de plus valable; nous luttons pour rétablir ce qui nous appartient de droit.

— Que veux-tu dire?

— Je ne peux t'en dire plus long. Tu le sauras bientôt.

— Ce n'est pas juste.

Il sourit.

— Comme tu l'as dit toi-même, la guerre, c'est l'enfer.

— Quelle sera le différence, si tu me le dis maintenant?

— Peut-être aucune, mais je préfère ne pas le dire.

— Parce que j'aurais moins d'estime pour toi?

Il la fixa pendant un moment.

— Tu m'excites vraiment. C'est dommage que nous nous soyions rencontrés dans de telles circonstances.

— Il y a peu de chances que nous nous soyions rencontrés dans d'autres circonstances.

— Bon sang! Nous devrions donc simplement être reconnaissants.

Son coeur bondit. Une lumière clignotante ponctuait la noirceur devant eux.

— Un barrage routier, dit-elle.

— Oui . . . je crois bien.

— Veux-tu que je change de direction?
— Non, non. Pas encore. Continue. Approchons un peu plus.
Elle acquiesça, vaguement consciente de son exaltation intérieure, avec la sensation d'être plus vivante qu'avant. Jésus-Christ... elle se rendait compte qu'elle aimait de plus en plus cette situation. Défier la loi — avec une excuse parfaite si elle était prise. J'ai été obligée de le faire, pourrait-elle dire, parce qu'un homme armé me forçait à le faire.
Ce n'était pas un barrage routier. Ce n'était rien de plus effrayant qu'un remorqueur qui tirait une auto du fossé.
Abou Gabal siffla de soulagement.
— Cette lumière rouge... exactement comme la lumière d'une auto de police!
Elle voulait rire parce que le barrage routier n'était rien de plus qu'un remorqueur.
Ils continuèrent leur chemin. La route se joignit bientôt à une autoroute. Une circulation lourde; des bataillons d'autos, conduites à toute vitesse par des gens ordinaires et innocents. Pas d'autos de police. Pas de véhicules blindés. C'était comme s'ils avaient trouvé refuge en plein milieu d'un champ de bataille.
Abou Gabal dit:
— Tu aurais pu te sauver.
Il fit cette déclaration tranquillement, sans émotion, comme si elle avait peu d'importance.
— Je sais.
— Alors?
— Paresseuse, j'imagine.
— Pas très convaincant.
— Bon, j'ai déduit que tu ne trouverais jamais ton chemin, seul, jusqu'à Oakland. D'ailleurs, pourquoi dois-tu aller là?
— Il y a un homme que je dois voir là-bas.
— Pourquoi?
— Laisse faire. Il sourit. Tu poses encore trop de questions.
— J'aime savoir. Pour mon journal intime.
Il rit. D'un rire totalement insouciant.

Je ne le protège pas vraiment, pensa-t-elle. Je ne veux simplement pas les aider à le trouver.

Diable, que dis-tu là? C'est un terroriste, pour l'amour du Christ, il t'a kidnappée, il a tué ton chien, il a contribué aux meurtres...

Elle énumérait les faits, mais ils n'avaient aucune signification. Une image à la télévision, une photo dans un quotidien, un événement terrifiant, un documentaire choquant sur l'état du monde en général, mais une chose avec laquelle elle n'avait aucun lien personnel...

Un lien personnel? Le lien ne pouvait pas être plus personnel. La scène érotique avait été magnifique; elle en rayonnait encore; elle s'était amusée et elle y avait participé comme à un rite ancien, mais c'était plus qu'une *aventure,* pour l'amour du Christ.

Elle se souvenait que, dans son enfance, elle avait toujours été hantée par l'idée que les circonstances feraient peut-être d'elle ce qu'on appelait une dévergondée. Elle ne savait pas exactement comment cela se produirait, mais elle savait que c'était une situation qui pouvait la frapper si elle n'était pas extrêmement prudente. Mais elle se demanda alors pourquoi il n'y avait pas d'hommes dévergondés. À mesure que le temps passait, elle découvrit la vérité: le monde voyait l'homme dévergondé comme un héros. Injuste. Une autre injustice sur une liste interminable. Injustice: la mort de sa mère à 54 ans. Injustice: sa vie avec Frank ne devenant rien de plus que ce que les mythes de la société lui avaient laissé croire. Injustice: son enlèvement par des terroristes arabes...

Elle soupira. Trop d'événements. Elle ne pouvait plus évaluer quoi que ce soit. La vie s'était tournée à l'envers. Et curieusement, d'une façon perverse, elle était heureuse de ce qui s'était produit. Tout avait pris un sens nouveau; rien ne serait jamais plus pareil.

Si elle n'était pas allée dehors avec lui, il aurait été massacré comme les autres. Un déluge de balles l'aurait transpercé, aurait tranché son beau corps ferme, l'aurait défiguré. Chacun des policiers aurait tiré dans ce corps, seulement pour pouvoir en parler plus tard. La carcasse d'un odieux terroriste arabe, transportée comme un trophée, comme le symbole de la victoire du bien sur le mal.

— Je veux, dit-il, je veux m'excuser.

— T'excuser?

— J'ai agi bêtement quand on t'a amenée à la maison.

— Tu semblais très excité.

— Je l'étais... et tu semblais si délicieuse. Trop délicieuse. Et tu étais sous mon pouvoir... Il secoua la tête comme s'il ne croyait pas encore ce qui s'était produit. Je suis désolé.

— Pas moi, dit-elle.

* * *

— Il devrait y avoir une loi qui l'interdit, déclara le soûlard.

— Je crois qu'il y a une telle loi, lui dit Vernon Squires.

— On ne devrait d'abord pas permettre à ces maudits pirates de monter à bord d'un avion. Ça empêcherait ces enfants de chienne de faire des sottises.

Squires soupira. Le seul point intéressant de toute cette triste histoire serait la publicité qu'il en tirerait. Pendant quelques jours, il serait l'acteur le plus connu au monde. Soudainement, personne ne le confondrait avec Jean-Paul Belmondo. Il serait invité à toutes les émissions de télévision. Tous les producteurs lui soumettraient des scénarios. Pendant quelque temps. Mais ça ne durerait pas longtemps. Vernon Squires le savait très bien. Quelques mois, peut-être. Puis tout serait oublié, classé avec les innombrables scandales qui l'avaient précédé.

Mme Lefler parlait... Il n'en était pas conscient. Il ne l'écoutait plus. Mais maintenant, comme si l'antenne s'était tournée vers elle, sa voix, sa voix insistante et mécanique, devint à nouveau perceptible.

Il semblait que tout était de la faute de son mari Manville.

— Bien sûr, dit Squires.

— Il est à blâmer.

— Naturellement.

— Je voulais revenir en passant par Londres, déclara-t-elle.

— Plein de bon sens.

— Je veux dire, quelques jours de plus, quelle différence? J'ai simplement pensé: ce serait bien agréable de visiter les boutiques de Bond Street. Ce n'était pas trop demander, seulement deux jours de liberté de plus, après tout, c'est sur notre itinéraire, lui ai-je dit. Mais, comme d'habitude, il ne m'a pas écoutée; c'est son plus grand défaut. En ce moment, il m'attend à San Francisco et moi, je vais dans la direction contraire!

— Pauvre gars.

— Il va maintenant le regretter. Il doit se repentir de ne pas m'avoir écoutée. Seigneur Jésus, ce qu'il doit s'en repentir! En ce moment, il doit être hors de lui... malade d'inquiétude... Seigneur Jésus, je n'aurais jamais pensé être prise dans un détournement... jamais, pas une seule fois... je veux dire, on pense aux accidents, aux tremblements de terre, aux incendies et aux vols, mais jamais aux détournements... et avec le Pape? Seigneur Jésus, c'est l'événement le plus terrifiant de toute ma vie.

— Avez-vous le coeur faible? demanda Squires.

— Non, Dieu merci.

— Amen, dit Squires.

— Mais à quoi bon un coeur robuste si vous vous faites descendre par des maudits terroristes? Ils se foutent de tout. Ils nous massacreront tous sans y penser deux fois. Vous, vous et vous... ils choisiront quelqu'un au hasard et, rideau... et Manville ne pourra jamais plus vivre avec lui-même!

— Pauvre Manville, dit Squires qui pensait que Manville fredonnait sûrement un air joyeux en signant un généreux chèque pour supporter Black September.

— S'il n'avait pas été si obstiné... J'aurais pu prendre l'avion jusqu'à Londres, passer quelques jours à visiter les magasins, voir le Buckingham Palace et la reine, et tout. Puis, j'aurais pu prendre un vol de TWA ou de British Airways jusqu'en Californie, non?

— Certainement.

— Et maintenant, Dieu sait quand nous y retournerons.

— Et il ne semble pas vouloir le dire.

— Huh?

Chapitre 17

6h01, heure de Greenwich
Timisoara, en Roumanie,
à 45°39′ de latitude nord et
20°49′ de longitude est

Joe Nowakoski nota les derniers chiffres de consommation de combustible dans le carnet de vol. Depuis qu'ils avaient ralenti la vitesse de l'avion, ils ne consommaient que 17 000 livres de kérosène à l'heure. Il restait suffisamment de combustible pour encore cinq heures de vol — ce qui représentait un maximum de quatre heures car aucun pilote n'oserait aller plus loin avec un 747. Environ trois heures jusqu'à El Maghreb. Et après? Est-ce que le Pape serait enlevé? Est-ce que l'équipage et les passagers seraient laissés là, à se regarder?

Une fois encore, il vérifia la suite complexe de manettes qui révélaient le battement, le pouls et la respiration de chaque moteur, de chaque système. Il était le gardien technique.

Qu'arrivait-il à son père? Pauvre vieux, il ne méritait pas cette merde; il avait eu la vie dure; à présent, il ne voulait que se reposer, rester tranquille, pour l'amour de Dieu... Était-il mort? Non, définitivement pas. Nowakoski se disait qu'il l'aurait su — d'une façon ou d'une autre — si son père était mort. Une douleur, un refroidissement, *quelque chose.* Le lien qui existe entre père et fils ne peut être brisé sans une quelconque réaction; il en était certain. Et pourtant, des visions du visage de son père le hantaient: les traits familiers, blancs et inertes, les yeux mi-fermés.

Derrière lui, Fadia était assise, immobile. D'habitude, son siège était occupé par des inspecteurs de la Federal Aviation Agency ou par des pilotes de Trans Am qui se rendaient à leur travail. Elle n'avait rien dit depuis longtemps. Il la regarda mais elle le regarda sans intérêt. Cette garce froide et prudente.

Elle semblait savoir comment se servir de son revolver. Avait-elle déjà tué? Il était venu près de le lui demander mais avait hésité à la dernière seconde. Un peu lâche, peut-être. Mais il valait peut-être mieux ne pas le savoir. Il y avait une aura intensément horrifiante autour d'une belle fille avec un revolver. Tout aurait peut-être été plus facile si elle avait été laide ou du genre lesbienne. Mais ce qui est troublant, c'est qu'elle était exactement le genre de fille qu'il aurait draguée dans un bar d'aéroport. Diable, elle aurait pu être hôtesse; elle avait le genre. Habile. Drôlement trop habile.

Le vol était maintenant étrangement paisible. Personne ne parlait. Les chasseurs de l'Allemagne de l'Est étaient partis depuis belle lurette. Au-dessus de la Hongrie, une paire d'escorteurs était apparue et avait suivi une voie parallèle pendant dix minutes, puis avait abruptement viré vers l'ouest et disparu. Il ne semblait y avoir rien d'autre dans le ciel que le 747. Comme ils avaient voyagé de nuit, le soleil était particulièrement intense; en bas, les nuages commençaient à se dissiper.

Une belle journée en perspective pour l'Europe orientale.

Nowakoski supposait qu'en ce moment le monde entier suivait le progrès de cet avion. Les lignes ouvertes bourdonnaient sûrement dans toutes les capitales, les politiciens devaient s'évertuer à trouver ce qu'il fallait dire et ne pas dire. Nowakoski n'avait pas beaucoup de respect pour les politiciens; ils étaient des vendeurs qui offraient toujours de la merde — avec l'air le plus sincère du monde — dans le seul but d'obtenir votre support. Partout, les politiciens devaient être en train de calculer comment cette situation particulière ferait pencher la balance mondiale et comment ils s'en sortiraient gagnants et avec l'air d'avoir été sans cesse préoccupés par leur souci pour l'aspect humain, le courage et la générosité et toutes les autres qualités qu'aucun d'eux ne possédaient.

Il n'était qu'à demi conscient des courants alternatifs à haute fréquence, des murmures du contrôleur et du bruit de fond des signaux en morse. Il n'était pas très attentif; le bruit était un compagnon constant qui devait être toléré pendant chaque vol et qui n'avait que peu d'intérêt pour l'ingénieur de vol.

Puis, machinalement d'abord, il se mit à écouter les signaux en morse. Ils avaient une structure inhabituelle, un rythme qui semblait couler des haut-parleurs en vagues répétitives. Pour un observateur ordinaire, ce n'était qu'un amas de points et de tirets, mais Nowakoski avait passé des milliers d'heures à écouter des transmissions semblables sur des vols internationaux; ces signaux lui semblaient étrangement différents. Il prit un crayon et se mit nonchalamment à transcrire les lettres.

. . .UVESVOSFAMILLESSONTSAUVESVOSFAMIL . . .

Sa bouche s'ouvrit comme si le muscle de sa mâchoire s'était soudainement brisé.

Mon Dieu! Il comprit ce qu'on lui transmettait. Les séparations entre les mots faisaient d'habitude toute la différence. Fantastique, merveilleuse différence!

. . .UVES-VOS-FAMILLES-SONT-SAUVES-VOS . . .

Ils avaient réussi! Ils les avaient libérées! Fantastique!

Il couvrit son sourire de sa main et se tourna directement vers le panneau de bord, complètement de dos à la jeune femme. Il priait pour qu'il n'y ait rien d'inhabituel dans sa position. Il lui semblait que son corps entier rayonnait. Calme! Sois calme! Aussi naturellement que possible, il baissa le son de l'émetteur-récepteur à haute fréquence. Maintenant qu'il avait compris le message, il lui semblait aussi pénétrant que l'enfer, une lamentation rauque demandant simplement d'être entendue.

Le problème était de transmettre le renseignement à Mallory et à Jensen. Inutile de passer une note, elle l'intercepterait aussitôt.

Alors, il faut la distraire.

— J'aimerais bien avoir une tasse de café, dit-il. Il se tourna vers Fadia. D'accord?

Un acquiescement poli.

D'accord. Alors, appuie sur le bouton d'appel. Puis, plie le papier. Proprement. Prends de grandes respirations en attendant. Et prie.

Il entendit la porte de la cabine s'ouvrir.

Il regarda derrière lui. Fadia fit pareil. Juste assez longtemps pour faire un signe de tête affirmatif au garde.

Jensen eut l'air confus quand il vit soudainement un papier sur ses genoux. Mais il eut assez de présence d'esprit pour ne pas regarder ou faire de commentaires.

— Oui, Monsieur?

Dee regardait autour de la cabine avec un air inquisiteur.

— Pourrais-tu m'apporter un café?

— Bien sûr. Et les autres?

Les autres secouèrent la tête.

— Non, jappa Fadia. Dehors et ferme la porte.

— Bien sûr, chérie, répliqua Dee, puisque tu le demandes si gentiment.

* * *

Le soulagement inonda Mallory. Il dut se retenir; il voulait crier et applaudir et donner à Jensen et Nowakoski une tape dans le dos; il aurait voulu discuter ouvertement de cette nouvelle. Tout était changé. D'une certaine façon, la bataille ne serait maintenant livrée que sur un seul front. Dieu merci, Jane était sauve — un million de mercis à ceux qui l'avaient libérée. Des mots merveilleux. VOS FAMILLES SONT SAUVES. Jensen avait étalé la note dans sa main droite; le message était facile à lire du siège voisin, mais le corps de Jensen l'avait caché à Fadia. Mallory vit les points et les tirets au-dessus de chaque mot et comprit immédiatement comment le message avait été transmis à bord.

Maintenant, toute mesure qu'il choisirait de prendre ne mettrait pas en danger la vie de leurs familles.

Magnifique. Mais que pouvaient-ils faire?

Pense, merde, pense!

Son euphorie commença à se dissiper. Que pouvait-il faire qui ne mettrait pas en danger la vie des passagers ou l'avion? Ses ordres étaient directs: se rendre à El Maghreb.

La carte topographique attachée au message des pirates montrait le site de l'aéroport, à l'intérieur de la frontière jordanienne, dans une région qui était connue depuis des années comme un des territoires de l'OLP. L'approche de l'aéroport nécessiterait un survol du sud d'Israël, du nord-ouest au sud-est. La grande partie de l'approche et de la descente se ferait au-dessus du territoire israélien. Et alors? De quel secours était-ce? Il ne voyait pas.

— Du nouveau au sujet de la température?

— Toujours aussi mauvaise, rapporta Jensen.

Il n'y avait qu'une piste à El Maghreb: numérotée «22» sur la carte parce qu'elle était dans une direction magnétique de 220 degrés. La piste était longue de 9200 pieds, assez longue pour un 747 — un autre signe de la connaissance approfondie de l'aéronautique de ceux qui avaient organisé ce détournement. Deux questions exigeaient encore des réponses: trouverait-il la piste dans cette tempête de sable et la piste serait-elle en assez bonne condition pour y poser ce lourd appareil?

Il demanda à Fadia si elle savait quelque chose au sujet de la piste d'atterrissage.

Elle haussa les épaules.

— Adéquate. C'est tout ce que je sais.

— C'était une base militaire, n'est-ce pas?

— Je crois que oui. Les Anglais l'ont construite.

— Et elle est maintenant abandonnée?

— En partie, dit-elle. Elle sert de temps en temps.

À des boeing 747? Mallory s'interrogeait. Il en doutait. Seigneur, la piste pourrait s'effondrer à l'atterrissage. Ce qui serait absolument désastreux. Il soupira. Il n'y avait rien d'autre à faire que se fier à la perspicacité des organisateurs de Black September. Il espérait qu'ils savaient qu'il fallait une piste solide pour poser un 747 avec succès.

Le simoun. Le plus gros problème. Les tempêtes de sable sont des phénomènes diaboliques et capricieux. Les vents locaux pouvaient changer de direction et augmenter de vitesse en un instant, créant des conditions cauchemardesques pour un pilote qui essaie de faire une approche finale. Mais, pensa-t-il, si la tempête nous rend la vie difficile, il en est de même pour ceux qui sont au sol. La visibilité limitée pourrait peut-être même permettre à un avion d'atterrir sans être vu. Il considéra ce fait. Avait-il une valeur? Pouvait-il s'en servir? En d'autres mots, la tempête pouvait-elle lui rendre service? Il se creusa le cerveau à chercher comment. Il pensa à Fadia. Que pourrait-elle voir d'El Maghreb quand ils atterriraient? Rien de plus que les pilotes — presque rien. Quelques mètres de piste, pas beaucoup plus. D'ailleurs, pensa-t-il, momentanément excité par cette idée, puisqu'elle ne semble pas connaître précisément l'aéroport, elle n'y est peut-être jamais allée. Et dans une tempête de sable comme celle-ci, elle ne verrait peut-être même pas la différence s'ils atterrissaient à Katmandou.

Mais elle et ses copains ne tarderaient pas à découvrir la vérité. Et alors? C'était une pensée décourageante. Mais il songeait toujours au dirigeant mondial dont la vie penchait dans la balance. Diable, il fallait faire quelque chose!

Il fallait contacter les Israéliens avant de pénétrer dans leur territoire; il le fallait. Ils avaient peut-être déjà une idée qui pourrait être transmise à l'avion aussi discrètement que le message au sujet de Jane et des autres.

Il se tourna vers Fadia.

— Je dois contacter l'Air Traffic Control d'Israël.

Elle devint instantanément vigilante.

— Pourquoi? Nous ne sommes pas encore au-dessus d'Israël.

— Je sais. Mais les Juifs ont la gâchette sensible. Vous devez savoir ça. Elle acquiesça.

— Nous ferons la plus grande partie de notre approche au-dessus d'Israël, continua Mallory. Je veux être certain qu'ils nous attendent et qu'ils savent où nous sommes, à tout moment. Vous vous souvenez du boeing 727 de Libyan Airlines? Le vol 114 de Tripoli, au Caire en 1973?

— Oui.

— Les pauvres salauds furent obligés de faire un détour à cause de violents orages et volèrent, sans le savoir, au-dessus d'une installation militaire secrète dans le désert du Sinaï.

— Bir Gafgafa, murmura Fadia.

— C'est ça. Les fantômes israéliens les abattirent. Je ne veux pas que cela nous arrive. Alors, je veux tout vérifier avec les Israéliens. Vous voyez ce que je veux dire?

Elle accepta, apparemment satisfaite.

Mallory soupira silencieusement. Une bonne idée, ce 727 libyen. Il se demanda comment les fantômes israéliens avaient employé des signaux internationaux pour commander au 727 d'atterrir; et comment, quand ils furent ignorés, les fantômes tirèrent quelques coups d'avertissement. Toujours aucune réaction. Le 727 se dirigeait droit sur le Caire. Convaincus que l'appareil était un avion espion, les fantômes tirèrent sur le bout d'une aile. L'idée était de causer des dommages mineurs pour forcer le 727 à atterrir. Mais les coups paralysèrent l'avion et il s'écrasa douze milles à l'est du canal de Suez, tuant la plupart des occupants.

Il dit à Jensen de contacter le contrôleur d'Israël.

— Pas de blagues, dit Fadia.

— Des blagues? Mallory sourcilla. J'aimerais bien en connaître quelques-unes, dit-il sincèrement.

Le contrôleur israélien semblait attendre des nouvelles du vol 901.

— Nous connaissons votre situation, dit-il formellement.

Mallory lui dit:

— Nous avons reçu ordre d'atterrir à El Maghreb. Je suis préoccupé par la condition de l'aéroport et la possibilité d'un atterrissage dans cette tempête.

— Compris, Trans Am. Nous n'avons pas de renseignements récents sur la piste d'El Maghreb. Tout ce que nous savons, c'est que la piste a déjà servi de base militaire, mais elle a rarement été utilisée au cours des dernières années. Nous ne lui connaissons pas de trafic régulier. Nous pouvons cependant vous assurer que la température dans cette région est très mauvaise en ce moment. La tempête de sable est épouvantable; la pire depuis plusieurs années. Des vents jusqu'à 50 noeuds. La seule bonne nouvelle que nous avons est que la tempête doit cesser plus tard cet après-midi. L'aéroport international Ben Gourion, près de Tel-Aviv, est fermé depuis maintenant sept heures. Nous vous suggérons de vous diriger vers un autre aéroport ou de retarder votre approche jusqu'à la fin de la tempête.

— Merci, répondit Mallory. Nous n'avons malheureusement pas assez d'essence pour attendre la fin de la tempête. Et le pirate qui est dans notre cabine n'aime pas trop l'idée d'atterrir dans un autre aéroport.

— Non! Fadia bondit sur Mallory. Elle lui arracha le micro des mains. Il n'en est pas question! Nous atterrirons à El Maghreb. M'entends-tu, Juif? Elle crachait ses mots.

— J'ai compris, rétorqua le contrôleur. Mais vous êtes insensée. La température ici est mauvaise, vraiment mauvaise.

— Ils ont fermé l'aéroport de Tel-Aviv, ajouta Mallory. Alors comment diable pensez-vous que nous atterrirons sur une petite piste ridicule dans le désert sans les manoeuvres sophistiquées d'approche de Tel-Aviv?

— Vous atterrirez, jappa Fadia.

— Mais . . .

— Je ne veux plus rien entendre!

Mallory pressa de nouveau le bouton du transmetteur.

— Négatif, Israël. Nous avons reçu l'ordre d'atterrir à El Maghreb, il nous faudra donc essayer.

— Je comprends, Trans Am.

— Nous nous dirigeons directement de Gaza au VORTAC de Beersheba, puis directement jusqu'au radiophare d'El Maghreb.

— Nous comprenons, Trans Am. Restez à l'écoute pour votre autorisation de survol.

Mallory étudia la carte en songeant à l'aéroport abandonné et à son unique piste. Il décida tristement qu'il y avait tellement de variables que la seule suite logique était d'abord de trouver l'endroit puis de s'inquiéter de l'atterrissage. Une idée lui vint soudainement. Une idée incroyable. Il la rejeta. Mais... Il y pensa encore. Il regarda la carte encore une fois.

Non. Pas avec le *Pape* à bord... et pourtant, diable, c'était pour *protéger* le Pape... ou du moins, essayer de le protéger...

Il regarda Jensen. Le second fixait droit devant lui, contemplant macabrement l'avenir immédiat et pensant à un atterrissage qui serait peut-être son dernier.

Est-ce que ça valait le risque?

Oui. Non... oui. Oui!

Il pressa le bouton du transmetteur.

— Le vent est terrible, mais, Dieu merci, il semble souffler directement en sens contraire de la piste 13. Je sais qu'elle n'a que 7050 pieds de long mais, avec le vent, elle sera assez longue. À vous.

Il garda le doigt sur le bouton du micro.

Et il pria. C'était un risque énorme.

* * *

À Tel-Aviv, Chaim Hirsch, le contrôleur en chef, était confus. De quoi parlait-il? La piste 13? Il n'y avait pas de piste 13 à El Maghreb. Il examina encore une fois la carte pour en être certain. Oui, une seule piste, la 22.

Il se tourna vers les autres contrôleurs, tous avides de renseignements au sujet de l'avion le plus célèbre au monde.

— De quoi diable parle-t-il?

— Il est peut-être confus.

— On le serait à moins.

— Mieux vaut lui demander de se répéter...

— Impossible, du moins pas maintenant. D'après les signaux que nous recevons de l'avion, le bouton de son micro est en position stable. Il est donc incapable de recevoir nos messages...

Le transmetteur ouvert, mais aucun message venant de l'avion avec de si gros problèmes. Pourquoi? Une erreur? Ou était-ce intentionnel?

— Le numéro et la longueur de la piste sont incorrects, dit un des contrôleurs, mais familiers.

— Familiers?

— Où est l'annuaire des aéroports?

Chaim Hirsch était de plus en plus convaincu que le bouton du transmetteur de l'avion était tenu en position intentionnellement pour une seule raison: empêcher la transmission d'une correction de données de la tour. Qu'est-ce que le pilote américain essayait de lui dire?

— Voici l'annuaire.

— Laisse-moi voir.

— Y a-t-il un aéroport dans les environs avec une piste 13, longue de 7050 pieds?

Quelqu'un lança qu'il regardait; un ruissellement de pages.

Le transmetteur du Trans Am se ferma enfin.

Silence. Hirsch se gratta le menton. Et maintenant? Il avala. Il jouerait le jeu pour un moment et verrait où ça le conduirait.

Il dit:

— Je suis d'accord avec votre évaluation, Trans Am. Le dernier rapport de la météo fourni par une station non loin d'El Maghreb indique un vent du sud-est de 37 noeuds avec des montées jusqu'à 48 noeuds. Votre atterrissage sur la piste 13 d'El Maghreb sera donc contre le vent.

— Compris, Tel-Aviv. Merci.

Le pilote semblait soulagé. Il y avait définitivement quelque chose dans l'air. Mais quoi? Chaim acquiesça, comme s'il approuvait son propre geste.

Quelqu'un lui toucha l'épaule.

— Eureka! La piste 13 — 7050 pieds!

Des doigts pointèrent le lieu sur la carte.

— Ramat Shamon.

C'était dans le Néguev, à environ un mille de la frontière jordanienne, à mi-chemin entre la pointe sud de la mer Morte et la pointe nord du golfe d'Elath. C'était, jadis, une base aérienne israélienne très utilisée. Elle était maintenant déserte, quelques arpents de sable avec une piste en béton et des hangars vides.

— Presque sur la frontière jordanienne.

— C'est pour ça qu'ils l'ont fermée. Et c'est sûrement pour ça que le capitaine du Trans Am l'a choisie.

— Il va essayer d'atterrir là?

— Si je devine bien.

— Il est fou. L'endroit est complètement abandonné.

— Il pense peut-être qu'on ne se rendra pas compte que c'est la mauvaise base.

— Il pourrait avoir raison, réfléchit Chaim Hirsch. Regarde la température. On ne voit pas deux mètres devant soi.

— Il a peut-être la mauvaise carte.

— La mauvaise carte?

— C'est possible. Le pilote n'avait pas l'intention de venir dans cette partie du monde à son départ. Ses cartes pourraient dater.

Chaim acquiesça. C'était possible. Mais le bouton du transmetteur n'avait pas été pressé accidentellement.

— Non, dit-il, presque à lui-même. Il essaie de nous dire qu'il va tenter de déjouer les pirates. Il a l'intention d'atterrir en Israël et il espère que nous pourrons l'aider.

— Que pouvons-nous faire?

— Dieu seul le sait.

— Il est fou, dit quelqu'un, mais il faut admettre qu'il a du *chutzpah*.

Chaim prit le téléphone.

— Le bureau du Premier ministre, dit-il aussi naturellement que possible. C'est très important.

Chapitre 18

6h50, heure de Greenwich
Jérusalem/8h50

L'officier de renseignements souriait; l'ingéniosité et l'innovation lui plaisaient toujours.

— Nous supposons, Monsieur le Premier ministre, que ce que le Capitaine Mallory essaie de nous dire est qu'il va atterrir sur une de nos bases aériennes abandonnées, près de la frontière jordanienne, à quelques kilomètres seulement de l'endroit où les pirates lui ont commandé d'atterrir. Voyez-vous, c'est le seul aéroport de la région avec une piste 13 de 7050 pieds.

Le Premier ministre acquiesça. Il avait un mal de tête; il parlait au téléphone depuis plus d'une heure, discutant des alternatives possibles avec le Président des États-Unis. Une des options était particulièrement tentante: accéder aux demandes, se retirer de la Rive Gauche. Les États-Unis pourraient être les pacificateurs; avec possiblement d'autres puissances occidentales, ils pourraient garantir la sécurité de tous ceux qui sont impliqués. L'épuisement l'avait presque fait succomber. Mais il avait refusé; les Américains, à cause de leur pétrole, étaient une trop belle cible pour le chantage; ce qui semblait aujourd'hui la solution parfaite à un dilemme engendrerait peut-être un problème encore plus hideux dans un mois, un an ou même dix ans.

— Il faut crier bravo à Mallory pour avoir pensé à un tel stratagème.

Un conseiller politique renifla.

— Il s'amuse avec la vie du Pape!

— Les pirates aussi.

— Est-ce que l'avion peut atterrir à Ramat Shamon? demanda le Premier ministre.

Le général de l'armée de l'air acquiesça.

— Oui, Monsieur, en autant que la piste soit en bonne condition — et c'est un gros point d'interrogation pour moi en ce moment.

— Le plus grand risque, dit le général de l'armée, sera après l'atterrissage. Pendant combien de temps pourront-ils faire croire aux pirates qu'ils ont atterri en Jordanie? Diable, ils pourraient tout faire sauter!

Le Premier ministre réfléchit.

— Excellent point de vue, Général. Que suggérez-vous?

L'officier de renseignements dit:

— Écoutez, le pilote de l'avion a vu une occasion et il l'a saisie. Il n'a pas le temps d'y penser ou de voir toutes les possibilités. Il nous rejette donc le problème. C'est à nous de voir ce que nous pouvons faire.

— Selon moi, dit un autre général, nous ne pouvons rien faire.

— Il ne faut pas oublier la température, dit l'officier. Il y a une tempête de sable monstrueuse. La surface de la terre est invisible d'en haut. Rien qu'une masse de sable. Je devine que le Capitaine Mallory voit cette tempête comme une alliée. Si ça lui est difficile de repérer la piste, ce sera aussi difficile pour les pirates de voir précisément où ils sont.

— C'est vrai, dit le Premier ministre. Mais il doit sûrement y avoir un moment où le subterfuge doit cesser. Quand l'avion aura atterri, il lui faudra éventuellement rouler jusqu'à un terminal . . .

L'officier fixa intensément le Premier ministre et conclut méthodiquement:

— Nous devons essayer de voir la logique du plan du Capitaine. Il croit sans aucun doute qu'il a une meilleure chance de survie en atterrissant sur notre côté de la frontière. Et — en considérant la mentalité de ceux qui se sont emparé de son avion — il a sans aucun doute raison. Nous faisons, je crois, soudainement partie d'une très difficile opération combinée. Le pilote va tout faire pour atterrir à Ramat Shamon.

Il fit une pause, plongé dans ses pensées.

— Toutefois, le Capitaine doit clairement faire croire aux pirates qu'ils sont en Jordanie. Le simoun peut l'aider, mais seulement s'il peut vraiment atterrir. Et alors quoi?

L'officier étudia ceux qui l'entouraient en se préparant à répondre à sa propre question.

— Messieurs, prononça-t-il, c'est exactement là que le Capitaine nous relance le problème. Une fois que l'avion aura atterri, ce sera à nous de neutraliser les terroristes avec une perte minimum de vies pour nous et les gens innocents à bord. Ce ne sera pas facile . . . Nous ne savons même pas avec combien de fanatiques nous faisons affaire. Mais une chose semble claire . . . nous devons avoir un petit avantage si nous voulons réussir. Nous devons prendre l'initiative dès le début . . . ou nous ne pourrons rien faire. Par conséquent, Monsieur le Premier ministre, nous sommes obligés d'aider cet équipage infortuné à réaliser cette supercherie.

— Mais il nous reste si peu de temps, dit le Premier ministre.

— La première chose à faire, Monsieur, est de donner à l'aéroport de Ramat Shamon l'apparence de celui d'El Maghreb.

— Et comment donc?

— En hissant des drapeaux jordaniens, Monsieur, et en utilisant des véhicules et des commandos portant les couleurs arabes. Diable, nous avons plein d'uniformes et d'équipement saisis. Faisons-leur prendre de l'air!

— Impossible . . .

— Pourquoi?

— Nous n'avons pas le temps. L'avion doit atterrir dans moins de trois heures.

— Il faut le faire.

Les hommes se regardèrent.

— Peut-être...

— Nous avons une base militaire dans le Néguev, au sud de Dimona...

Le doigt du Premier ministre pénétra l'air comme s'il pressait un bouton.

— Oui. Nous le ferons! Je veux qu'on organise tout immédiatement. Trouvez un drapeau jordanien, le plus grand possible... et des camions et des véhicules blindés — n'importe quoi pour garder l'illusion. Une compagnie de commandos — expédiez-les immédiatement. Nous leur donnerons nos instructions en route. Expédiez les uniformes nécessaires avant leur arrivée. Je me fous de quelle façon. Faites-le, un point c'est tout! Il faut convaincre les pirates qu'ils sont sur le sol jordanien. Quand ils seront descendus de l'avion, nous nous occuperons d'eux; nous réglerons ça plus tard...!

* * *

Il n'y avait pas de temps à perdre.

— Faites monter vos hommes dans les véhicules, complètement armés. Vous avez cinq minutes. Ou moins. Puis, rendez-vous immédiatement à Ramat Sahmon. C'est une base aérienne abandonnée près de la frontière jordanienne, dans le secteur K14H. Vous recevrez d'autres instructions là-bas.

Des rumeurs se concrétisèrent — combustion verbale vive. C'était une autre guerre. Une invasion. Par nous. Par eux. Par les Russes. Non; à bien y penser, il était question du détournement de l'avion du Pape...

Quelques hommes engloutissaient leur déjeuner tout en plaçant leur mitraillette Uzi sur leurs épaules et en suivant leurs camarades. Dehors, ils avançaient avec peine dans le sable qui les fouettait, les cinglait, les mordait. C'était de la folie pure. Comment pourraient-ils se rendre à Ramat Shamon dans ces conditions? Comment trouveraient-ils Ramat Shamon? Et que feraient-ils s'ils y arrivaient? Quel imbécile avait donné ces ordres?

Le Pape regarda chacun d'eux, à tour de rôle. Il parlait lentement, comme si le sujet n'avait qu'un intérêt sans portée pratique.

— On m'informe que lorsque nous arriverons en Jordanie, je serai enlevé. Vous et les autres passagers resterez à bord.

— C'est monstrueux...!

— Je vous en prie. Ne perdons pas de temps et d'énergie à condamner les coupables. Nous ne pouvons rien faire pour les en empêcher; nous ne pouvons que nous fier à Dieu. Black September est responsable de notre situation. Maintenant, je crois que je serai tenu en otage pour forcer Israël à accéder à certaines demandes que j'ignore. Il est cependant assez facile de voir les possibilités. Il grimaça légèrement, mais sa voix était encore douce. J'insiste, déclara-t-il, pour qu'aucun de vous ne tente quoi que ce soit pour me protéger.

— Mais ces gens sont des meurtriers...

— Oui. Et ils sont lourdement armés. Ils n'hésiteront pas à tirer. Vous n'êtes pas des adversaires de taille. Si vous devenez agressifs, vous serez tués. Et vos morts ne serviront à rien. Je vous ordonne donc de suivre leurs instructions. J'aurai suffisamment de quoi m'occuper dans les prochaines heures sans avoir à méditer sur votre mort. L'ombre d'un sourire parcourut ses lèvres. Vous êtes tous mes bons et fidèles compagnons et collègues. Je crois comprendre comment vous vous sentez. Il est naturel et admirable de vouloir défendre ceux que nous aimons. Mais vous ne rendrez aucunement service à l'Église si vous détruisez vos vies dans une vaine tentative de lutter contre des terroristes armés. J'interdis catégoriquement ce genre d'action. Est-ce clairement compris? Il regarda encore une fois chaque visage. Il sourit abruptement, un sourire irrésistible. D'ailleurs, vous êtes tous trop vieux et trop grassouillets pour même songer à de tels jeux.

Il y eut des regards incertains. Un cardinal, un homme de soixante-dix ans avec des cheveux gris frisés, dit:

— Il est peut-être possible d'accéder à vos demandes en ce moment, Mon Père; mais j'ai bien peur que ce sera une toute autre histoire quand ils vous enlèveront. Vous nous demandez de rester là, à ne rien faire...

— Au contraire, dit le Pape. J'ordonne, je ne demande pas.
Des acquiescements. Ils obéiraient.

— Maintenant, dit-il, j'aimerais dire quelques mots aux passagers. Je sens que ma présence a mis leur vie en danger et les a angoissés. Seriez-vous assez gentils de demander si cela est possible et si un tel message serait apprécié dans les circonstances . . .

* * *

Mallory l'ignorait. Au diable, sa main sur le dos de son siège; au diable, son revolver; au diable, son regard méfiant qui scrutait continuellement le panneau de bord. Elle pensait peut-être qu'il y avait des armes cachées là. Elle voulait peut-être rappeler à tout le monde qu'elle était le chef. Une illustration de sa puissance.

Dieu seul savait combien de professeurs lui avaient fait la même chose quand il allait à l'école.

Les muscles de son cou et de son dos étaient noués et avaient besoin d'exercice. Mais il refusait de montrer sa tension. Non; il ne faut jamais laisser voir à l'adversaire qu'il vous ennuie.

Elle retourna enfin à son siège, apparemment satisfaite de la normalité des choses. Mallory regarda autour de la cabine. Jensen était assis, tranquille, encore sonné par le coup de pistolet de Fadia et par la tension nerveuse qu'il a engendrée. Le pauvre gars était hors de lui. Mais il était sûrement encore assez alerte pour comprendre que Mallory n'atterrirait pas à El Maghreb. Jésus-Christ! Un seul mot pourrait tout détruire. Alors, comment transmettre le message au second? Mais . . . ce ne serait peut-être pas nécessaire.

— Dis donc, Cliff, tu n'es pas très en forme pour m'aider pendant la phase d'approche d'El Maghreb. Ne t'occupe de rien, je me charge de tout. Tu n'auras qu'à contrôler l'altimètre et à donner les altitudes pendant la descente. Je garde la carte de mon côté, et toi garde tes yeux sur l'altimètre. Essayons d'éviter les dunes et les chameaux. D'accord?

Jensen sembla soulagé et acquiesça en silence.

Mallory lui fit un clin d'oeil. Il aurait été utile de discuter de la situation avec lui. Mais, en tant que capitaine, Mallory devait prendre les décisions. Un avion n'était pas une démocratie et la cabine de pilotage n'était pas une tribune. Herr Dictator Mallory. Il étudia la carte de la région encore une fois. Elle donnait des aides à la navigation et le site des villes importantes. Mais elle était tristement inadéquate pour une approche instrumentale dans de telles conditions, avec ce genre d'avion. Il se caressa le menton en essayant de voir la situation dans laquelle il serait bientôt plongé. Le seul point de repère était un radiophare au nord-ouest de Ramat Shamon. Le phare offrant peu de précision, il lui serait donc impératif de ne pas descendre à moins de 500 pieds avant de voir la piste — si elle existait vraiment. Il esquissa mentalement l'approche; une ligne directe de la Méditerranée, interceptant la côte israélienne à Gaza, puis une ligne au-dessus du sud-est du pays, presque sur la frontière jordanienne en visant le phare — si Dieu le veut bien. Un virage à gauche près du phare, à 310 degrés, puis un virage normal pour ramener le 747 en ligne avec la piste. Quod erat demonstradum, espérait-il. Il imaginait l'aiguille ADF essayant d'indiquer le phare, oscillante, tremblante; l'enjeu serait d'interpréter les signaux, en essayant de juger où elle pointerait exactement si le nez de l'avion n'était pas secoué par la tempête. La vérité déprimante, c'est qu'il pourrait facilement osciller de quelques centaines de mètres d'un côté ou de l'autre de la piste et la manquer complètement.

Et alors quoi? Une expression qu'il semblait avoir employée souvent au cours des dernières heures.

Il lui faudrait peut-être abandonner sa tentative d'atterrissage. Si les conditions devenaient trop mauvaises, il n'aurait pas le choix. Désolé, Mademoiselle, je refuse par la présente de mettre davantage en danger mon avion et mes passagers en essayant d'atterrir dans ces conditions épouvantables... Soyons raisonnables. Je ne puis atterrir sur une piste que je ne vois pas, n'est-ce pas?

Parfait. Ferme et décidé. Un honneur à sa profession.

Et alors quoi? Fadia lui tirerait-elle une balle dans la tête?

Possiblement. Mais elle déciderait peut-être de tuer Joe Nowakoski à la place: une petite démonstration subtile pour décourager les autres membres de l'équipage...

Il la regarda. Son calme des dernières heures avait fait place à l'inquiétude. Qui pourrait la blâmer? Son importante mission atteindrait bientôt son point culminant. Jusqu'à maintenant, tout s'était parfaitement déroulé — exception faite du simoun. La tempête de sable, la satanée tempête imprévisible, était en train de compromettre tous les plans méticuleux. Et elle savait sans doute que lui, Mallory, se servirait de cette situation pour faire avorter l'approche. Elle devait être ferme. Elle n'avait pas le choix. C'était tout ou rien. Tuer un membre de l'équipage était probablement une procédure normale pour les pirates de l'air et les terroristes de son genre...

Le côté désagréable, c'est que plusieurs personnes pourraient mourir à cause de ce qu'il allait faire. Il avait déjà engagé leurs vies — sans les consulter. Quel culot! Il misait tout sur la possibilité d'une idée géniale de la part des Israéliens. Et pourtant, il n'avait aucune idée de ce que les Israéliens pourraient faire. Il y a peu de chances, à bien y penser. Il lui semblait déjà entendre le ton vertueux des enquêteurs...

Q: Ne diriez-vous pas, Capitaine Mallory, que vous risquiez alors la vie de vos passagers?

R: J'essayais de les protéger.

Q: Comment pouviez-vous savoir que vous les protégiez?

R: Parce que je pensais qu'un atterrissage en Jordanie était comme une sentence de mort et tout valait mieux que ça.

Q: Comment en êtes-vous arrivé à une telle conclusion, Capitaine?

R: Ça ne prend pas un génie pour savoir qu'Israël ne marchande jamais avec les terroristes. Peu de temps après le détournement, j'ai compris que ces fanatiques n'arrêteraient devant rien pour atteindre leur but. Le meurtre n'était qu'un outil expéditif de leur métier. Il valait mieux avoir une chance en atterrissant en Israël que rien du tout en atterrissant en Jordanie.

Q: Et avez-vous alors supposé que les pirates vous laisseraient faire, sans réagir?

R: Je . . . j'espérais que la très basse visibilité les empêcherait de réaliser qu'ils étaient dans le mauvais aéroport . . . jusqu'à ce qu'il soit trop tard pour . . .

Q: Trop tard? Que voulez-vous dire, précisément, par trop tard, Capitaine?

R: Voyez-vous, j'espérais que les Israéliens comprendraient ce que j'essayais de faire . . . et qu'ils seraient prêts à nous accueillir à notre arrivée à Ramat Shamon.

Q: Prêts, Capitaine?

R: Oui, j'espérais qu'ils auraient préparé une attaque . . . qu'ils auraient envahi l'avion . . . et désarmé les pirates . . . ou enfin quelque chose.

Q: Et quelle assurance aviez-vous qu'il en serait ainsi?

R: Aucune . . . enfin . . .

Q: Et vous avez néanmoins atterri à Ramat Shamon?

R: Oui.

Q: Et quand les pirates ont découvert où ils étaient, ils ont abattu le Pape, les passagers et tout l'équipage . . . sauf *vous?*

Il frissonna.

Atterrir à El Maghreb et laisser les événements suivre leur cours? Ou atterrir à Ramat Shamon et risquer la vie de tous pour une infime et stupide particule d'espoir de déjouer les pirates et de sauver la mise? Pour qui te prends-tu donc? James Bond? Ciel, il entendait encore les enquêteurs. Comment voteraient les passagers si on leur en donnait l'occasion? Et le Pape? Il ordonnerait sûrement qu'on se rende à El Maghreb pour minimiser le danger. Minimiser? Il n'avait que la parole des pirates lui garantissant la libération des passagers. Ils deviendraient sûrement aussi des otages. Un peu plus d'influence.

Tu as le front, Mallory, de décider pour tout le monde!

C'est vrai. Indéniable. Et pourtant, chaque fibre de son corps se révoltait à l'idée minable d'un atterrissage en Jordanie et d'une capitulation devant ces enfants de chienne.

Puis il se mit à voir le visage de ce doux vieillard; l'exécution inévitable . . . Les passagers et l'équipage seraient-ils libérés? . . . Ou y aurait-il une tuerie?

Merde! Nous atterrirons à Ramat Shamon!

Dee Pennetti essayait de sourire avec assurance en parcourant l'allée. Des rangées de visages se tournaient vers elle, comme des spectateurs à un match de tennis. Étonnamment, peu de gens lui parlaient. Tous les passagers semblaient absorbés dans leurs pensées. Ça lui rappelait les rangées d'aristocrates français allant à leur exécution en tombereaux. Ils ne parlaient sûrement pas beaucoup, les pauvres. C'était un détournement très bizarre. Il était difficile d'y croire en parcourant la section des passagers. L'absence de terroristes armés faisait toute la différence; c'était comme si les passagers n'étaient pas impliqués personnellement dans ce qui se passait dans la cabine de pilotage. C'était le problème de quelqu'un d'autre. La réalité était encore un peu tenue à distance.

Vernon Squires lui fit signe.

— Mademoiselle, seriez-vous assez gentille de transmettre un message pour moi à la NBC via le transmetteur de l'avion?

Dee le dévisagea.

— La NBC? Vous voulez rire, Monsieur?

— Absolument pas, dit Squires. Je veux les contacter parce que je devais participer à l'émission de Johnny Carson ce soir. «*The Tonight Show*». Vous connaissez sûrement.

— Oui, mais . . .

— Je suis clairement incapable d'y participer. Je veux dire à la NBC que j'essaierai d'être là demain.

Dee secoua la tête. Un oiseau rare.

— Désolée, Monsieur, il nous est impossible d'utiliser la radio pour des choses du genre.

— Pourquoi pas?

— Monsieur, il y a un terroriste armé dans la cabine qui n'aimerait sûrement pas transmettre des messages personnels. Ils pourraient cacher un code ou . . .

— Il n'y a pas de code secret, déclara Squires, ennuyé. C'est un simple message.

— Oui, vous et moi le savons — mais pas le pirate.

Squires se demanda où le monde s'en allait.

— Puis-je faire autre chose pour vous? demanda Dee.

— Oui, j'aimerais avoir un scotch avec de l'eau, dit-il.

— Je vous en sers un immédiatement.

Mme Lefler dit:

— Avez-vous véritablement déjà *rencontré* Johnny Carson?

— Plusieurs fois.

— Dites-moi, comment est-il vraiment? Je veux dire *vraiment*. Vous savez ce que je veux dire.

— Je crois, dit Squires en s'adressant à Dee, qu'il me faudrait un double scotch.

* * *

Le simoun enveloppait le convoi, en le fouettant de sable brûlant et de poussière aussi fine que du talc. Des milliards de balles minuscules qui brûlaient la chair, emplissaient même les trous de chacun de leurs boutons, leurs lunettes protectrices, leurs manches. Le sable gravait laborieusement la peinture de chaque véhicule. Il durcissait sur les lèvres, il entrait dans le nez et la gorge. Il bouchait les oreilles et emmêlait les cheveux. Les yeux brûlaient, la peau démangeait. Le monde devint une masse jaune tourbillonnante, aveuglante.

Les hommes sensés cherchaient un abri contre le simoun et baignaient leurs visages et leurs yeux dans du vinaigre dilué, attendant la fin de la tempête. Personne n'essayait de la braver.

Et pourtant les commandos israéliens avançaient encore péniblement. Ils s'étaient égarés deux fois, confondant des points de repère.

Le colonel de 31 ans qui menait le convoi pensait que le monde entier était devenu fou. Comment pouvait-on penser poser un avion dans cette merde? Comment le pilote trouverait-il la piste? Et même si l'avion atterrissait avec succès, quelle chance y avait-il de déjouer ces maniaques de Black September en leur faisant croire qu'ils étaient en Jordanie? On lui avait dit qu'un autre convoi le rencontrerait à Ramat Shamon; il transporterait les uniformes des troupes, des camions et de l'équipement saisi aux Arabes.

«Votre plus grand avantage sera la surprise», lui avait-on dit.

Et mon plus grand désavantage sera la confusion totale,

avait-il pensé. Mais il ne l'avait pas dit. Il avait promis de faire son possible. Ils lui avaient assuré qu'ils ne s'attendaient pas à plus que ça. Mais ce n'était pas vrai. Ils s'attendaient au succès. L'échec était impensable. Mais beaucoup plus possible, selon sa triste opinion.

Chapitre 19

8h15, heure de Greenwich
Au-dessus de l'est de la Méditerranée
à 32°18′ de latitude nord et
34°03′ de longitude est

La côte israélienne était à peine visible, enveloppée par la tempête. Au loin, une pellicule beige tachait le sol d'Haïfa, à Port-Saïd. À quarante-cinq mille pieds, tout avait un air d'innocence, mais Mallory n'avait pas d'illusions. Il avait déjà vécu des tempêtes de sable et elles lui faisaient diablement peur. Il valait mieux les fuir comme la peste.

— De la vraie merde, grogna Jensen en regardant devant lui.

Mallory ne répondit pas; le copilote ayant tout dit. Il regarda le DME qui marquait la distance jusqu'au VORTAC de Beersheba, un poste situé au coeur du désert israélien. Encore trente-cinq minutes avant d'atteindre le phare de Ramat Shamon. Il serait bientôt temps de commencer la descente, la première étape de l'atterrissage de l'immense 747. Il pensa encore à sa destination. Oui. Ramat Shamon — à moins que la tempête cesse à la dernière minute. Il serait alors peut-être *obligé* de faire un détour vers El Maghreb.

D'accord. Cette ligne de conduite est définitivement adoptée.

La tempête semblait solidement implantée.

Il se demandait quand les Israéliens le contacteraient. C'était inévitable. Mais quand? Il lui faudrait être aussi alerte que le contrôleur de Tel-Aviv. S'ils ne pouvaient rien faire, ils lui diraient d'abandonner l'idée d'atterrir à Ramat Shamon en lui disant que la piste 13 est inutilisable. Mais s'ils ne lui transmettaient pas un tel message, pouvait-il assumer qu'ils étaient prêts pour son atterrissage à Ramat Shamon?

Ce renseignement pouvait lui être vital, d'une façon ou de l'autre.

Dieu merci, Jane était sauve. Jane, l'enfant problème qui commençait enfin à grandir.

* * *

Ils choisirent une rue sombre et déserte. Un endroit sinistre, peuplé de vieux hangars et d'entreprises peu prometteuses. Quand ils ouvrirent le coffre, l'homme les fixa, les yeux ahuris par la terreur, convaincu que son exécution était imminente.

Jane lui dit de se calmer.

— Ça ira. Nous ne vous ferons aucun mal.

— Juré? La voix de l'homme grinçait.

— Juré.

Ils l'aidèrent à descendre de la voiture.

— Jésus-Christ, où sommes-nous? Il resta bouche bée.

— À San Francisco, lui dit Jane.

— Vous voulez rire.

Jane l'assura qu'elle ne rirait jamais d'une chose semblable.

Il la regarda, les yeux pleins d'eau.

— Alors . . . qu'est-ce que vous allez faire de moi, huh?

— Nous allons vous amener au cinéma.

Il la fixa.

— Au cinéma?

Il prit place à l'arrière de la Plymouth avec Abou Gabal. Mais l'homme ne dit rien. Il ouvrait et fermait la bouche et il avalait comme s'il avait de la difficulté à expédier un énorme morceau de nourriture.

Une douzaine de rues plus loin, Jane repéra un cinéma de nuit. On y présentait des films pornos: «Cris et pincements» et

«Week-end de pute». Le cinéma était presque vide mais rempli de l'odeur des ivrognes et des dégénérés qui le hantaient.

— Vous allez vous asseoir dans cette rangée, dit Jane. Et nous allons nous asseoir derrière vous, dans la dernière rangée.

— Pourquoi?

— Une nouvelle sensation.

— Qu'est-ce que vous faites?

— C'est un secret. Ce ne serait pas plaisant si je vous le disais.

— Et qu'est-ce que je dois faire?

— Rien du tout. Vous avez le meilleur rôle. Vous n'avez qu'à vous asseoir là et à regarder le film jusqu'à ce que nous vous disions de vous lever. Mais vous ne devez pas bouger... ou nous tirerons.

L'homme ne cessait pas de faire signe que oui, pathétiquement empressé de plaire. Ils l'enfoncèrent dans son siège pour le faire échapper à la vue des autres clients du cinéma. Il semblait assez confortable et avait une bonne vue de l'écran.

Abou Gabal lui souffla:

— N'essaie pas de te lever. Compris?

D'autres acquiescements. Il avait compris.

Ils regardèrent le film pendant quelques minutes, riant des soupirs et des grognements et de la passion simulée des acteurs; puis, ils sortirent discrètement et retournèrent à l'auto. L'homme se sentait maintenant en sécurité; il était trop effrayé pour bouger. Jane suggéra qu'ils s'arrêtent à un restaurant pour manger des hamburgers et boire du café mais Abou Gabal était trop pressé.

À la radio, l'annonceur lisait frénétiquement les derniers rapports sur le détournement papal.

«Selon le dernier rapport, déclara-t-il, le jumbo-jet Trans American se dirige vers une destination secrète dans le Moyen-Orient après avoir été détourné au cours d'un vol de Rome à San Francisco, où le Pape devait participer à la Conférence mondiale sur la population. Un groupe radical de terroristes palestiniens serait responsable du détournement, mais rien n'a encore été confirmé. La raison de ce détournement est aussi inconnue. Les sources officielles n'ont pas encore révélé les exigences des Palestiniens. Les dirigeants mondiaux se sont dits profondément choqués. Le Président a invité les dirigeants arabes à exercer leur influence pour obtenir la libération immédiate de l'équipage et de tous les passagers; un refus, a-t-il déclaré, soulèverait la haine de tous les peuples du monde.

— Le monde entier a ressenti le même dégoût pour le Vietnam, dit Abou Gabal, mais est-ce que cela a changé quelque chose?

— Peut-être, dit Jane.

La ville était calme à cette heure-là. Les édifices avaient un air serein et douillet, dormant confortablement malgré les problèmes du Pape.

— Je dois trouver la rue North Allwyn, à Oakland, dit Abou Gabal. Regarde s'il y a une carte dans la boîte à gants.

Elle trouva une carte routière sous une bouteille vide; elle était déchirée et tachée mais elle contenait heureusement les renseignements qu'ils cherchaient. La rue était bien à Oakland, à une demi-heure de route. Ils planifièrent leur trajet, stationnés sous un réverbère.

En étudiant la carte, elle se demanda pourquoi elle se rendait si diablement utile. À quoi voulait-elle en venir? Pourquoi ne se mettait-elle pas à courir? Eh bien, se dit-elle, c'est parce qu'il tirerait sûrement dans ma direction. Mais elle dut immédiatement admettre que c'était une excuse; elle ne croyait pas qu'il tirerait; non, il tenait à elle. N'est-ce pas? Elle ne savait pas. Plus rien n'avait de sens. Le monde n'était plus ce qu'il était il y a à peine vingt-quatre heures. Trop d'événements s'étaient produits. Tout équilibre et toute logique avaient disparu. Une étrange agitation montait en elle. Sexuelle? De la terreur pure et simple? Elle ne savait pas. Elle ne savait plus rien.

Elle lui demanda ce qui allait lui arriver.

— Je ne sais pas. L'homme que je veux voir me conseillera.

— Où resteras-tu?

— Je ne sais pas. Il me faudra me cacher pendant un certain temps. Les autorités seront à ma recherche. Et à la tienne, ajouta-t-il.

— Je peux peut-être t'aider à t'échapper.
— Toi?
— Bien sûr. Si je retourne à la maison, je peux inventer une histoire... sur mon évasion. Je brouillerai les pistes en disant que tu es parti au Canada ou ailleurs.
— Oui, j'imagine que tu pourrais dire ça.
Elle le regarda.
— Mais tu ne crois pas que je le ferais.
— Pourquoi le ferais-tu? Je suis ton ravisseur.
— Je sais... Ne me demande pas de l'expliquer.
— Tu es vraiment étrange.
— Tu n'es pas très ordinaire toi non plus.
Il sourit.
Elle lui demanda:
— Retourneras-tu au Moyen-Orient?
Il acquiesça.
— On me dira sans doute d'y retourner, quand ça ne sera plus dangereux.
— Veux-tu y retourner?
— Je n'en suis pas certain, dit-il, en évitant son regard.
— Alors, reste.
Il sourit, un sourire mince et triste.
— Ça semble si facile, à te l'entendre dire.
— C'est peut-être plus facile que tu ne le penses.
— Non, je crois qu'on me dira de rester caché pendant plusieurs semaines, jusqu'à ce que la fièvre soit tombée. Puis, j'irai au Mexique et de là, je retournerai à Beyrouth.
— Pourquoi dois-tu voir cet homme ce soir?
— Parce que c'est mon devoir.
— N'as-tu pas assez travaillé?
— Que veux-tu dire?
— Tu as déjà risqué ta vie... alors, arrête maintenant.
Il sourit; l'idée était amusante.
— On ne quitte pas Black September, je t'assure.
— Ils penseront peut-être que tu as été tué avec les autres. Ils t'oublieront, Jésus-Christ, tu as une *chance de t'en sortir ...!*
Il se tourna vers elle.
— Tu as l'air furieuse. Pourquoi?

Elle respira profondément pour se calmer.

— C'est parce que nous parlons de gaspillage. Ton gaspillage. Le gaspillage de ta vie. Le gaspillage me rend toujours furieuse. Si tu retournes, tu seras sûrement tué. Tu finiras comme tes copains. Je n'aime pas cette éventualité... parce que, d'une étrange façon — et j'insiste sur le mot étrange — je ne veux pas que tu sois tué. D'ailleurs, c'est stupide de se battre pour Israël et la Palestine et je ne sais quoi encore. Ils parlent déjà de négociations; bientôt, tout sera réglé et tous ceux qui seront morts au combat seront morts pour rien...

Sa bouche se durcit.

— Tu ne comprends pas. Ils n'accéderont jamais à une paix durable avec les Palestiniens parce qu'Israël n'acceptera jamais de *disparaître.*

— Disparaître? Tu veux dire qu'il faudrait effacer Israël de la carte?

— Précisément.

— Pour l'amour de Dieu, pourquoi? Il y a beaucoup de gens sympathiques et innocents en Israël. Pourquoi vouloir toujours tuer et mutiler...?

— Ces gens n'ont aucun droit d'être là. C'est un pays arabe. C'est le pays où est né mon père. C'est notre pays. Tu parles des atrocités que nous commettons mais que penser de Deir Yassin?

— De quoi diable parles-tu?

— C'est un village palestinien à l'ouest de Jérusalem. Environ 400 habitants y vivaient. Au mois d'avril 1948, l'Irgoun — une organisation juive — massacra 250 personnes. Des hommes, des femmes et des enfants. Menachem Begin, qui était alors le chef de l'Irgoun, justifia l'incident et déclara qu'il n'y aurait jamais eu d'État d'Israël sans la «victoire» de Deir Yassin. Que penses-tu de ça?

— Je ne sais pas, dit Jane, impuissante. Je n'y comprends rien.

* * *

La voix de Dee Pennetti se fit entendre à l'interphone.

— Capitaine, le Pape aimerait dire quelques mots aux passagers. Ce serait bien, je crois; ils l'apprécieraient sûrement. Est-ce possible?

Mallory regarda Fadia.

— Et alors?

Elle secoua la tête.

— Il ne peut pas venir ici.

— Ce n'est pas nécessaire, lui dit Mallory. Il peut se servir d'un micro dans la cabine de première classe. Je crois que ce serait une bonne chose; ça aiderait sûrement à calmer les passagers.

Elle réfléchit, puis elle haussa les épaules.

— Je n'ai aucune objection.

— Ça va, dit Mallory à Dee.

— Merci, Capitaine. Ce sera d'un grand secours.

— On peut dire qu'il tient son auditoire, ajouta Fadia avec un sourire.

Personne ne rit.

Le Pontife parla pendant quelques minutes, d'abord en anglais, puis en italien, sa mince voix entonnant des prières anciennes. Il y eut un silence total dans la cabine, brisé seulement par le faible grondement des réacteurs. Le Pape dit aux passagers à quel point il était peiné que sa présence ait engendré une telle situation. Il les pria d'être compréhensifs et de pardonner à leur prochain.

— On m'a promis que rien de mal ne vous arriverait après l'atterrissage et que vous seriez libérés. Je serai détenu pour une période indéterminée. Je mets ma confiance en Dieu et je n'ai pas peur. Il bénit les passagers et leur souhaita bonne chance. Puis, la communication fut coupée.

— C'est tout, annonça Dee. Il est retourné à son compartiment.

Mallory la remercia. Il prit à son tour le micro de la cabine. Il le palpait en pensant à ce qu'il allait dire.

— Mesdames et Messieurs, ici votre capitaine. Nous allons commencer notre descente dans quelques minutes. Nous atterrirons environ une demi-heure plus tard. *Si* nous atterrissons, pensa-t-il. Veuillez demeurer dans vos sièges jusqu'à ce qu'un membre de l'équipage vous dise de vous lever. Ou quelque enfant de chienne avec un fusil, aurait-il voulu ajouter. Il n'y a aucune raison d'avoir peur. Un détournement n'est pas une expérience plaisante mais c'est une chose qui s'est déjà produite plusieurs fois dans ce drôle de monde. Et la plupart des gens impliqués ont survécu. Souvenez-vous de ça. Nous allons coopérer et nous en sortir. Je dois cependant vous dire que nous allons rencontrer de la turbulence pendant notre descente. Assurez-vous que votre ceinture de sécurité est bien attachée. Merci.

Il ferma le micro et soupira.

— Très bon, murmura Jensen. Juste ce qu'il fallait dire.

— Merci.

— Vous auriez dû faire de la politique, dit Fadia.

— Et vous auriez dû être un bourreau.

— Un quoi?

— Laissez tomber.

Le contrôleur d'Israël se fit entendre.

— Trans Am, descendez et maintenez votre vitesse de vol à deux quatre zéro.

— Descendons à deux quatre zéro. Donnez-nous le réglage de l'altimètre pour notre destination.

— Compris, dit le contrôleur. Nous essaierons.

— Bon, on y va, murmura Mallory en descendant les leviers de commande pour stabiliser et abaisser le nez de l'avion.

Fadia s'avança; elle se tenait presque entre les deux pilotes et regardait dans le lointain sombre comme si elle espérait voir ses camarades. Mallory regarda de côté et aperçut son revolver appuyé sur le dos du siège de Jensen. Pourrait-il le lui enlever assez vite? Il lui faudrait être incroyablement rapide — et précis. Si elle avait le temps de réagir, il en aurait la poitrine criblée de balles. Et même s'il le lui enlevait, elle aurait sûrement le temps de tirer quelques coups. Dieu sait qui les balles frapperaient. Jensen, Nowakoski: l'un ou l'autre ou les deux se feraient tuer sans avoir rien provoqué.

Elle retourna à son siège. Merci mon Dieu.

Pas de culot, se dit-il. Il y songeait. Vrai. Il n'avait pas le courage de se battre avec un terroriste armé, homme ou femme. La sueur perlait sur son front. Il l'essuya avec le dos de sa main.

L'aiguille de l'altimètre penchait doucement à mesure que le 747 perdait de l'altitude.

Nowakoski s'occupait d'ajuster le système de pressurisation de la cabine.

Devant et au-dessous d'eux, la brume avait pris la couleur du soufre. Une couleur sale et dangereuse. Une couleur infernale. Dieu seul savait comment serait la visibilité près de la piste. Possiblement nulle. Dans un tel cas, il n'y aurait aucun espoir d'atterrir en sécurité... Désolé de vous décevoir, Mademoiselle, mais vous visiterez El Maghreb une autre fois...

Si elle bondissait sur lui, il pourrait pousser les commandes vers l'avant, faire descendre l'avion en piqué et lui faire perdre l'équilibre. Mais elle n'était pas seule, merde. Rien à gagner en pensant ainsi. Absolument rien. Mieux vaut s'occuper de l'atterrissage de l'avion, si c'est possible; tu pourras ensuite commencer à penser à autre chose.

Il approuva. Des instructions logiques.

Chaque instant rapprochait le 747 de la tempête — le sauvage et impitoyable simoun. Mallory avait entendu parler d'hommes qui étaient devenus fous après avoir été pris dans une de ces tempêtes. Leurs esprits n'avaient pu tenir le coup; c'était trop terrifiant, trop écrasant. Pas d'horizon, pas de soleil, pas de bruit sauf le fracas incessant du vent. Un univers de sable faisant tourbillonner, fouettant, paralysant le corps et l'esprit, aspirant l'énergie et l'espoir, en ne laissant rien que de minables épaves...

Seigneur.

Il se tourna vers Fadia.

— Écoutez, vous venez de cette partie du monde. Vous savez à quel point ces tempêtes peuvent être terribles.

— Vous atterrirez, jappa-t-elle, les yeux brillants. Elle semblait presque fiévreuse.

— Pour l'amour de Dieu, essayez de comprendre, répliqua-t-il. Si la visibilité est inférieure à un demi-mille, je ne peux pas. Impossible. Je devrai aller ailleurs. Si je ne peux pas voir la piste, je ne peux atterrir dessus!

— Je ne discuterai pas, dit-elle, la couleur lui montant aux joues. Il est impératif que vous atterrissiez à El Maghreb.

— Mais...

— Nous en avons déjà trop parlé. Elle appuyait sur ses mots avec de petits mouvements de revolver. Vous *atterrirez* là... ou vous mourrez en essayant.

— Nous verrons, murmura-t-il en se retournant.

Mallory pressa le bouton du transmetteur.

— Trans Am neuf zéro un, volant en palier à deux quatre zéro.

— Compris, neuf zéro un, répondit la voix de la tour de contrôle israélienne. Continuez votre descente jusqu'au palier un six zéro. Contactez Tel-Aviv Secteur Sud à un deux cinq virgule zéro cinq.

— Compris. Descendons à un six zéro. Contactons Tel-Aviv à un deux cinq virgule zéro cinq. Il ajusta la fréquence du transmetteur UHF. Tel-Aviv Secteur Sud, ici Trans Am neuf zéro un à un six zéro.

Une voix nouvelle se fit entendre. Correcte mais remplie d'inquiétude. Pour une raison ou pour une autre, Mallory imagina un homme barbu aux joues caverneuses et aux yeux très foncés. Un individu biblique.

— Compris, Trans American neuf zéro un. Le réglage calculé de l'altimètre est de deux neuf six neuf. D'une certaine façon, les phrases techniques devinrent un message de sympathie et d'encouragement.

— Compris, Tel-Aviv. Altimètre deux neuf six neuf.

Mallory alluma l'enseigne «Attachez vos ceintures» et demanda à Nowakoski le poids de l'avion à l'atterrissage. Il était temps d'ignorer Fadia et ses collègues. Il fallait ramener le 747 au sol; il devait consacrer toute son attention et son habileté à cette tâche.

Nowakoski consulta ses données.

— Nous allons peser trois cent quatre-vingt-quinze mille livres, Capitaine.

Mallory acquiesça et vérifia l'affiche sur le panneau devant lui. Des rangées de chiffres lui disaient à quelle vitesse atterrir dépendant du poids de l'avion.

— Cent vingt-neuf noeuds.

Mallory se fit une note mentale pour se rappeler de faire son approche finale à quinze noeuds au-dessus de la vitesse recommandée, afin de compenser pour les vents et les conditions atmosphériques.

— Allons-y avec le contrôle préliminaire, Joe.

— D'accord, Capitaine. La pressurisation est fixée et vérifiée. Les données d'atterrissage?

Les deux pilotes confirmèrent qu'ils avaient fixé leurs vitesses.

— Le panneau d'essence est fixé pour l'atterrissage. Les phares annonciateurs ont été vérifiés. Les altimètres?

— Fixés et vérifiés. Deux neuf six neuf.

— Phares d'atterrissage?

— Ils sont allumés.

— Instruments de radio et de navigation?

— Fixés et vérifiés.

— Radio-altimètres?

— Ils sont réglés à cinq cents pieds.

— Contrôle préliminaire complété, Capitaine.

— Merci.

Jensen pointa devant lui.

— Voilà la côte. Gaza.

Elle était presque invisible sous l'horrible tache jaune. Le simoun était déjà visible, une masse virevoltante aux sommets translucides frangés de poussière dansante. Plus bas, la matière semblait solide. Solide et diabolique. À être évitée par tous ceux qui se disaient sains d'esprit...

Le 747 descendait de 2500 pieds à la minute. Sa trajectoire était sans secousse; les larges ailes en flèche se balançaient à peine. Mais Mallory savait que, dans quelques moments, l'air fouetterait l'avion, le giflerait de sévères courants ascendants tout en faisant de son mieux pour le déchirer en morceaux. Mallory ne craignait cependant pas une faiblesse de structure; le 747 était incroyablement solide, plus que capable d'absorber les coups du simoun; les prochaines minutes seraient décidément inconfortables mais pas dangereuses. L'atterrissage l'inquiétait. Le maudit, imprévisible atterrissage. Il n'y avait absolument pas moyen de savoir ce qui se passerait.

Le contrôleur de Tel-Aviv revint sur les ondes.

— Trans Am neuf zéro un, position présente directement vers la tour. Maintenez-vous à six mille; contactez la tour d'Amman sur un deux zéro virgule un pour autorisation d'approche.

— Compris, Tel-Aviv, répondit Mallory.

— A.C. Ross vous souhaite bonne chance. Et que Dieu soit avec vous.

— Euh . . . merci, Tel-Aviv. Nous avons compris.

Oh merde! Mallory secoua la tête, se jurant à lui-même. Il n'avait pas pensé à cette complication — parler à un contrôleur jordanien à Amman.

Mais il ne pouvait rien faire sans éveiller les soupçons de Fadia.

— Contrôle d'Amman, ici Trans Am neuf zéro un, descendant à six mille, à vous.

— Bonjour, neuf zéro un, ici Amman. Sommes avisés que vous descendez à six mille. Sommes incapables de vous fournir assistance au radar dans votre région. Cause: élévation de terrain soudaine. Vous avez autorisation pour approcher El Maghreb. Pouvons-nous être d'un autre secours?

Soulagé, Mallory répondit:

— Négatif, Amman. Merci quand même.

Il replaça le microphone. Une chance: sans son radar, le contrôleur jordanien serait incapable de suivre le trajet du vol 901 jusqu'à Ramat Shamon et d'alerter Fadia.

Jusqu'à maintenant, tout était parfait. Mallory massa les muscles de ses épaules. La fatigue commençait à l'envahir.

Mallory réalisa soudainement qu'il ne communiquerait plus avec un contrôleur israélien. Et il n'y avait aucun indice dans la dernière transmission de Tel-Aviv pour renforcer sa détermination d'atterrir à Ramat Shamon.

Jésus-Christ, pensa-t-il, on me livre à un contrôleur jordanien. Est-ce une façon pour Israël de me dire que je ne peux ou ne devrais pas atterrir à Ramat Shamon? Il doit y avoir une raison. La piste est peut-être trop dangereuse.

La sueur cascadait maintenant sur son front. Le Capitaine Steven Mallory ressentait une espèce de panique contrôlée.

Et, songea-t-il, pourquoi le contrôleur de Tel-Aviv avait-il parlé de A.C. Ross? Qui était-il, celui-là?

* * *

Les rafales continuaient à balayer à travers les portes ouvertes du hangar, roulant les piles de vêtements comme des corps tordus par la douleur. Ils devenaient incroyablement plus sales. Les visages des commandos grimaçaient de dégoût en examinant les vêtements.

— Cette veste sent la *merde!* Elle a dû appartenir à un âne!

— La mienne est pire, j'te jure!

— J'vais vomir.

— Vas-y. L'air sera sûrement plus parfumé.

— Faudra être désinfecté après avoir porté ces ordures.

— Dieu sait quelles maladies avaient ces enfants de chienne.

Les sergents les exhortaient à faire vite.

— Plus vite. Mettez *n'importe quoi*. Pas besoin d'être de la bonne *taille*. Ce n'est pas un défilé de mode! Grouillez-vous! Plus vite! Plus vite!

— Y'a pas de boutons.

— Trouves-en un autre. Plus vite, plus vite! Je vous donne deux minutes pour avoir l'air des héros d'Arafat!

En tombant les uns sur les autres, en blasphémant, les commandos trièrent les pièces de vêtements et s'habillèrent. Tout était vieux, saisi au cours de raids et de guerres antérieures. Pour une raison inconnue, les vêtements n'avaient jamais été détruits; ils avaient été remisés pendant des années. Et avaient progressivement moisi.

Une demi-douzaine de camions, saisis pendant la guerre du Yom Kippour, s'étaient dirigés vers l'aéroport. Seulement trois y étaient parvenus; les autres furent victimes de faiblesses mécaniques en cours de route.

Un homme essaya de monter le mât à côté du hangar; il portait un drapeau jordanien, parfaitement plié. Mais quand il fut à mi-chemin, le vieux poteau craqua; il tomba; il fut chanceux de s'en tirer sans blessures. Ils fixèrent le bout du poteau au toit d'un camion. Quand ils laissèrent flotter le drapeau, le vent l'arracha; une demi-douzaine d'hommes se jetèrent dans la tempête pour le rattraper. Deux hommes se heurtèrent dans l'aveuglante tempête; l'un d'eux s'évanouit sous le choc. Il fut transporté dans le hangar.

Première victime. Cette maudite opération ressemblait déjà à un film des Three Stooges. En maudissant son sort, le colonel ordonna aux conducteurs des camions de ne pas fermer leurs moteurs.

— Si vous les fermez, ils ne voudront plus démarrer!

Il assembla quelques boîtes de munitions vides pour se faire une tribune; il fit signe à un sergent de réunir les hommes. Il était temps de leur donner des instructions.

Ils s'assemblèrent autour du colonel, tirant encore sur leurs vêtements pour les ajuster, examinant les armes soviétiques et tchèques qu'on leur avait distribuées, souriant d'incrédulité à la vue de leurs camarades qui essayaient d'imiter l'ennemi. Le hangar craquait, battu par la tempête.

Le colonel avait une grande confiance en ses hommes. Ingénieux, intelligents, ils étaient probablement les meilleurs soldats du monde. Il n'aurait pas voulu d'une autre troupe pour accomplir cette mission. Mais malgré le calibre de ses troupes, Dame Chance aurait un grand rôle à jouer dans ces manoeuvres.

— Chaque instant compte, annonça-t-il, je ne vais donc pas perdre de temps. Vous avez tous entendu parler du détournement de l'avion qui transporte le Pape en Amérique. Les hommes échangèrent des regards du genre «je te l'avais bien dit». En ce moment, cet avion s'approche de cette région. Voici le plan. Les pirates pensent atterrir dans un endroit appelé El Maghreb, pas loin d'ici, de l'autre côté de la frontière jordanienne. Mais ils s'en viennent ici!

Les hommes en avaient le souffle coupé. Les troupes se battaient déjà avec les ramifications de la déclaration.

— La tempête nous aide, évidemment. Sans elle, le capitaine ne pourrait pas espérer déjouer les pirates et leur faire croire qu'ils atterrissent en Jordanie quand ils sont en Israël. Mais la tempête rend aussi la situation très difficile pour le pilote. On m'informe que l'avion pourrait bien s'écraser en essayant d'atterrir dans ces conditions. Il n'est même pas certain que la piste puisse supporter le poids de l'avion. Toute cette histoire est donc une affaire de chance. Mais supposons qu'il *puisse* atterrir en une seule pièce. La visibilité est terrible. Il est donc fort possible que les pirates ne se rendent pas compte qu'ils ne sont pas à El Maghreb . . . avant qu'il ne soit trop tard.

Des acquiescements, sobres et pensifs. Un Everest d'incertitudes s'élevait dans chacun des esprits.

— Black September est derrière tout ceci. Tout a très bien été planifié. Les pirates se sont même donné la peine de kidnapper les familles des membres de l'équipage. On nous informe cependant qu'elles ont été libérées. Une bonne nouvelle, mais qui ne nous est d'aucun secours. Les exigences de Black September sont énormes. Ils ne veulent pas moins que notre retrait complet et inconditionnel de la Rive Gauche en échange de la vie du Pape. Si le retrait ne s'effectue pas d'ici 24 heures, le Pape sera tué. Voilà le marché. Nous n'avons aucun moyen de savoir si les négociations sont possibles. Ce n'est pas notre problème. Nous devons uniquement nous occuper de convaincre les pirates qu'ils sont sur la bonne base aérienne . . . et nous donner assez de temps pour les éliminer avant qu'ils puissent faire du mal au Pape ou aux autres. Dès que l'avion s'arrêtera, je veux que les camions marqués d'emblèmes arabes s'approchent du nez de l'avion. Le plus gros camion reculera vers la porte des passagers. On m'informe que ceci aura l'air d'une manoeuvre normale puisque, sans rampe conventionnelle, c'est la seule façon pratique de descendre d'un 747. Nous entrerons dans l'avion par le toit du camion. Il est à peu près de la bonne hauteur. Il ne devrait pas y avoir de problème. Le seul but de l'opération est de pénétrer dans l'avion et de désarmer les pirates aussi vite que possible.

— Par la force, Monsieur? Un commando de 19 ans posa la

question sur un ton désinvolte, comme s'il demandait à quelle heure le dîner serait servi. Entrons-nous en tirant?

Le colonel secoua la tête.

— Non, à moins que ce soit la seule façon. Nous espérons pouvoir les désarmer *psychologiquement*. Laissez-moi vous expliquer. Ils sont fatigués et très tendus. Et probablement un peu malades à cause de l'approche turbulente. De plus, ils ne savent peut-être pas à quoi s'attendre. Ils ont fait leur travail; ils ne désirent que remettre la responsabilité à quelqu'un d'autre. Nous espérons qu'en vous voyant vous affairer autour de l'avion, ils penseront que vous êtes des Palestiniens. Vous avez l'air de Palestiniens. Et, ajouta-t-il en souriant, vous sentez comme des Palestiniens. Et n'oubliez pas: seulement ceux qui parlent l'arabe monteront dans l'avion. Nous croyons donc qu'ils penseront être là où ils *voulaient* être, c'est-à-dire à El Maghreb. Si cette opération doit réussir, le tout se jouera dès les premiers moments. Nous devons monter dans l'avion sans hésitation; nous agissons sous les ordres directs d'Allah. Nous entrons. Nous enlevons le Pape; puis nous escortons les pirates à l'extérieur de l'avion, nous les félicitons pour du travail bien fait et nous les faisons monter dans les camions. J'escorterai d'abord le Pape dans le premier camion. Nous reviendrons ici dans le hangar. Les deux autres camions sont réservés aux pirates. Ils seront aussi amenés ici. Un comité d'accueil les attendra. Une équipe restera dans l'avion avec les passagers. Quand le Pape et les pirates seront descendus de l'avion — et *seulement* à ce moment-là — nous dirons la vérité aux passagers. Voilà pour le plan de base. Y a-t-il des questions?

Les visages devant lui arboraient des expressions qui allaient de l'incrédulité légère au pessimisme catégorique.

— Colonel, pensez-vous *vraiment* que les pirates se croiront à El Maghreb?

— Il est possible qu'aucun d'eux n'y soit jamais allé. Dans une telle tempête, il est presque impossible de distinguer une piste abandonnée d'une autre.

— N'est-il pas possible que les pirates s'attendent à rencontrer une certaine personne à leur arrivée? Je veux dire, cette opération semble si bien organisée qu'ils ont sûrement dû planifier l'arrivée à l'aéroport?

— Peut-être. Nous n'avons aucun moyen de le savoir. Mais n'oubliez pas la tempête. C'est le facteur qui rend presque tout possible. Si nécessaire, nous dirons que le premier comité d'accueil s'est égaré. Il faut que vous ayez tous l'air d'avoir *vraiment* affaire à être dans cet avion. Toute hésitation, toute incertitude créera immédiatement un doute. Dieu seul sait ce qui pourrait alors arriver.

— Il est possible, Monsieur, qu'ils tirent sur nous dès que nous approcherons de l'avion.

— C'est vrai. Attendez-vous à l'inattendu.

— Monsieur, notre mission première est-elle de protéger le Pape ou les passagers?

— Si nous pouvons faire descendre le Pape de l'avion, nous aurons résolu le principal problème. Le danger c'est qu'il pourrait y avoir un ou deux pirates dans l'avion qui réaliseront ce qui s'est passé une fois le Pape sorti. Je vois un tel individu tenir les autres passagers en otage et menacer de faire sauter l'avion. Il est donc vital de les neutraliser tous. Rapidement. Ce qui complique les choses, c'est que nous ne savons pas où ils sont dans l'avion. Nous pouvons cependant faire des hypothèses. Il y en a au moins un dans la cabine de pilotage pour surveiller les pilotes. Il y a aussi cinq agents du Service Secret américain à bord. Nous devons assumer qu'ils sont tous sous surveillance. Comptons donc un autre pirate. Il est possible qu'un ou plusieurs agents du Service Secret soient encore dissimulés parmi les passagers. Ils pourraient nous aider, mais vaut mieux ne pas compter sur eux. Black September a fait de l'excellent travail et je suis certain que les organisateurs n'ont pas oublié les agents qui voyagent toujours sur de tels vols. Il y aurait un ou deux pirates pour surveiller les passagers. Dieu seul le sait. Il faut créer une atmosphère qui invitera les pirates à se détendre. Ils croient que leur travail est terminé. Ils seront transportés de joie par leur victoire et se révéleront peut-être d'eux-mêmes . . . du moins je l'espère. Nous n'aurons qu'à réunir ces cons et à les amener faire un tour. Il vous faudra de l'*élan* pour gagner la partie. Vous entrez; vous prenez le pouvoir; ils se détendent et montent dans nos camions.

— Colonel, n'y a-t-il pas un danger de retenir nos coups de feu trop longtemps?

— Bien sûr. Mais je ne peux vous donner un horaire. Chacun de vous devra décider quand tirer, si c'est nécessaire. Je compte sur chacun de vous. N'oubliez pas qu'au premier coup de feu, la partie est terminée. J'espère que nous pourrons tout faire sans tirer. Mais il faut être réaliste. Il pourrait y avoir un massacre.

— Assurons-nous que ce sera le sang de Black September qui coulera, dit un des commandos avec un sourire forcé.

Un autre homme leva la main.

— Colonel, où se garera l'avion?

Le colonel pointa vers le champ, battu par le sable.

—L'avion atterrira dans cette direction — du nord-ouest au sud-est. Un de nos camions attendra au bout de la piste. Le sergent Herzog a accepté de nous aider. Il indiqua un homme robuste dans un des coins du hangar. Il est signaleur; il porte des bâtons lumineux pour signaler le pilote et lui indiquer où rouler. Nous dirigerons l'avion de l'autre côté de la base et nous le garerons près de la clôture. Une route directe. Rien à gagner en laissant voir plus qu'il ne le faut aux pirates.

Dès que l'avion s'arrête, nous agissons. Souvenez-vous que l'avion est rempli de gens innocents et terrifiés. Nous leur dirons de demeurer assis, mais Dieu seul sait s'ils obéiront. Certains paniqueront peut-être et essaieront de descendre de l'avion, et je dois dire honnêtement que je ne les blâme pas. Je vous demande donc presque l'impossible. Ils sont tous dans cet avion depuis plus de douze heures. Ils sont tous nerveux et crispés. Les pirates et les otages. Il y a peut-être déjà des femmes hystériques. Des hommes aussi. Il vous faudra être alertes. Il sourit pour s'excuser. Et c'est peu dire.

— Colonel, un commando montra la tempête, comment diable atterrira cet avion avec cette maudite température?

— Ça, répondit le colonel, c'est le problème du pilote.

Chapitre 20

8h31, heure de Greenwich
Au-dessus du sud d'Israël
à 31°18′ de latitude nord
et 34°45′ de longitude est

Au début, la turbulence était insignifiante. Une poussée, un léger tangage. Mais plus le 747 s'enfonçait dans la tempête, plus le vent devenait furieux. Le soleil s'estompa en une lueur jaune. L'avion vacillait gauchement. Puis les coups vinrent en une succession rapide. Le 747 glissait, berçait, comme un camion lancé à toute vitesse sur une route pleine de bosses et de trous. La structure grognait, absorbant des coups soudains et violents qu'elle dirigeait de pièce en pièce, en les répartissant, en les divisant et les subdivisant pour les apprivoiser. À travers la poussière et le sable, les passagers ne pouvaient que fixer avec horreur les ailes géantes fléchies, leurs quatre turbines qui vibraient sous elles et les pylônes fragiles qui tremblaient. Ils n'étaient pas assez solides; c'était facile à voir. Il était impossible de subir cette torture tout en demeurant en une seule pièce; dans un instant, l'avion allait se désintégrer en des milliers de fragments futiles.

L'équipage avait l'impression de frapper un mur — un mur magique qui s'ouvrait sans cesse au dernier scintillement d'un instant. Le mur devint une porte de sable dansant et de poussière ...et devant eux, d'autres portes, d'autres murs. Pas d'horizon; ni de haut, ni de bas; rien que du sable. Sur le tableau de bord, la position des aiguilles silencieuses était la seule façon de connaître l'altitude, la position et la vitesse de l'avion.

— Passons onze mille, annonça Jensen.

Mallory acquiesça. La vitesse fut graduellement réduite.

A.C. Ross? Qui était-ce? De quoi parlait ce contrôleur israélien?

— Passons dix mille.

La tempête s'adoucit pendant un instant. Ils volèrent à travers une oasis d'air calme. Un ruissellement de soleil déchira un sentier à travers la poussière et se percha sur le nez du 747. La vision rapide d'un sol sec et poussiéreux. Puis, plus rien. Le sable les enveloppa. Le soleil disparut. Un poing de fer sembla s'abattre sur l'aile droite. Le 747 tangua, se redressa et tressaillit encore en s'enfonçant à travers la turbulence.

Il voulait regarder derrière lui pour voir ce que faisait Fadia. Mais non. Ignore-la. Ne fais rien qui lui montrerait qu'elle a de l'importance. Elle ne s'amusait probablement pas plus que les autres passagers. Il lui fallait agir normalement, tout faire avec désintéressement.

Connaissait-elle la fréquence de la tour d'El Maghreb?

Il n'y avait qu'une façon de le savoir sans lui demander.

Il se mit à la fréquence de Ramat Shamon. Il attendit pour voir si elle s'apercevrait qu'il n'avait pas la bonne fréquence.

Aucune réaction.

Tout allait bien. Mais que ferait-il si elle s'en apercevait? Que pourrait-il faire? Que pourrait-il dire? Il essaya de penser. Rien. Au diable. Il espérait le meilleur, il espérait qu'elle n'ait rien vu.

Vitesse réduite à deux cent quarante noeuds.

A.C. Ross. Le nom lui semblait familier mais il ne le remettait pas.

Ross, Ross, Ross. Sa mémoire jouait avec l'énigme, sassant les fragments accumulés depuis des années. Puis il trouva. Ce n'était pas du tout A.C. Ross. C'était A/C Ross. A/C-Aircraftsman (soldat de deuxième classe). Aircraftsman

Ross. Le nom qu'avait utilisé T.E. Lawrence quand il s'était joint au Royal Air Force après la Première guerre. Et son nom de plume pour «The Mint» — un livre au sujet duquel Mallory et Henderson s'étaient disputés lors d'un cocktail quelques années plus tôt. Une discussion longue et passionnée. Nan était furieuse. Henderson a *sûrement* dû se souvenir de l'incident et en a fait la suggestion à Tel-Aviv. T.E. Lawrence. Lawrence d'Arabie! — l'homme qui se déguisait en Arabe! Voilà! C'était sûrement ça! Les Israéliens s'étaient déguisés en Arabes et attendaient l'avion à Ramat Shamon! Et, à bien y penser, le contrôleur jordanien était sûrement un Israélien qui communiquait sur une de leurs propres fréquences. Évidemment!

Il se sourit à lui-même. Dommage de ne pas pouvoir transmettre la bonne nouvelle à Jensen et Nowakoski. Vraiment dommage. Mais trop risqué.

Le sable semblait plus dense, plus solide. Mais Mallory se dit que c'était simplement plus sombre en bas, là, plus près de la terre, plus profond dans cet océan de sable, plus loin du soleil — peu importe où c'était.

Un gars intelligent ce Henderson. Drôlement brillant, à bien y penser.

— Volets un, commanda-t-il.

Jensen plaça le levier dans le premier cran.

Les signaux d'identification en morse venant du radiophare avaient un rythme plaintif. Mallory baissa le volume. Inutile d'aider Fadia à découvrir que l'avion se dirigeait vers la mauvaise base. Il regarda l'aiguille de l'ADF qui lui donnait automatiquement la direction du radiophare. Le récepteur du 747 captait assez clairement le signal de Ramat Shamon, mais la violente turbulence l'empêchait presque de suivre une ligne droite. L'aiguille essayait frénétiquement de compenser les coups que subissait l'avion. Mais une fois le trajet corrigé, un autre coup faisait tanguer le nez de l'avion. Un peu plus de confusion. Et même quand l'air devenait momentanément calme, l'aiguille semblait trembler d'anticipation pour le prochain coup. Avec une visibilité normale, la turbulence n'aurait pas créé un aussi grave problème puisque la piste serait éventuellement apparue. Cependant, dans le simoun, le 747 pouvait facilement manquer la piste d'un mille, d'un côté ou de l'autre. Une part d'habileté, une part de présomption, une lassante présomption pour essayer d'interpréter la bonne direction d'après les vacillements de l'aiguille.

Il réduisit la vitesse à deux cent vingt noeuds.

— Volets cinq.

Jensen plaça le levier au deuxième cran. Sur le tableau, une lumière verte clignota, indiquant que les volets s'étaient complètement ouverts.

— Deux cents noeuds.

— Volets dix.

Mallory sentait l'avion changer de position à mesure que les volets massifs s'abaissaient et s'élevaient. Il redressa les leviers pour maintenir son altitude.

Un généreux scotch sur glace aurait été bien accueilli.

La carte topographique ne montrait que les points saillants du terrain. Dieu seul savait quels obstacles pourraient résider dans la phase d'approche. La base était abandonnée; il n'avait pas à se soucier des avions pendant l'approche finale... Il confirma mentalement sa décision de ne pas descendre à moins de cinq cents pieds avant de voir la piste.

Si jamais il la voyait.

Ses yeux lui faisaient mal à force de fixer l'aiguille tremblante de l'ADF. À côté de lui, Jensen regardait la tempête; encore combien de temps avant qu'il ne devienne complètement hypnotisé?

L'avion s'abaissa soudainement, frappé par un féroce courant d'air. Un instant plus tard, il s'éleva, transporté par un courant aussi féroce. La charpente de métal craqua plaintivement. Les aiguilles sur le tableau vibrèrent; pendant un instant, elles furent indéchiffrables. Il soupira. Quelques repas furent sûrement restitués dans la cabine des passagers.

Encore cinq milles avant le phare... plus ou moins.

Il alluma l'enseigne «Défense de fumer».

Aucun son de Fadia. Et si elle devenait malade? L'occasion de la désarmer? Non, oublie ça. Pense plutôt à atterrir.

Il défit son col et s'essuya le cou d'une main. Il était trempé. Il était peut-être trop *vieux* pour ce genre de jeu. Mais à quel point l'expérience accumulée était-elle dépassée par des réactions plus rapides et une meilleure vision? La compagnie devrait construire ses pilotes, pensa-t-il. Des pilotes de $6 millions: des cerveaux de 90 ans, des corps de vingt ans. Jésus-Christ, se dit-il, *concentre-toi!*

Le seul bon point de cette tempête était que les pirates ne voyaient pas plus que lui. El Maghreb? Ramat Shamon? Pourquoi pas Kennedy ou Heathrow...?

Le Pape priait-il en ce moment? Il l'espérait. Toute assistance était gracieusement acceptée...

— Nous devrions être arrivés, observa catégoriquement Jensen.

L'aiguille de l'ADF trembla.

Elle indiqua abruptement 180 degrés. Ils étaient au-dessus du phare. Plus ou moins.

Mallory vira le gros avion dans une direction de trois cent dix degrés.

— Volets vingt.

La vitesse descendit à cent quatre-vingt noeuds quand les volets s'ouvrirent à vingt degrés, créant un immense obstacle au vent. Mais il n'y avait toujours rien d'autre à voir que mur après mur de sable dansant. Et rien d'autre à ressentir que des coups et des poussées.

Trois mille pieds. Amorcer le vol en palier.

Toujours à trois cent dix degrés.

Y avait-il encore un monde de l'autre côté du sable? Il comprenait maintenant pourquoi d'autres étaient devenus fous dans des tempêtes de sable. C'était déjà assez terrible dans le confort climatisé et pressurisé de la cabine d'un 747. Dieu seul savait comment c'était à l'extérieur.

Mallory fit dix milles au compteur de son point de virage. Puis il pencha vers la droite, à trois cent cinquante-cinq degrés.

Redresser. Une minute à 355.

Descendre à deux mille deux cents pieds.

Ensuite, renverser vers la gauche.

Redresser à cent soixante-quinze degrés.

Puis le dernier virage de l'approche finale, à cent trente degrés en direction de l'aéroport.

— Descends le train d'atterrissage, volets trente, Cliff.

Jensen acquiesça en activant les systèmes.

— Train d'atterrissage en descente, Capitaine... volets à 30 degrés... lumière verte... M. Jensen était compassé.

— Contrôle final, Joe.

— D'accord, Capitaine, vint la voix de Nowakoski.

Freins automatiques, allumage, enseignes de cabine, freins de vitesse, train d'atterrissage, volets, ...

L'échange familier de détails techniques était curieusement rassurant.

— Contrôle final complété, Capitaine.

— Merci. Mallory ralentit encore; le 747 s'enfonça plus bas dans le jaune. À sa droite, Jensen, penché en avant, essayait de voir quelque chose, n'importe quoi, au sol.

Il fixa la vitesse à 145 noeuds et commença sa descente. D'après ses calculs, la piste était directement devant lui, à moins de dix milles.

— Garde les yeux ouverts, dit-il inutilement à Jensen.

— D'accord.

Mains moites et glissantes sur les leviers. Lèvres sèches. Goût âcre dans la bouche. Piquements aux aisselles. Pour l'amour du Christ, pourquoi un dessous de bras choisissait-il précisément ce moment pour piquer?

Vitesse de descente: huit cents pieds à la minute.

Nerfs totalement tendus.

— Cliff, pour l'amour du Christ, surveille le radioaltimètre Je ne veux pas descendre plus bas que cinq cents pieds avant de voir la piste.

— Encore mille pieds, Capitaine.

Encore rien que du sable: une incessante parade de milliards de grains de cette maudite substance. Une pensée ridicule lui vint soudainement: les gars du service de la maintenance allaient être très fiers de lui après ce voyage; les lames des turbines sont brillantes; le sable les a complètement nettoyées.

Mais après ce voyage, la maintenance ne pourra peut-être

plus rien faire pour cet avion.

Encore trois minutes.

Ridicule.

Toute cette affaire était ridicule. Tâtonner dans la noirceur à bord d'un avion de deux cents tonnes... Les yeux jouaient de vilains tours. Le sable devint une énorme tour, un clocher, la Tour de Londres, le domaine de Hugh Hefner, un autre avion se dirigeant vers une direction opposée, venant juste de décoller de la piste en question...

Il aurait dû dire à cette maudite Arabe d'aller se faire foutre et tout abandonner; il n'avait pas le droit de mettre en danger la vie du Pape et des passagers en essayant d'atterrir dans ces conditions.

Encore deux minutes.

Dieu, le sol devrait être visible maintenant.

Où était-il, diable? S'il vous plaît...

— Je ne vois rien, murmura Jensen, les mains agrippées au tableau comme pour parer l'inévitable impact.

— Tu n'es pas le seul, dit Mallory. Sa voix était étrange. Métallique.

— Cinq cents pieds.

— Ouais.

Cinq cents pieds. L'altitude magique. Pas plus bas! Augmenter la vitesse pour maintenir cette altitude.

La turbulence était meurtrière près du sol. Mallory sentit sa tête bondir de l'avant vers l'arrière alors que la cabine trembla. Chaque muscle métallique du 747 se froissait. Et se plaignait. Et souffrait. Le 747 surmonterait-il le coup? Les systèmes continueraient-ils d'opérer? Il devait bien y avoir des limites, pour l'amour du Christ...

Le Stearman faisait parfois des bruits comme ceux-ci...

Jensen pointa soudainement.

— Là! Je la vois! Cent trente — mais vous êtes trop haut!

Mallory aperçut à peine la bande de béton. À sa droite, à moins d'un mille. La vision rapide d'une piste de béton et d'un bâtiment ou deux. Inutile d'essayer... Trop haut... Trop près pour un tel virage...

— Impossible!

Il avança les leviers.

— Volets vingt!

— Compris.

Après une agonisante pause, les énormes moteurs livrèrent leur puissance. Mallory éleva le nez du 747 à quinze degrés.

— Montez le train!

— Train en montée.

— La maudite base est au moins... là!

Jensen souriait comme si tous ses problèmes avaient pris fin. D'une certaine façon, pensa Mallory, il aurait été plus en sécurité si la base n'était pas apparue. Il n'y aurait alors pas eu d'hésitation pour choisir un autre aéroport. Il fallait maintenant répéter toute cette agonisante manoeuvre. Et, pour rendre les choses plus difficiles, il n'avait vu aucun signe de vie. Il y avait toujours la tenaillante possibilité qu'il atterrisse sur une base abandonnée — en Israël. Seigneur, A.C. Ross était peut-être le gérant de la station Trans Am à Tel-Aviv et il l'avait peut-être rencontré il y a cinq ans et ce n'était peut-être rien de plus qu'un mot de bonne chance et...

N'y pense pas! C'est un ordre!

— Les radiophares ne sont d'aucune utilité dans cette sale température!

Jensen approuvait fébrilement. Fini le sourire. Encore un peu sonné.

— Pas assez de précision.

— C'est vrai.

Mallory se mit sur le pilote automatique et prit un vol d'attente au nord du phare à cinq mille pieds. Ça devrait être suffisant, pensa-t-il.

Mallory s'enfonça dans son siège. Il soupira. Ses yeux étaient fatigués et irrités. Il devait y avoir une autre façon d'effectuer cette approche.

Il demanda à Nowakoski de vérifier le combustible.

Le renseignement était inquiétant. Nowakoski avait l'air de s'excuser, comme s'il était responsable du niveau dangereusement bas du combustible.

— Assez de jus pour un autre essai, Capitaine. Mais si nous

ne descendons pas bientôt, nous aspirerons des vapeurs d'essence.

Et mangerons les pissenlits par la racine, songe macabrement Mallory.

* * *

Le bruit du jet était assourdissant — mais on ne pouvait pas encore voir le maudit avion. C'était comme si le bruit lui-même volait tout autour d'eux. Le vacarme semblait surgir de partout simultanément. Était-ce un escadron de jets qui s'abattait sur la base?

Un soldat pointa.

— Là! Le voilà!

Le colonel aperçut une partie de l'avion. Les ailes berçantes, il se matérialisait comme un accessoire dans un tour de magie; puis il disparut encore, avalé par la tempête.

— Il n'était même pas près de la piste!

— Il va sûrement essayer encore.

Le colonel se tordit de douleur en recevant du sable dans un oeil. Il retourna dans le hangar en blasphémant.

— Il a manqué son coup, observa le Sergent Herzog, le signaleur.

— Espérons qu'il réussira cette fois-ci.

Le Sergent Herzog fit un signe de la tête. Il avait un visage triste; il aurait dû être commis junior dans un bureau de comptables et non technicien dans un aéroport.

— Les camions de pompiers et les ambulances ont dû se perdre, huh?

— Ils seront ici, dit le colonel.

— Je ne m'y fierais pas, dit tristement le Sergent Herzog.

Le vent soulevait le sable en volutes étranges autour des portes du hangar. Les tourbillons s'infiltraient à l'intérieur en rampant jusqu'à ce que les commandos les écrasent sous leurs bottes.

Le colonel avait envoyé un des camions au coin nord-ouest de la piste, avec l'ordre de stationner d'un côté, les phares allumés. C'était peut-être inutile, mais les phares aideraient peut-être le pilote dans les derniers moments de son approche. Peu probable, mais possible. Ça valait donc l'effort.

Il envoya le second camion au coin sud-est, avec le Sergent Herzog. Quand le boeing aura atterri — s'il atterrit —, il roulera le long de la piste qui ne peut être vue que du hangar, à travers des rideaux de sable et de poussière. Quand l'avion sera visible, il sera temps d'envoyer le dernier camion. Le maudit sable semblait ronger le cerveau. Le colonel se sentit bâiller. Il couvrit son bâillement de la main, en espérant ne pas avoir été vu. Dieu merci, les photographes de l'armée n'étaient pas encore arrivés. Ces enfants de chienne auraient sûrement immortalisé ce bâillement sur film. Un homme pourrait passer le reste de sa vie à expliquer une telle situation . . .

Il prit une grande respiration pour se réveiller. Il grimaça. L'air avait un goût de poussière.

L'équipe radio se tenait dans un coin du hangar. Leur équipement était posé sur le plancher. Le colonel leur avait ordonné de le laisser tel quel. Il ne leur permit même pas de faire un test. Non, absolument pas. L'interception d'un signal venant d'un lieu supposément abandonné pourrait faire échouer cette opération avant même qu'elle soit commencée. Aucune communication avec le monde extérieur jusqu'après . . .

Il se demanda s'il y aurait un après pour lui.

Ce n'était pas la première fois qu'il contemplait la nette possibilité de sa mort imminente. Ça ne le troublait pas. Il acceptait les risques de sa profession; certains soldats étaient plus fortunés que d'autres; c'était aussi simple que ça.

Que faisait Black September en ce moment? Attendaient-ils à leur base d'El Maghreb, exactement comme lui? Il y avait la troublante possibilité qu'ils soient en communication avec l'avion. Peut-être qu'ils se demandaient déjà pourquoi ils ne l'entendaient pas s'il était si près de la base . . . Peut-être même que, le subterfuge découvert, des fusils étaient déjà pointés vers les visages de l'équipage . . . Il trembla. De telles conjectures n'étaient d'aucun secours.

Les hommes attendaient, regardaient, en tenant leurs fusils d'une façon naturelle, instinctive, comme une mère tient son enfant. Le colonel croyait que ses soldats étaient les seuls au monde à pouvoir réussir ce tour. Il ressentait beaucoup d'affection pour eux.

Il pensa encore une fois aux détails.

En assumant qu'il pourrait ravir le Pape aux terroristes, comment devait-il se comporter avec lui? Le Pontife était un homme âgé. Il lui faudrait être doux mais assez ferme pour que les terroristes ne se doutent de rien. Un moment très délicat.

Il soupira. Il ferait ce qui lui semblerait indiqué à ce moment-là.

Avait-il oublié de mentionner quelque chose à ses hommes? Il ne trouvait rien. Ils avaient absorbé le message, les faits, les risques. Ils y pensaient, chacun d'eux se rassurant, organisant ses actes avant qu'ils ne deviennent imminents.

Le Sergent Herzog se tenait près des portes du hangar, regardant à l'extérieur comme s'il s'attendait à une pluie de balles. Il avait demandé au colonel si ses services seraient encore requis une fois le 747 posé. Le colonel lui avait répondu que non. Le Sergent Herzog sembla soulagé. Difficile de lui en vouloir. Ses seules armes étaient les deux bâtons avec lesquels il guiderait l'avion.

Une jeep fit un arrêt grinçant à l'extérieur du hangar. L'équipe de photographes était arrivée. Leur présence irritait le colonel. Comment ces maudits photographes avaient-ils trouvé l'emplacement alors que les ambulances s'étaient égarées?

— Si vous montrez le nez trop vite, je vous fais personnellement sauter! Compris?

Oui, ils avaient compris.

* * *

— Que faites-vous, tournez-vous en rond?

Respirant fortement, le front blême et en sueur, Fadia s'agrippa au siège de Mallory pour tenir en place dans la cabine qui bondissait et tanguait.

— Vous feriez mieux de rester assise, lui dit Mallory.

La remarque l'enragea. Elle pointa le revolver vers son visage.

— Atterrissez! Maintenant! Ne vous amusez pas!
— Je vais atterrir, jappa Mallory. Il faut atterrir à la prochaine tentative sinon... Nous avons gaspillé beaucoup de combustible pendant cette approche manquée. On ne peut se permettre un autre échec. Comprenez-vous ça?
— Bien sûr que je comprends.
— Bon, alors j'essaie de trouver une meilleure façon de le faire. Et vous me faites gaspiller mon temps et mon combustible. Asseyez-vous et fermez-la!
— Vous... Elle eut momentanément l'air de vouloir rétorquer violemment. Puis elle se ravisa et retourna à son siège.
— Vous serez plus en sécurité là, dit Nowakoski sur un ton presque amical.
— Ferme ta sale gueule!
— Bon, bon. Il sourcilla, blessé.
Le système de navigation inerte (INS), pensa Mallory. Une possibilité? Il réfléchit. Le système était censé guider les avions autour du monde et non leur fournir une escorte jusqu'à un point précis comme une piste inconnue dans une horrible tempête. Mais il pourrait peut-être servir... Il n'y avait pas d'assistance électronique à Ramat Shamon et le radiophare était presque inutile alors, il *fallait* faire quelque chose...
L'avion était équipé de trois systèmes de navigation inerte (INS). Un était situé devant lui, à sa droite — et donc largement caché de la vue de Fadia. Il consulta la carte et détermina précisément la longitude et la latitude du radiophare. Il enregistra l'information sur le clavier de l'INS. Il assuma que, puisqu'elle ne savait ni le numéro de la piste d'El Maghreb ni la fréquence du radiophare, elle ne comprendrait sûrement pas la complexité des procédures de navigation inerte. Fadia ne réagit pas. Elle ne semblait pas le soupçonner. Elle ne remarqua pas que Mallory avait programmé l'ordinateur de l'INS pour une destination israélienne.
Mallory dégagea l'autopilote et tourna encore une fois vers le radiophare.
En fonçant avec détermination à travers la tempête, à cinq mille pieds, l'énorme machine ajusta ses ailes et suivit sa nou-

velle direction.

Mallory se caressa le menton.

Il *fallait* que ça réussisse. Il avait dit la vérité à Fadia: il n'y avait pas assez de combustible pour un troisième essai. S'il échouait cette fois-ci, les derniers gallons de kérosène seraient consommés pendant la descente, alors qu'un 747 consomme plus de combustible qu'à une vitesse de croisière normale.

Une pensée déplaisante. Personne n'avait jamais fait un atterrissage forcé en 747. Il secoua la tête comme s'il ne voulait pas y penser.

L'aiguille de l'ADF recommença à serpenter. La regarder lui donnait mal aux yeux. Mais il devait la regarder. Ah... elle fit claquer le 180 degrés. En même temps, Mallory pressa le bouton «Insert» sur le clavier de l'INS. Il informait ainsi le cerveau électronique de la position précise de l'avion pour que les erreurs inévitables qui s'accumulent pendant un vol soient effacées. Il introduisit ensuite la longitude et la latitude de l'aéroport, optant pour une approche finale de cent trente degrés, la direction de la piste 13 de Ramat Shamon. Théoriquement, l'INS conduirait, à travers l'obscurité, le 747 à son rendez-vous avec la piste. Avec cette précision additionnelle, Mallory décida de descendre à une altitude plus basse au moment de son approche finale, deux cents pieds... jusqu'à l'apparition de la piste.

Mallory ferma les yeux pendant un bon moment afin de les reposer pour l'énorme tâche qui l'attendait. L'INS lui donnerait la distance précise de l'aéroport, en dixièmes de mille. Il pourrait donc théoriquement mesurer la vitesse de sa descente avec précision. De grandes questions demeuraient sans réponses. Verrait-il la piste à temps? La tempête serait-elle violente à l'atterrissage? Et pourrait-il poser l'avion sur la première partie de la piste pour qu'il y ait encore assez de béton pour arrêter cette masse en trombe?

Et la piste supporterait-elle le poids du 747?

Et...

Mon Dieu, non; assez de questions sans réponses.

Dix milles avant le phare. Mallory tourna à trois cent cinquante-cinq degrés.

Volets, engrenages, freins, enseignes de cabine...

Le 747 virait maintenant à gauche, dépassant cent quatre-vingts degrés pour se diriger vers la phase finale d'approche.

* * *

Squires resserra sa ceinture de sécurité et regarda au plafond, en essayant de se convaincre qu'il faisait un tour à dos d'éléphant en Inde, perché sur le *howdah,* personnage royal, objet d'envie et d'admiration, saluant charitablement les paysans. Le rêve devenait presque réalité. Les mouvements du 747 ressemblaient à ceux d'un éléphant. Il pouvait presque sentir le curieux mélange d'encens et de merde d'éléphant; une princesse indienne était soudainement à ses côtés dans le *howdah,* les yeux remplis d'admiration...

Mais Mme Lefler choisit précisément ce moment pour annoncer qu'elle ne se sentait pas bien.

Squires l'assura que tout irait bien.

— Je ne crois pas, dit-elle. Elle devint d'un gris jaunâtre. Elle se tourna vers Squires et s'apprêta à dire autre chose.

Mais elle n'en eut pas le temps. Dans une violente convulsion, elle démontra à quel point elle ne se sentait pas bien.

Pour une fois, Squires resta muet.

Reprenant ses sens remarquablement vite, Mme Lefler murmura des excuses et se mit à tamponner la veste de Squires avec un mouchoir de papier.

— Ça va disparaître, l'assura-t-elle.

— *Disparaître?* dit-il. *Ça?*

— Bien sûr, répliqua-t-elle nullement décontenancée.

Il sentit ses mains prendre la forme de la circonférence du cou de Mme Lefler. Il n'avait jamais senti le désir de tuer surgir si fortement dans ses veines.

— Excusez-moi, jappa-t-il en défaisant sa ceinture de sécurité.

Il se leva et se dirigea vers le cabinet de toilette.

Il avança d'environ six pieds.

Puis l'avion tangua. Ses jambes cédèrent. En un instant, il s'écrasa au plancher, roulant près des jambes d'un homme obèse.

Une hôtesse se mit à crier après lui.

— Il ne faut pas vous lever, Monsieur!

— Quoi? Il était sonné.

— Les règlements, Monsieur! Vous pourriez vous faire tuer en vous promenant dans cette turbulence!

— Mais ma veste!

L'avion tangua encore. Squires se sentit soulever du plancher comme le partenaire féminin d'une danse apache. Il s'agrippa frénétiquement à la prise la plus rapprochée. La jupe de l'hôtesse. Elle se déchira mais l'empêcha d'être projeté au plafond. Squires se retrouva drapé au-dessus d'un siège, la tête entre les genoux d'un passager.

Des mains l'empoignèrent et le jetèrent dans son siège. Sa ceinture fut remise autour de sa taille.

— Merci... merci, haleta-t-il, essoufflé. Dieu, on pourrait être tué dans cet engin infernal! Il ferma les yeux. Très serrés. Sa santé mentale allait claquer comme une bande élastique trop tendue. Faisait-il un épouvantable cauchemar? Une indigestion mentale? Il ouvrit les yeux. Non, malheureusement, le tube qui balançait était encore là, encore rempli de gens, encore puant de vomissures. La chambre de torture volante. Et Mme Lefler était encore là. Et elle parlait encore, disant qu'elle se sentait mieux et que ce gâchis disparaîtrait sûrement très rapidement.

Le soûlard, de l'autre côté de l'allée, présenta sa bouteille.

— Non, rien à boire, merci, répliqua Squires.

— Ça calme l'estomac. Êtes-vous déjà allé à Buffalo, New York?

— Pas depuis plusieurs années, heureusement.

— Une ville fantastique.

— Vraiment?

— Ah oui! L'homme grimaça. Qu'est-ce que vous avez échappé sur votre veste?

* * *

— On pourrait qualifier ce premier essai de passe de reconnaissance, Mesdames et Messieurs. Nous voulions regarder la piste et nous assurer que tout était en place pour notre atterrissage. Cette fois-ci, nous atterrirons. La descente sera cahoteuse jusqu'au sol alors, attachez vos ceintures aussi serrées que possible. Nous allons atterrir dans quelques minutes. Ne vous alarmez pas si le choc de l'atterrissage est un peu plus violent qu'à l'habitude. Dans ces conditions, il est important de placer l'avion fermement sur le sol pour échapper aux vents. Et je dois aussi vous rappeler, Mesdames et Messieurs, de rester dans vos sièges après l'atterrissage. C'est un point vital pour la sécurité de *tous* les passagers. Alors, patientez encore quelques minutes et nous serons de nouveau sur notre bonne vieille planète Terre. À bientôt.

Jensen s'agita inconfortablement sur son siège et regarda sa montre.

— Sommes-nous en retard?

Jensen sourit de travers.

— Je me demandais seulement quelle heure il était à la maison. C'est stupide.

Non, pensa Mallory, pas du tout stupide.

— Encore cinq milles.

Mallory hocha la tête, ses yeux bondissant d'une aiguille à l'autre, vérifiant la vitesse, le train de descente, l'altitude et la position. Le 747 était bien préparé pour sa descente, du moins aussi bien qu'il pouvait l'être en s'enfonçant à l'aveuglette dans ce maelstrom. Avec de la chance, il toucherait la piste dans deux minutes.

Deux minutes vitales. Il fallait réussir cette fois. Impossible de tenter une autre approche.

Je t'en prie, INS.

Mais même si l'INS collaborait, il pourrait ne pas voir la piste.

Et alors quoi?

Et si tout ce branle-bas avait affecté la précision de l'INS? Ce n'était qu'une machine, pour l'amour de Dieu; ces gyroscopes et ces accéléromètres délicatement balancés avaient leurs limites...

Il était donc possible que les appareils ne fonctionnent plus précisément. Fort probable même. Mais il ne valait pas la peine d'y penser et de risquer un atterrissage avorté qui amorcerait certainement la fin de sa vie...

On attribuerait sans aucun doute cet accident à une erreur du capitaine. Une tentative démente de la part du capitaine. Une extrême erreur de jugement. Un manque flagrant de sagesse. Les enquêteurs avaient leur propre jargon pour le crucifiement verbal des coupables.

— Quatre milles.

— Belle journée pour un tour d'avion, huh?

— Je n'aurais pas voulu manquer ça.

— Je le savais bien.

Le même sable dansant essayait encore de l'hypnotiser.

La turbulence était maintenant encore plus violente, comme si la tempête avait su qu'il ne lui restait plus que quelques minutes pour essayer de briser l'avion en morceaux.

Sous lui, le plancher semblait craquer. La cabine trembla.

Cet avion, pensa-t-il, aura besoin d'une révision complète. Et moi aussi.

— Encore trois milles, dit Jensen.

L'INS fournissait encore fidèlement les chiffres représentant la distance restante pour arriver à Ramat Shamon.

La piste serait visible d'un moment à l'autre. Il scruta jusqu'à ce que ses yeux lui fassent mal. Pouvait-on blesser ses yeux en fixant trop fortement? Ce n'est sûrement pas le moment idéal pour devenir aveugle, pensa-t-il.

Le sable. Mur après mur de sable. Menaçant, déchirant, envahissant. Plus épais, plus sauvage qu'avant. Jésus-Christ, la maudite visibilité était nulle!

— Merde, je ne sais pas, Capitaine...

Une voix suppliant de tout abandonner. Jensen avait peut-être raison.

— La vitesse descend à un deux cinq...

— Ouais. Un peu plus de puissance.

— Beaucoup mieux. Un quatre zéro. Deux milles.

Jensen se pencha en avant, se mordant la lèvre inférieure.

Mallory se rappela son premier atterrissage. La même tension glaciale. Mais, pour l'amour du Christ, il pouvait au moins voir le sol...

L'INS avait peut-être été débalancé. Il pourrait les conduire droit sur une montagne, nom de Dieu! Un suicide!

— Il doit y avoir une erreur... Jensen pensait maintenant la même chose. Panique mutuelle.

Un mille. Altitude, trois cents pieds.

Mon Dieu, s'il vous plaît, faites apparaître la piste, sinon...

— Là, oui, là!

Directement devant eux. Que Dieu ait le pauvre petit coeur de l'INS!

Et il y avait des lumières — pâles et faibles d'un côté de la piste. Un instant plus tard, Mallory vit le camion derrière elles. Un homme, penché à l'extérieur, agitait les bras.

— Jésus-Christ — sur le nez! Jensen tendit le doigt, souriant, complètement réveillé.

Mystérieusement, la scène sembla s'arrêter pour une fraction de seconde, un infinitésimal fragment de temps. Il n'y avait plus de couleurs; les couches de sable et de poussière les avaient neutralisées. Le camion, l'homme qui agitait les bras, la piste de béton: tout était gris et sans vie, une photo tirée d'un film en noir et blanc.

— Ne bougez pas!

Pourquoi diable avait-il dit cela? Quel autre choix avaient-ils, nom de Dieu?

Pas de doux baisers des pneus sur la piste. Finie la douceur, finie la finesse. Le but de l'exercice était simplement de réunir l'avion et le sol aussi rapidement et aussi fermement que possible...

Le ruban de béton se déroulait sous lui. Sale, strié de rigoles de sable dansant. Le numéro «13» presque illisible, la peinture écaillée et affadie. Des trous, des fossés sur la piste. Trop tard pour s'en inquiéter.

Maintenant!

Le camion disparut derrière lui.

Puissance, «off»! Descente!

Les seize roues du train d'atterrissage absorbèrent l'impact. Et tressaillirent. La structure hurla, agonisa. Les ailes fléchirent comme si l'avion s'apprêtait à décoller de nouveau. Le nez piqua, le train d'atterrissage avant frappant lourdement le sol. Pendant un moment terrifiant, il pensa que la roue avant avait cassé.

Plusieurs passagers pensèrent que l'avion s'était écrasé. Un tel bruit ne pouvait pas être voulu. Puis le soulagement remplaça l'inquiétude. L'avion roulait indubitablement sur une piste. Sur terre. Sur un sol magnifiquement, fantastiquement, absolument solide! Ils avaient atterri!

Les moteurs grondaient maintenant en marche arrière, tirant le monstre rapide, luttant contre sa vitesse colossale. Le vacarme était horrifiant: le sable et la poussière explosaient autour des turbines en furie. Puis, incroyablement, tout sembla terminé; ce n'était plus maintenant qu'un atterrissage normal.

Quelqu'un applaudit. Quelqu'un d'autre cria bravo.

Les autres se mirent à crier et à applaudir. Dieu, que la terre ferme était rassurante! Plus de bonds, plus de coups! Qu'il faisait bon respirer!

Dans la cabine, Mallory opérait les freins sans merci. Ils étaient sûrement rouges, brûlants, criant à l'abus. Mais il n'avait pas le choix. Il ne savait pas combien il lui restait de piste. Il n'en voyait pas la fin; elle se déroulait, un ruban gris et balafré qui disparaissait quelque part.

La vitesse de l'avion fut enfin maîtrisée. Il devint docile, se promenant aussi allègrement qu'un landau de bébé. La fin de la piste apparut.

Un moment de détente. Un seul moment.

— Excellent travail, Steve, dit Nowakoski avec ferveur. Du sacré bon travail.

— Ainsi soit-il, soupira Jensen.

Fadia s'avança.

— Vous avez bien travaillé. Je savais que vous réussiriez. Elle fit signe avec son revolver. Tout le monde reste assis.

Nowakoski l'assura qu'il n'avait aucunement le désir de se lever.

Jensen pointa. Un camion.

Un signaleur se tenait à côté, lui faisant signe avec ses bâtons: le 747 devait tourner vers la droite.

— Vos amis vous attendent, dit Mallory.

— Évidemment, dit-elle. Elle avait un ton plus clair. Le soulagement se voyait dans chacun de ses mouvements. La dernière grande responsabilité serait enfin enlevée de ses épaules.

— Est-ce le terminal? se demanda Jensen à haute voix.

Fadia leur dit de ne pas questionner le signaleur; il fallait lui obéir.

Mallory grimaça, se mordit la lèvre. Quand le 747 s'arrêta, des hommes armés surgirent — et, Seigneur, ils ressemblaient inconfortablement à des guérilleros palestiniens, chacun d'eux portant un *okal* sur la tête et une carabine soviétique AKM 7.62 mm. L'incertitude le rongea. Où avait-il atterri? L'INS l'avait-il amené à des milles de son but? Tout était possible dans ces sales conditions. L'ultime ironie était même possible: l'INS l'avait peut-être conduit directement à El Maghreb.

Il ne voulait pas y penser.

Il dit à Jensen de fermer les moteurs.

Puis il prit le micro.

— Ici votre capitaine, Mesdames et Messieurs. Je m'excuse pour cet horrible atterrissage mais nous n'y pouvions rien. Nous sommes arrivés en Jordanie. Il prit une grande respiration. Dans un endroit appelé El Maghreb. Dans quelques moments, des troupes arabes ou des gens de l'OLP — je ne sais pas qui — monteront à bord de l'avion. Restez assis, s'il vous plaît. Le Pape sera vraisemblablement enlevé de l'avion dans peu de temps. Je vous prie de ne pas intervenir. Vous ne serez d'aucun secours. Nous allons être témoins d'un acte dégoûtant mais nous ne pouvons rien y faire. Je veux insister sur ce fait, Mesdames et Messieurs. On ne se bat pas contre un homme armé avec ses poings ou son sac à main. Nous avons suivi leurs ordres parce que nous n'avions aucun autre choix. Je ne crois pas que les pirates aient encore besoin de nous. Mais nous le saurons très bientôt. Je veux m'excuser pour tout ce que vous avez dû endurer. Je vous remercie de votre courage et de votre patience. Je sais que les dernières heures n'ont pas été faciles pour vous. Vous êtes un groupe extraordinaire. Je ne vous demande qu'une seule chose maintenant: restez assis jusqu'à ce qu'on vous dise de vous lever. Merci. À bientôt.

Jensen et Nowakoski entonnaient les litanies du contrôle de fermeture comme s'il s'agissait d'un atterrissage ordinaire dans un aéroport ordinaire.

— Freins de vitesse?

— Abaissés.

— Volets?

— Relevés.

— Radar?

— Paré.

— Allumage?

— «Off».

Le doigt de Fadia tapa l'épaule de Mallory. Elle lui demanda de donner instruction à l'équipage de la cabine d'ouvrir la porte avant à son commandement.

Il fit signe que oui, préférant ne pas la regarder en face. Il transmit le message à Dee Pennetti via l'interphone.

Fadia donnait maintenant des ordres à ses hommes dans le salon.

L'un d'eux entra dans la cabine de pilotage, brandissant son revolver.

Jensen et Nowakoski continuèrent.

— Leviers de départ?

— Fermés.

— Chaleur?

— «Off».

— Régulateurs d'oxygène?

— «Off».

Un autre camion s'approcha du 747. D'autres hommes armés. Des Palestiniens? Ils en avaient drôlement l'air. Mallory n'avait peut-être déjoué personne. Ils savaient probablement ce qu'il avait fait — et ils avaient envoyé une troupe d'invasion pour occuper Ramat Shamon juste assez longtemps...

Nowakoski dit:

— Contrôle complété.

Le long voyage depuis Rome était enfin terminé.

Chapitre 21

8h47, heure de Greenwich
Le nord de la Californie/1h47

Elle dormit de façon intermittente pendant qu'il conduisait. D'étranges bouts de rêves flottaient dans son esprit. Elle nageait contre d'impossibles courants; elle stationnait son auto puis oubliait où; elle dansait avec un homme à quatre pieds; elle essayait de tirer avec un revolver sans gâchette . . .

Le réveil était toujours un soulagement. Elle cligna des yeux pour en chasser la fatigue.

— Tu as sommeillé.

— Désolée, dit-elle.

— Ça va.

— Approchons-nous?

— Oui, je pense. Nous venons de traverser le Bay Bridge.

— Notre copain doit encore regarder son film.

Il sourit.

Il était presque deux heures. Dans quelques heures, les premiers scintillements de l'aurore seraient visibles au-dessus des montagnes côtières. Une autre journée. La deuxième d'une nouvelle série. Elle ouvrit la radio. Il n'y avait pas encore de nouvelles plus substantielles sur l'enlèvement du Pape. L'avion détourné se dirigeait vers un endroit secret. Selon l'annonceur, Black September s'était déclaré responsable du détournement, mais les demandes des terroristes n'avaient pas encore été rendues publiques. Un autre poste mentionna la nouvelle non confirmée d'une fusillade près de Salinas. D'autres détails suivraient.

Il dit:

— Ils doivent avoir atterri.

— Où?

— En Jordanie.

— Conduiront-ils le Pape dans un endroit spécial?

— Oui.

— Libéreront-ils les autres?

— Oui.

Les lumières d'un avion glissèrent vers l'est dans la noirceur au-dessus d'eux.

Elle pensa à son père. Dieu, s'il savait qu'elle s'enfuyait avec un terroriste de Black September. Et qu'elle *aimait* ça, en dépit de tout. Elle se secoua mentalement. Elle était complètement folle; l'homme était armé et diaboliquement dangereux. Plus rien n'était sain... mais son esprit n'était peut-être plus en état...

Il prit sa main et la serra doucement.

— C'est très déroutant, dit-il.

— Déroutant?

— Je ne sais pas précisément ce qui te rend différente, mais tu es la seule femme qui me remet en question.

— En question?

— Qui remet ma vie en question. J'avais juré que je ne laisserais jamais une femme s'ingérer dans ma vie.

— Et je me suis ingérée?

— Oui. Tu m'as sérieusement fait penser à abandonner ma mission et mes camarades et à m'enfuir avec toi.

À bien y penser, ce n'était peut-être pas si bête d'être ici avec lui; à vrai dire, plus elle y pensait, plus ça l'excitait...

— Allons-y alors, dit-elle.

— Ce serait bien.

Serait? Elle attendait l'inévitable «mais».

— Mais, dit-il, je dois te dire que c'est impossible.

— Pourquoi?

— Parce que je suis ce que je suis et que tu es ce que tu es.

— Mais pourquoi retourner? Elle prit son bras et y promena ses doigts. Tu en as assez fait. Merde, si tu retournes, tu vas te faire tuer. Je ne pourrais pas le supporter.

— Comment saurais-tu que j'ai été tué?

— Je ne sais pas, mais je crois que je le saurais. Je le saurais. Pour l'amour de Dieu, pense un peu à vivre ta propre vie. Viens avec moi.

— Où irons-nous?

— J'y ai pensé. Nous pourrions aller dans les sierras. Louer un chalet pour quelque temps. Personne ne saurait que nous sommes là.

— Combien de temps resterions-nous?

— Je ne sais pas. Une semaine. Un mois. Nous déciderons plus tard.

— Je crois que les gens nous soupçonneraient si nous restions trop longtemps.

— Alors, nous irions ailleurs.

— Où?

— C'est un grand pays. Il y a des millions de cachettes.

— Et nous allons nous installer dans une de ces cachettes et vivre heureux pour toujours?

Sa voix n'était pas du tout ironique. C'était comme s'il voulait vraiment savoir.

— C'est possible, dit-elle.

— Mais la police et le F.B.I. et Dieu sait qui encore seront à ma recherche et ils continueront tant qu'ils ne me trouveront pas.

— Ils ne te trouveront peut-être jamais. Plusieurs personnes n'ont jamais été retrouvées.

Il avait ralenti l'auto. Il roula jusqu'à un accotement et s'arrêta.

— C'est un rêve délicieux, dit-il en prenant son visage dans ses mains pour l'embrasser.

— Nous pouvons le réaliser.

Il soupira et s'enfonça dans son siège.

— C'est extraordinaire, dit-il lentement, doucement. Même dans mes rêves les plus étranges, je n'ai jamais imaginé cette possibilité. J'ai toujours été trop fort pour être distrait par une femme. On m'a appris à caresser et à baiser les femmes puis à les oublier. Et une femme *américaine* en plus!

— Bravo pour nous!

Il esquissa un sourire d'enfant et l'embrassa.

— Il n'y a pas une autre femme comme toi au monde.

— Merci.

Il la fixa.

— Je ne sais pas si c'est un compliment. Tu es une tentatrice. Tu me dévoies.

— Toi aussi.

— Oui.

— J'aimerais le faire encore. Maintenant.

— Maintenant? Ici?

— Pourquoi pas?

— Pour plusieurs raisons.

— Je t'écoute.

— C'est une autoroute et les policiers vont sûrement nous surprendre.

— Et s'ils nous surprennent, dit-elle en agitant un doigt triomphant, ils ne penseront jamais que nous les fuyons.

Il secoua la tête d'admiration.

— Il y a une logique lunatique dans ce que tu dis!

Ils s'embrassèrent encore plus férocement. Sa main prit son sein, ses doigts caressant son mamelon à travers le mince coton de son chemisier. Il se retira soudainement.

— Dieu, je deviens absolument fou! Il rit, un rire énorme. Par contre, c'est une forme de folie très plaisante. Allez, viens; sortons d'ici. Nous conduisons une auto volée. Il faudrait se souvenir de cela. Conduis un peu. D'accord?

— Tu n'aimerais pas mieux rester ici et baiser?

— Bien sûr. Mais il vaut mieux être patient. Il faut que je voie cet homme à North Allwyn.

— Il est si important?

Elle regretta immédiatement sa question. Ça ressemblait trop à un interrogatoire, fouillant pour de l'information, compilant des dossiers et des rapports...

— Il a de l'importance pour moi; il faut que je le voie. Il m'aidera. Il me donnera de l'argent et une autre auto. Nous en aurons besoin si nous voulons nous enfuir d'ici... ensemble.

Son coeur bondit.

— Tu es sérieux?

— Peut-être; je ne sais pas. Il faut que je me cache quelque part. Pourquoi pas dans les montagnes avec toi?

— Mais... cet homme que tu vas voir — sera-t-il d'accord?

— Il n'est pas mon commandant. Il est un sympathisant. Je vais le voir simplement parce qu'il peut dire à mes supérieurs que je suis vivant. Ils transmettront, je l'espère, le renseignement à mon père.

— Et dès que tu auras fini avec lui, nous pourrons partir?

— Oui, absolument. Il sourit. Elle pouvait voir qu'il était heureux.

— Nous trouverons bien un endroit. Elle empoigna solidement le volant, comme si elle s'agrippait à la réalité. Les phares engouffraient la ligne blanche de plus en plus rapidement. Dieu seul savait ce que réservait demain. Au diable. Elle penserait à demain, demain.

* * *

C'était une rue tranquille: des maisons de classe moyenne typiques avec des pelouses astiquées et des voitures de l'année dans des entrées impeccables.

Rien ne distinguait le 1347 des autres. La résidence d'un gérant de magasin ou d'un comptable, pensa Jane quand l'auto ralentit. Un homme d'affaires très ordinaire le jour, un terroriste la nuit...

Ils s'arrêtèrent mais le moteur roulait encore.

Il examina la maison. Elle était plongée dans la noirceur. Jane regarda les fenêtres. Elle crut voir un rideau se tirer.

Il sortit sa chemise de son pantalon et y inséra le revolver, sous sa ceinture.

— Je reste ici? demanda-t-elle.

Il regarda un moment, pensivement. Puis il secoua la tête.

— Non, viens avec moi.

Il s'étira et tourna la clé de contact. Il y eut un claquement quand le moteur s'arrêta, comme si les pièces allaient toutes se laisser tomber. Jane ressentit une étrange affection pour la vieille Plymouth. Elle leur avait bien servi.

— Allons-y.

Elle descendit de l'auto. L'air était sucré et doux. Elle pensa entendre des voix mais ce n'était que le chuchotement des feuilles.

Abou Gabal lui prit le bras. Tendresse? Sécurité? Elle pensa le lui demander mais elle changea d'idée.

— Tout le monde dort, souffla-t-elle.

— J'en doute.

Le crissement du gravier sous ses pieds lui rappela le son des pas dans la neige.

— N'aie pas peur, lui dit-il. La lune marbrait son visage. Il était assez beau pour être sculpté: un parfait équilibre de courbes convexes et concaves, les ombres créant une ligne délicate autour de ses yeux et de sa bouche.

Elle lui dit qu'elle n'avait absolument pas peur; il acquiesça et mit son doigt sur la sonnette.

La porte s'ouvrit immédiatement. Un homme court, d'âge moyen était derrière. Ses cheveux étaient gris mais il avait une épaisse moustache noire. Il portait une robe de chambre pourpre et des pantoufles.

Les deux hommes échangèrent quelques mots en arabe. Il parlait d'un ton bas et prudent, en jetant des regards vers la rue. Puis l'homme leur fit signe d'entrer.

Abou Gabal prit son bras et la guida à l'intérieur.

L'homme la regarda avec un doute qu'il ne cachait pas. Il ferma la porte.

Abou Gabal dit quelque chose à l'homme, il parlait d'elle, il mentionna son nom. L'homme sourcilla mais il ne la regarda pas.

Il les conduisit dans une petite pièce qui ressemblait à un bureau. Un pupitre adossé à un mur, le dessus net, sans papiers, sauf pour un téléphone, une radio et un carnet de notes en cuir. Jane regarda autour d'elle, cherchant vaguement la photo de Yasser Arafat et des affiches condamnant Israël. Mais la seule décoration murale consistait en une paire de gravures, richement encadrées. La pièce avait un air stérile en dépit des meubles, comme une pièce montée dans un magasin.

— Puis-je vous servir quelque chose? demanda l'homme dans un anglais presque parfait.

Abou Gabal secoua la tête.

— Et vous? demanda-t-il à Jane.

— Non, merci, rien. Tout ce qu'elle désirait était de sortir de cette maison au plus vite.

L'homme secouait la tête.

— Une mauvaise affaire, dit-il en anglais à Abou Gabal.

— Vous savez ce qui s'est passé?

L'homme fit oui de la tête.

— Ils ont donné quelques détails aux dernières nouvelles. Tu as été chanceux de t'en sortir vivant.

— Je suppose.

— Tu es certain de ne pas avoir été suivi?

— Évidemment. Abou Gabal semblait irrité par la question.

— Où penses-tu aller?

— Dans les montagnes, je pense.

— Avec elle?

Un signe de la tête.

— Je ne suis pas certain que ce soit sage.

— On peut se fier à elle, j'en suis certain.

L'homme examina ses ongles. Il fit une longue pause. Il recommença à parler en arabe. Son ton était doux mais il mettait beaucoup d'emphase sur certains mots. Abou Gabal l'écoutait attentivement, en grimaçant, peiné par ce qu'il entendait. Le ton devint encore plus doux. Abou Gabal, grimaçant, fixait Jane.

La peur la frappa comme une batterie d'aiguilles.

Il se tourna vers elle. Il ne disait rien. Il la fixait.

— Qu'est-ce qu'il y a?

Il ne disait rien. Sa respiration était cassante et forte; son visage rougissait.

L'homme s'assit à son pupitre et croisa les bras. Une auto passa.

Une horloge sonna.

Abou se retourna puis il s'attaqua à elle.

— Misérable chienne! Il crachait ses mots.

— Que veux-tu dire?

— Tu le sais. Tu le sais drôlement bien.

— Non... merde... je ne sais pas de quoi tu parles.

Il pointa vers l'homme en gardant ses yeux fixés sur elle.

— Il me l'a dit. Le monde entier sait ce qui s'est passé. Le garçon. La cheminée. Ce n'était pas lui qui dormait, n'est-ce pas? Il n'était même pas *dans* la chambre. Et tu le savais! Tu...

— Mais vois-tu...

— Tu m'as distrait. C'était ton travail, n'est-ce pas?

Ses yeux foncés semblaient la transpercer.

— Non... pas un *travail;* ce n'était pas du tout comme ça...

Elle essaya d'expliquer; il fallait qu'il comprenne. Ce n'était pas du tout comme ça, pour l'amour de Dieu, il pouvait sûrement comprendre ça.

Mais il n'écoutait pas.

— Ils sont morts à cause de toi! Mes camarades! Et je commençais à avoir confiance en toi...

— Non, il faut que tu comprennes... s'il vous plaît...!

— Dégoûtante salope!

Elle tendit les bras pour le toucher, pour rétablir le contact qui avait existé entre eux. Mais il sortait déjà son revolver de sa chemise...

* * *

Un homme apparut dans l'allée de gauche du 747. Jeune, foncé, avec une veste sport et une chemise à col ouvert. Il tenait un fusil. Il le pointa vers les passagers, en le balançant lentement et délibérément d'une rangée à l'autre, comme une baguette de magicien. De sa main libre, il déchira les rideaux qui séparaient la section de première classe de la cabine. Derrière lui, des hommes en tenue cléricale le regardaient, les yeux remplis d'appréhension.

Une femme apparut dans l'allée de droite. Une belle, jeune femme. Elle tenait un revolver.

Elle parla avec une voix forte et claire.

— Ceux qui tenteront de se lever de leurs sièges seront tués. Avez-vous compris?

Mme Lefler acquiesça docilement.

Squires trouvait qu'elle ressemblait à une Ursula Andress en noir. Une remarquable ressemblance.

Un homme leva la main comme un enfant d'école qui veut aller aux toilettes.

— Combien de temps allez-vous nous garder ici?

— Jusqu'à ce que nous vous laissions partir, répliqua la jeune femme.

Dialogue du tonnerre, pensa Squires.

Une voix âgée, craquelante d'émotion, se fit entendre.

— Qu'allez-vous faire du Pape?

— Ça ne vous regarde pas.

— Oui, ça me regarde! Comment osez-vous même le toucher? Vous n'êtes pas digne de le toucher!

— Silence!

— Diable! Diable maudit!

Elle éleva son revolver des deux mains et tira. Un seul coup.

Un seul soupir collectif éclata parmi les passagers.

Squires tressaillit. Il entendit la balle siffler au-dessus de sa tête. Elle fit un trou net dans la porte d'une remise.

Il y eut un silence complet, brisé seulement par le sifflement du vent et le grondement des camions à l'extérieur. La jeune femme avait illustré ses intentions. Elle se tourna et se dirigea vers la section de première classe. Elle fit des signes. Deux hôtesses ouvrirent la porte avant de la cabine des passagers, faisant éclater une bouffée de vent sablonneux. Un journal papillonna comme un oiseau blessé.

Squires avala sa salive. Désintoxiquante, cette balle si près de sa tête. Il regarda par la fenêtre de côté. Des camions s'avançaient près du nez du 747; un essaim de personnages louches en sortirent, armés de mitraillettes.

Il essaya de prendre des notes mentales. Il fallait tout remiser et classer mentalement: de l'excellent matériel pour l'émission de Johnny Carson. À bien y penser, toutes les stations de télévision l'inviteraient. Toute cette affaire serait éminemment profitable à sa carrière. Après la pluie...

* * *

En se stabilisant sur le toit du camion, le colonel étira le bras et toucha la peau métallique de l'avion. Ses doigts s'agrippèrent au cadre de la porte. Il se redressa. Le plancher de la cabine n'était qu'à quelques pieds du toit du camion: un rien, Dieu merci, que de sauter à bord de l'avion — ou à l'extérieur.

Les statues se tenaient dans le cadre de la porte au-dessus de lui. Des statues aux visages tendus et épuisés. Leurs yeux le fixaient. Une femme — sombre et belle, sauf pour sa bouche férocement tracée; un jeune homme au regard dur avec une veste sport; tous les deux armés. Une silhouette âgée, enveloppée de robes blanches, la tête haute. Une hôtesse. Quelques visages dans la cabine.

Un regard rapide pour tout absorber.

Il sourit.

Maintenant. Le moment. Être ou ne pas être. Réussir ou échouer. Vivre ou mourir. Les prochaines secondes en décideraient.

— Bienvenue à El Maghreb, dit-il en arabe.

Il espérait que son sourire avait encore l'air assuré et invitant.

La femme tenait un Luger allemand. Une arme impressionnante; elle avait l'air de savoir s'en servir.

Une éternité.

Puis la femme bougea. Elle inclina la tête en acceptant les souhaits de bienvenue. Ses yeux scrutèrent l'activité autour de l'avion. Puis le fantôme d'un sourire parcourut ses lèvres. Sa bouche s'adoucit.

— Nous sommes heureux d'être ici.

Mais elle tenait encore son arme comme si elle pensait devoir s'en servir d'une minute à l'autre. Soupçonnait-elle quelque chose? Ou était-elle simplement prudente?

Il dit:

— La tempête a dû vous compliquer la vie. Vous méritez des félicitations pour avoir si bien rempli votre mission.

— Ce n'était pas un voyage facile, admit-elle.

Le Pape avait un air incroyablement ancien. Mais magnifiquement assuré.

— Je suis persuadé que tout est en ordre.

— Oui. Elle parlait formellement.

Le colonel s'éclaircit la voix. Assez de balivernes.

— Êtes-vous prêts à rendre... votre prisonnier?

Elle regarda le vieillard puis retourna son regard au colonel. Calme. Bien faite. Seins généreux mais pas trop lourds.

— Tout fonctionne comme prévu ici? demanda-t-elle.

— Bien sûr. Le colonel permit à un brin d'impatience de teinter sa voix. Nous sommes ici, n'est-ce pas? Comme prévu.

— Oui. Elle répondait poliment. Vous êtes là.

Un des jeunes hommes se plaça de l'autre côté du Pape.

Le colonel plaça un pied sur l'avion et s'étira pour monter à bord.

— Nous assumons la direction de l'opération maintenant, dit-il d'une voix suffisamment autoritaire. Vous pouvez vous reposer. Vous l'avez mérité...

À ce moment-là, le demi-sourire de la jeune femme disparut.

Ses yeux étaient fixés sur la gorge du colonel.

Dieu! Il réalisa soudainement ce qu'elle voyait! Son étoile de David! Toujours à son cou sur une chaîne en or. Il avait complètement oublié de l'enlever! Elle avait dû sortir de son col quand il s'était hissé à bord de l'avion.

Leurs yeux se rencontrèrent.

Le Luger se pointa vers lui.

Il vit son doigt presser la gâchette et son autre main se diriger en éclair vers une petite chaîne argentée qui pendait à la poche de sa veste.

Il se jeta sur ses jambes pour la faire tomber.

Le plancher de l'avion le frappa; son genou heurta un objet dur et pointu.

Une chaussure noire, sale et crottée.

Un coup de feu. Une balle mordit la jambe de son pantalon.

Pas le temps d'avoir peur.

Il se roula et frappa ses jambes.

D'autres coups de feu. Derrière lui. Au-dessus de lui.

Il dégagea son revolver.

Ne pas frapper le Pape.

Ou l'hôtesse.

Le sable sur le plancher égratigna sa main quand il se glissa de côté.

Des coups de feu.

Un des seins généreux se mit à gicler du sang. Rouge vif. Un test de Rorschach sur son chemisier blanc.

Des balles transpercèrent du métal. Un cri. Un cri de protestation. Des visages blancs, en état de choc.

La femme s'écrasa sur le plancher, une masse disgracieuse et molle de chair sanglante. Deux yeux bruns fixés pour l'éternité. Sa main échouée sur la sienne. Elle était encore chaude mais inhabitée par la vie.

Son Luger glissa sur le plancher en tournoyant.

Et le jeune homme à la veste sport avançait sur lui. Robuste. Furieux. Ne croyant pas encore ce qui se passait.

Revolver brandi, braqué.

Adroitement, le Pape étendit la jambe gauche.

L'homme trébucha. Tomba. S'écrasa sur le mur de l'avion. Une paire de commandos sautèrent sur lui immédiatement en le clouant au mur, désarmé.

Le colonel se releva.

— Merci infiniment, Monsieur.

Le Pape était imperturbable.

— Je ne peux nier en avoir retiré un certain plaisir.

* * *

Dans la cabine, le garde brandit son pistolet, le canon bondissant nerveusement d'un homme à l'autre.

— Ne bougez pas d'un seul pouce, jappa-t-il, grimaçant à chaque coup de feu qu'il entendait.

— Il semble y avoir tout un problème en bas, observa Mallory.

— Ferme ta gueule! Il était jeune — et soudainement très effrayé. Tout tournait au désastre. Ne bougez pas! ordonna-t-il encore une fois. Puis, en tremblant comme un enfant pris en flagrant délit, il courut vers le salon. Mallory le vit regarder en bas de l'escalier en spirale.

D'autres coups de feu. Des coups de pied.

Ce salaud est déconcerté, pensa Mallory, il ne sait plus quoi faire.

À ce moment-là, Nowakoski se leva de son siège. Il prit l'extincteur chimique suspendu au mur et vérifia la pression. Il approuva poliment. Puis, presque mécaniquement, il sortit de la cabine en portant l'extincteur avec soin, comme s'il transportait un vase précieux.

Quelques pas prudents plus loin, l'ingénieur dit:

— Hey, M'sieur!

Le pirate se retourna.

Nowakoski avait déjà lancé l'extincteur. Il frappa l'homme en plein visage. Il se replia comme une poupée de guenille lancée dans un coin. L'extincteur tomba, frappa le plancher et s'anima en giclant un produit chimique dans l'escalier. Nowakoski le rattrapa et le pointa vers le pirate; sonné, à demi noyé, l'homme ne pouvait qu'agiter les bras en faible protestation.

Mallory ramassa le revolver de l'homme.

— Bon travail, dit-il à Nowakoski.

Nowakoski sourit nerveusement et regarda le terroriste comme s'il ne croyait pas ce qu'il venait de faire.

* * *

La jeune femme était morte, ses compagnons neutralisés. Il n'y avait soudainement plus d'adversaires.

Le colonel jeta un regard dans la cabine. Aucun problème dans cette direction; un lot de citoyens terrifiés. Et plusieurs trous dans l'avion.

— Y a-t-il d'autres pirates à bord? demanda-t-il à l'hôtesse.

— De quoi parlez-vous? La jeune femme semblait hypnotisée. Vous êtes *qui*?

— Je suis un commando israélien.

— Israélien? Vous n'avez pas . . .

— Bien déguisé, dit le colonel. Je vous assure que nous sommes des Israéliens. Maintenant, dites-moi s'il y a d'autres pirates à bord de l'avion.

La jeune femme hocha la tête.

— En haut, je crois. Au moins un autre. Ses yeux retournèrent au corps de Fadia. Horrible, ensanglanté. Le Pape et un autre prêtre s'étaient agenouillés à ses côtés.

— Où?

— En haut. Dans la cabine de pilotage.

Le colonel regarda dans l'escalier. Étroit.

— Y a-t-il une autre façon de monter?

La jeune femme secoua la tête.

Le colonel fit signe à deux de ses hommes. Maudit escalier. Le comble de la vulnérabilité. Mais il n'avait pas d'autre choix. Il fallait y aller.

— Suivez-moi.

Au haut des marches, il anticipa, il ressentit presque la grêle de balles. Derrière lui, le son réconfortant des bottes de ses camarades.

Mais il n'y avait aucun coup de feu.

Un homme souriant, en uniforme de pilote, se tenait sur le palier.

— Bonjour, dit le colonel.

— Nous avons apprivoisé celui-ci. Le pilote montra un jeune homme en veste sport, écrasé contre un mur, à peine conscient. Trempé; la tête dégoulinante de sang et du contenu de l'extincteur.

En quelques instants, un trio de commandos s'était emparé du prisonnier.

— Je suis Mallory, le capitaine. J'espère que vous êtes de vrais Israéliens.

— Oui, oui... je suis le Colonel Gelner de l'armée israélienne. Il voulait rire de soulagement; il se contenta d'un sourire. Très bon travail. Y a-t-il d'autres de ces salauds à bord?

— Pas ici. Il n'y avait que celui-ci. Et il semble ne plus être de la partie. Comment vont les choses en bas? Nous avons entendu plusieurs coups de feu.

— Tout est terminé, répondit le colonel. Vous êtes en sécurité en Israël. Bon travail, Capitaine; brillant.

— Pas mal brillant vous aussi, dit Mallory en souriant. Vous avez l'air d'un vrai Arabe.

— J'ai failli tout gâcher, avoua le colonel, en indiquant son étoile de David. Mais j'ai eu de la chance. Puis il aperçut l'extraordinaire scène dans le salon. Des hommes nus s'affairaient entre eux, remettant leurs vêtements.

— Nous sommes du Service Secret, annonça l'un des hommes. Je suis Cousins. Est-ce que le Pape est sauf?

— Oui.

— Merci, mon Dieu. Des blessés?

— La fille est morte, je crois.

Mallory acquiesça.

— Dans les circonstances, je parie qu'elle est heureuse d'être morte.

— On s'en fout qu'elle soit heureuse ou non! Le colonel était ardent sur ce sujet. Une salope dangereuse et meurtrière, le monde est bien débarrassé.

— Mais des seins magnifiques, remarqua un autre homme en uniforme d'aviation, un gars robuste aux mains tremblantes, qui souriait puis grimaçait et souriait encore.

— Voici M. Nowakoski, notre ingénieur de vol, dit Mallory. Il est responsable de l'assaut à l'extincteur chimique.

— Bon travail, Monsieur.

L'ingénieur haussa les épaules.

— Un rien.

Il semblait souffrir d'un choc. Fort compréhensible.

Ils firent place aux commandos qui tirèrent le pirate trempé en bas de l'escalier.

Les agents du Service Secret ne semblaient pas comprendre ce qui s'était produit.

— Vous êtes un officier israélien, n'est-ce pas?

— Exact, Monsieur.

— Et nous sommes en Jordanie. Oui?

— Non. Nous sommes en Israël. Demandez plutôt au Capitaine Mallory. Il mérite toutes les félicitations.

Le colonel suivit les autres dans l'escalier. Il se sentait bien. Tout s'était passé plus facilement qu'il ne l'avait imaginé.

* * *

Squires regardait prudemment par-dessus le dossier de son siège.

La fusillade semblait terminée. Il y avait encore beaucoup d'agitation à l'avant de l'avion mais les fusils étaient silencieux. Quelqu'un avait donc gagné. Mais qui? Et maintenant, quoi? Il pouvait voir le Pape près de la porte ouverte, le vent soufflant dans ses robes blanches. Les autres prêtres semblaient sourire étrangement. L'un d'eux parlait même sur un ton très amical avec un des Palestiniens. On aurait dit une réunion d'anciens.

Puis un des soldats arabes bondit dans la cabine. En riant, il arracha son casque.

— Ça va, cria-t-il. Je suis Israélien! Il se montrait du doigt en riant. Je suis Israélien!

— Israélien? dit Squires. Vous êtes Israélien?

— Qu'est-ce qu'il dit? Mme Lefler était encore accroupie sur le plancher. Qu'est-ce qu'il dit?

Un autre passager demanda au soldat de se répéter.

L'homme semblait trouver la demande ridicule.

Squires demanda:

— Sommes-nous en Jordanie?

— Non. Pas en Jordanie. En Israël.

— Où est la Jordanie?

— Là. En souriant, le soldat pointa du doigt. Pas loin. Vous voulez y aller?

Squires secoua la tête. À travers la fenêtre, il voyait les canons et les hommes armés qui semblaient prêts à mitrailler d'un moment à l'autre.

Il remarqua aussi que la tempête semblait s'adoucir. Le vent avait perdu de sa férocité; il devinait des bâtiments un peu plus loin.

Un passager âgé parlait au soldat en hébreu. Les deux hommes riaient. Sauvagement.

L'homme âgé se tourna vers les autres passagers.

— Un tour! annonça-t-il, les mains ouvertes comme pour montrer qu'elles étaient vides. Ils ont déjoué les pirates! Nous sommes libres!

Libres? De quoi parlait ce vieux fou?

Une hôtesse revint de la cabine de pilotage. Elle souriait. Un sourire indéniable.

— Mon Dieu Seigneur, murmura Squires. Était-ce possible?

— Qu'est-ce qui se passe? Je ne vois rien. Pour l'amour de Dieu, qu'est-ce qui se passe? Roulée en une boule sur le plancher, entre les sièges, Mme Lefler piaillait ses questions, sa bouche rouge s'ouvrait et se refermait comme celle d'un oisillon affamé. Pourquoi ne me dites-vous pas ce qui se passe?

— Parce que je ne le sais pas! Squires regarda l'hôtesse. Elle souriait encore en parlant aux passagers. Mais je pense . . .

— Qu'est-ce que vous pensez? Quoi? Quoi?

— Je pense, dit Squires, que tout va bien.

À ce moment précis, un coup retentit.

Le soldat israélien tomba, un trou au front.

De l'autre côté de l'allée, le soûlard s'était levé. Soudainement, il n'était plus un idiot ivre. Il était alerte et vigoureux.

Il avait un revolver à la main, qui semblait être sorti de nulle part; il jaillissait de son poing, laid et anguleux.

Squires le fixait.

— Personne ne bouge ou je tire! cria l'homme.

Les têtes des passagers s'éloignèrent de lui.

— Qu'est-ce qui se passe maintenant? gémit Mme Lefler.

L'homme se retourna. Il la voyait, accroupie. Il pensait peut-être qu'elle cachait une arme. Il ne le lui demanda pas. Il tira sur elle, deux fois.

Les balles tranchèrent l'air à quelques pouces de Squires.

Mme Lefler émit un son rauque, puis elle devint silencieuse. Sa tête roula vers l'avant; son poing s'ouvrit lentement.

L'homme l'ignora. Il se dirigea vers la section de première classe en tenant son revolver et en balayant l'air. Les passagers et l'équipage se retirèrent, de nouveau terrifiés.

Squires regardait, la bouche ouverte. Ses yeux volaient de l'homme à Mme Lefler.

Il l'a tuée! Délibérément, sans pitié.

Il n'y croyait pas encore.

Il cligna des yeux. L'homme pointait son fusil vers le Pape, criant des ordres à ceux qui l'entouraient.

Maudit salaud!

La fureur propulsa Squires.

Le salaud! Il transportait cette arme pendant le vol — et il jouait au soûlard!

Et maintenant — le maudit — il arrachait la victoire aux vainqueurs, il écrasait les espoirs nouveaux de ces gens braves et innocents qui avaient vu tellement d'atrocités...

Sale brute! Après avoir massacré une pauvre femme sans défense comme Mme Lefler, il brandissait son fusil sur un doux vieillard qui n'avait jamais fait de mal à personne...

— Salaud! dit-il.

Il se mit à courir, rempli d'indignation, déterminé à régler les choses.

— Misérable enfant de chienne! criait-il en dévalant l'allée. Quel culot!

Cela ressemblait étrangement à une entrée en scène. Les têtes se tournèrent vers lui, les yeux remplis de reconnaissance.

L'homme le regarda. Il connaissait Squires.

Il n'hésita pas.

Squires vit l'éclair de feu sortir du fusil.

Il sentit un objet dans sa poitrine mais, pendant un étrange moment, il ne sentit rien. Mais tout s'était arrêté. Autour de lui, les visages se figèrent, des bras se tendirent.

— Enfant de chienne, essaya de dire Squires. Les mots ne se formèrent pas. Ils n'avaient de toute façon plus aucun sens. Ils ne servaient plus à rien. Une douceur l'enveloppa.

Il pensa aux commentaires ironiques de sa première épouse quand elle apprendrait qu'il avait été tué en essayant de sauver le Pape! Et Mme Lefler! Il la détestait! Mon Dieu Seigneur!

FIN. Il pouvait presque voir la scène, le visage de son épouse centré sur l'écran. Merde, il aurait aimé apparaître à l'émission de Johnny Carson et raconter son aventure à l'Amérique...

* * *

Le colonel était sur la dernière marche de l'escalier quand l'homme cria. Un instant plus tard, il le vit prendre le bras du Pape et le lancer sur le mur de l'avion, près de la porte d'entrée.

Une douzaine d'armes furent pointées vers l'homme. Mais personne ne tira, de peur de frapper le Pape. Le vieillard était penché gauchement vers l'arrière, le bras du terroriste autour de son cou.

— Si vous intervenez, je le tue. Compris?

Il avait un accent américain. New York. La quarantaine. Un révolutionnaire professionnel? Un mercenaire?

— Ne soyez pas stupide, lui dit le colonel. Vous êtes en Israël. Nous ne sommes pas des Arabes, nous sommes des commandos israéliens.

L'homme grimaça.

— Et vous êtes fiers de votre petit tour, n'est-ce pas? Il s'était glissé le long du mur, avec son otage, jusqu'à la porte d'entrée. Le corps de Fadia gisait à ses pieds. Il marcha dessus. Mais vous ne rirez pas les derniers, bande de cons! Il regarda à travers l'entrée. La tempête s'adoucissait rapidement. Au coin, des véhicules et des troupes étaient alignés le long d'un remblai. Les Jordaniens avaient étalé une unité armée le long de la frontière, entre Ramat Shamon et El Maghreb. Le colonel fixait le remblai, de plus en plus inquiet. Y aura-t-il une guerre?

— Et je vous annonce une nouvelle, jappa l'homme. J'ai assez d'explosifs autour du corps pour faire des bandes de papier d'aluminium avec cette baraque volante. Mettez vos fusils par terre. Tranquillement. Voilà. Maintenant, retournez dans la cabine. Les mains au-dessus de la tête, tout le monde.

Une femme cria, soudainement consciente du nouveau danger.

L'homme fit un signe avec son fusil.

— Reculez. Ramenez vos petits derrières dans la cabine ou votre prochain voyage sera au cimetière!

Il était robuste, avec des joues rouges. Une carrure puissante. Il portait une veste sport, une chemise blanche et une cravate à pois.

— Vous, vous et vous. Il pointa; son fusil était comme un doigt. Venez ici!

Le colonel voulut protester.

— Épargnez les passagers...

L'homme tira deux coups. Le premier disparut à travers la chair de l'avion; le deuxième franchit l'allée et fit craquer des pièces de métal.

D'autres cris.

— Maintenant! Plus vite!

Deux hommes, deux femmes, épuisés, terrifiés, se dirigèrent gauchement vers le nez de l'avion. Le terroriste les força à former un écran protecteur autour de lui.

Il pointa le colonel.

— Dites à vos hommes de s'éloigner de l'avion. S'ils ne bougent pas dans une minute, je tire un des passagers.

— Ils sont innocents...

— Alors, ne les faites pas mourir.

Sans espoir. Pas d'autre choix. Le salaud était capable de tuer n'importe qui.

— Là-bas, indiqua le pirate. Près du hangar.

Le colonel obéit. Le hangar était complètement visible maintenant. La tempête s'était arrêtée, à la façon si soudaine et imprévisible d'un simoun. Le sable s'amusait autour des pieds des soldats, enjoué, comme s'il voulait montrer qu'il n'avait jamais voulu leur faire de mal.

— Laissez un camion. Et un conducteur. Puis il se tourna vers Mallory. Trouvez-moi un mégaphone.

— Un mégaphone? Nous n'avons...

Le visage de l'homme se tordit de colère.

— Ne m'emmerde pas! Tu n'as pas affaire à un amateur! Tous les avions américains sont équipés de mégaphones en cas d'urgence. Vous aussi. Alors, allez m'en chercher un, Jésus-Christ!

Mallory fit signe à Dee.

— Va lui en chercher un.

Le soleil réapparut; il brillait sur les ailes du 747. On pouvait voir toute la base aérienne. Un endroit désert et venteux.

Les commandos se retirèrent, les yeux encore rivés sur l'avion.

— Plus vite! Plus vite, bande de salauds!

Le colonel transmit l'ordre.

L'homme poussa le Pape dans l'entrée de la porte.

— Restez là et ne bougez pas pour que tout le monde vous voie. Le canon de son fusil défila devant les visages livides et tendus. Il prit le mégaphone qu'on lui tendait. Très bien. Écoutez, tous. Dans une minute, je vais descendre de l'avion et j'amène cet homme avec moi. Et ces passagers. Nous allons monter dans le camion et démarrer. N'oubliez pas que j'ai assez d'explosifs pour tout faire sauter; alors ne tentez rien ou j'agirai. Compris? Vous — il pointa le colonel — dites ça à vos hommes dans leur langue. Attrapez!

Il lui lança le mégaphone.

— Parlez!

Le colonel hésita. Se précipiter sur l'homme? Tout risquer sur une soudaine poussée de gestes? Non; l'homme avait prévu cela: les passagers autour de lui. Ce serait impossible de l'attraper sans les frapper tous . . . et les explosifs.

Le colonel acquiesça gauchement. Il prit le mégaphone.

— Reculez vers le hangar, ordonna-t-il à ses hommes. Le pirate va descendre de l'avion. Il a pris le Pape et a des explosifs autour du corps. Il va se diriger vers la frontière jordanienne. N'essayez pas de l'arrêter à moins que je ne vous l'ordonne. C'est tout.

La frontière jordanienne. Diable, une courte distance. Si facile de monter dans ce camion . . . Les yeux du colonel se plissèrent. La frontière apparaissait de plus en plus clairement. Il y avait là de l'agitation — menaçante. Des hommes. Des véhicules. Un comité d'accueil pour le héros et son trophée.

Le désespoir pesait lourdement dans ses entrailles. Il avait échoué, totalement, misérablement, au moment où le succès semblait si près . . .

C'était de sa faute. Il était à blâmer. Il aurait dû deviner que les pirates auraient dissimulé un autre homme parmi les passagers. Il aurait dû s'y préparer. Il aurait pu tirer sur ce salaud immédiatement. Incompétence inexcusable!

Gauches, terrifiés, les passagers trébuchèrent sur le toit du camion, plissant les yeux dans le soleil soudain, tremblant sur la surface métallique, se tenant les uns aux autres pour ne pas tomber.

L'homme poussa le Pape avec son fusil.

— À ton tour, Jésus.

— Je suis infiniment désolé, balbutia le colonel.

— Ne vous blâmez pas, mon fils.

— Avance, pour l'amour du Christ.

Le Pape avança. Les passagers sur le toit du camion l'aidèrent à descendre.

Le pirate sauta au même moment, en reprenant rapidement son équilibre pour surveiller le colonel.

Faites ronfler les moteurs! Le colonel priait silencieusement le conducteur du camion. Un mouvement soudain ferait tomber tout le monde du toit. Il pourrait peut-être . . .

Trop tard. La triste petite assemblée descendait déjà du camion. L'homme ordonna aux passagers de monter derrière le camion; le Pape et son ravisseur montèrent à l'avant.

Le moteur tourna. Avec un grognement, le camion se mit en mouvement, ses roues glissant sur le sable.

Puis il augmenta sa vitesse et roula sur la piste en laissant un nuage de poussière derrière lui.

Un camion se détacha du hangar et s'approcha de l'avion.

Ils se réunirent tous autour du colonel en parlant, en pointant, en priant; certains étaient soulagés momentanément; un prêtre pleurait; il secouait la tête en regardant le camion s'éloigner.

— Enfant de chienne, maugréa Mallory. Je pensais que nous les avions pris.

— Vous avez fait du bon travail, dit le colonel. Nous avons échoué.

— Merde non, pas vous. Je suis à blâmer. Je savais qu'il y en avait au moins un autre . . .

— Il vaut mieux faire descendre les passagers aussi vite que possible. Dieu sait si ce salaud a laissé des explosifs à bord. D'accord, Capitaine?

— Quoi? Oui, oui, bien sûr. Bonne idée.

Le premier camion freina à côté du 747. Des commandos en

sortirent, leurs armes brandies. La plupart s'étaient déjà débarrassés de leurs casques palestiniens.

— Vos ordres, Monsieur?

Le colonel se mordit la lèvre. Il aurait voulu en avoir à donner.

On aurait dit que la tempête n'avait jamais existé. Le soleil éclatait dans un ciel sans nuage. Il créait un ombrage autour du camion, une ombre qui s'étirait et se refoulait à mesure que le camion avançait sur le sable ondulé.

Non seulement ont-ils pris le Pape, pensa le colonel, mais ils reprennent aussi leur maudit camion.

Mais le reprendraient-ils vraiment? Il fixa au loin.

— Qui a une lunette d'approche?

Quelqu'un lui tendit une paire de jumelles.

— Le salaud est pris.

Bien pris. Il avait tenté de se rendre à la frontière à travers le sable.

Il s'était enfoncé dans le sable profond. Ses roues tournaient dans le vide, provoquant des explosions de poussière et de sable.

Si près — mais si loin! Le camion s'était enfoncé jusqu'à l'essieu arrière. Et les révolutions frénétiques du moteur aggravaient la situation.

Le pirate sortit du camion. Furieux, il ordonna à ses passagers de descendre. Il les força à pousser le camion. Mais c'était sans espoir.

Le colonel fixa la frontière avec ses jumelles. Il voyait des véhicules blindés et des hommes en casques de métal. Il avala. L'armée jordanienne! En position, en attente.

Dieu, c'était enrageant! Il ne pouvait rien faire sauf regarder!

— Il y va à pied!

La cérémonie eut lieu sur le sable. Le pirate et le Pape marchant à reculons, vers la frontière; les autres retournant vers l'avion.

— Je crois que nous pourrions le descendre d'ici, Monsieur.

Le colonel secoua la tête.

Non, la mince silhouette du Pape était trop près; d'ailleurs, il y avait ce maudit *plastic* autour de la taille du terroriste.

Il regarda les deux hommes trébucher dans le sable. La frontière semblait si proche; il aurait presque pu étendre la main et y toucher...

— Colonel, nous ne pouvons pas le laisser s'échapper!

Des voix angoissées, peinées.

— Et que diable suggérez-vous?

— Je ne sais... tout serait mieux que simplement *regarder!*

Les visages semblèrent se submerger comme s'ils étaient dans de l'eau profonde.

— Ils sont presque arrivés!

Encore quelques pas; au bas de la pente qui définissait la frontière. L'oued arabe. Un essaim de cameramen qui enregistrait tout pour la postérité.

Ils n'étaient maintenant plus visibles.

C'était presque un soulagement.

On voyait des Jordaniens sur le remblai de l'autre côté de l'oued, immobiles, en attente.

Le colonel rabaissa ses jumelles.

Ses hommes attendaient encore ses ordres. Mais il n'en avait pas à donner. La défaite totale. En dépit de l'effort, de l'initiative, du courage, du sang...

Qu'ils soient maudits.

Maudits, maudits, maudits...

Un seul coup de feu.

Il fit éclater l'air en mille miettes, rebondit sur le sable, résonna dans les hangars délabrés de l'autre côté de la base.

— Merde, qu'est-ce...

Toutes les têtes se tournèrent.

Le coup venait de la frontière.

— Mon Dieu, dit quelqu'un, presque avec révérence.

Un autre coup, clair, incisif.

Le colonel israélien gela sur place. Salaud! Il fixait la scène comme un touriste. En faisant signe aux commandos qui l'entouraient, il s'élança vers un des camions. Il sauta sur le marchepied.

— Vas-y maintenant!

Pas de temps pour voir si les autres hommes étaient montés

dans le camion. Il démarrait déjà. Mais le conducteur utilisa trop de puissance. Le camion glissa sur le sable, comme un serpent qui essayait de faire tomber le colonel.

— Pour l'amour du Christ...

— Mes excuses, Colonel.

Les pneus s'agrippèrent enfin au sable. Après une dernière convulsion, le camion accéléra.

— Par là! Aussi vite que possible!

Le colonel pointait vers le camion inerte, à mi-chemin de la frontière. Éparpillés autour, des passagers déroutés, effrayés, des otages abandonnés. Pauvres eux, ils ne savaient pas ce qui se passait.

Et qui le savait?

Il s'agrippa au camion quand il quitta la piste pour le sable. Pendant un moment d'agonie, sa botte glissa du marchepied et frappa le sol. Moment presque fatal.

Le camion dépassa les otages, ignorant leurs regards suppliants. Pas le temps de s'inquiéter d'eux.

D'autres coups de feu? Le sable annula la traction des pneus; le camion fit enfin un arrêt grinchant.

À ce moment-là, la silhouette apparut au haut de la pente.

Un homme âgé, en robes blanches.

Seul.

Le colonel le fixait. Dieu Tout-Puissant, était-ce le Pape qui avait *tiré?* Non; il n'en était absolument pas question!

Il sauta du marchepied. En criant.

— Ça va, Monsieur?

Il essayait d'avancer rapidement, mais le sable l'entravait; il trébucha et tomba.

— Êtes-vous blessé, jeune homme? Il y avait une peine réelle dans la voix mince.

Le colonel se releva et s'épousseta en secouant la tête.

— Ça va très bien, Monsieur. Et vous?

— Je suis en un morceau, répliqua le Pape.

Il était pâle de chaleur et de fatigue mais il ne portait aucun signe de blessure.

— Dieu merci. Nous avons pensé que...

Un commando accourut, trébuchant derrière le colonel. Un

garçon au visage frais, dégoulinant de sueur. Il pointa quelque chose du doigt.

— Regardez, regardez, Monsieur. Que pensez-vous de ça?

La frontière était à moins de cent mètres. Dieu seul savait combien il y avait de troupes jordaniennes en position, prêtes à tirer. Une demi-douzaine d'hommes plaçait le corps du terroriste dans un camion.

Un officier jordanien, la main sur son pistolet, les regardait. Il se tourna vers le colonel et le Pape, se mit à l'attention et salua.

L'Israélien retourna le salut et garda la position . . . complètement décontenancé.

Ils se fixaient, la bouche ouverte. Des portes de camion claquaient; des moteurs démarraient. Des troupes montèrent. Des chars d'assaut et d'autres véhicules blindés quittèrent leur position. En quelques instants, tout se mit en mouvement: le roulement des véhicules, le changement de position. La poussière éclaboussait comme une explosion. Le grondement des véhicules était assourdissant. Tonnerre mécanique. Le désert tremblait sous le fer et le caoutchouc du convoi jordanien.

Il n'y eut soudain plus qu'un voile de poussière et le grondement faible de moteurs au loin.

Le colonel secoua la tête.

— Je ne comprends pas. Qu'est-ce . . .

Le Pape réfléchit.

— Je ne peux que présumer que le gouvernement jordanien déteste ce genre de terrorisme autant que vous. Mon ravisseur fut tué dès qu'il mit le pied sur le sol jordanien.

— Mais les explosifs . . .

— L'officier jordanien était un excellent tireur et surprit l'homme dans un moment d'inattention. Il s'attendait à un allié mais il rencontra son bourreau. Je crois qu'il était mort avant même de tomber. L'officier s'en est quand même assuré avec un deuxième coup. Mais après examen, on trouva des explosifs sur le corps de l'homme. Il essuya son front avec un mouchoir et prit une grande respiration dans l'air sec. Dites-moi, jeune homme, maintenant que tout est fini, y a-t-il une raison pour que je ne continue pas mon voyage? Pouvez-vous me dire combien de temps durera le vol d'ici à San Francisco?

* * *

Un grand branle-bas à Tel-Aviv. Des foules emplissaient les rues, pour fêter les commandos, les passagers et l'équipage du 747. Un jour de joie! Une victoire à célébrer, des héros à fêter!

Toutes les agences de presse du monde réclamaient des renseignements. Comment avaient-ils déjoué Black September? Qui était responsable? Le Pape était-il blessé? Quel prix avait-on demandé pour sa libération? Combien de victimes? Le nom de l'acteur qui avait été tué? Qui étaient les pirates? Est-il vrai qu'au moins un d'eux avait été impliqué dans le massacre olympique de Munich?

Au troisième étage du Tel-Aviv Hilton, un homme robuste, en costume d'homme d'affaires, se tenait à la fenêtre et regardait l'arrivée de l'équipage. Il observa l'enthousiasme déchaîné de la foule, les drapeaux israéliens et américains, les bras étendus, les visages couronnés de sourires.

Mais l'homme ne souriait pas.

En bas, les policiers tranchaient une avenue dans la foule pour permettre à l'équipage d'entrer dans l'hôtel.

L'homme prit une grande respiration. En tant que représentant du Département d'État des États-Unis, il remplisssit de temps à autre des missions pénibles. Celle-ci était sûrement la pire.

— Ils montent directement ici?

— Oui, Monsieur.

— Je veux voir le Capitaine Mallory ici . . . et seul!

— Je sais, Monsieur. Tout a été prévu.

— Merci.

Il s'assit et ferma les yeux. Encore quelques instants. Comment disait-on ce genre de choses? Surtout à un homme qui venait de fournir un effort aussi brillant, qui venait de sauver des centaines de vies et qui avait probablement évité une confrontation explosive au Moyen-Orient . . .

Comment réagira-t-il?

Sera-t-il enragé par le *mensonge* transmis à l'avion? Sera-t-il furieux? Ou pleurera-t-il simplement?

Le dossier ne disait-il pas que son épouse était décédée récemment?

Que fallait-il pour faire craquer un homme?

Il entendit les pas à l'extérieur, les voix animées, l'allégresse.

La sueur s'accumulait autour de son col...

Il mouilla ses lèvres...

La porte s'ouvrit. Le visage de son assistant apparut.

— Le Capitaine Mallory, Monsieur.

Collection «Bien lu partout»

La collection *«Bien lu partout»* a été mise en marché au mois de septembre 1979. Cette première production de six volumes a été réalisée par la Librairie Beauchemin Limitée, avec l'aide d'une équipe de traducteurs hors pair et de consultants efficaces selon des principes de mise en marché dynamique, pour donner à ses lecteurs un produit de qualité supérieure.

Composée de produits tout spécialement recherchés aux États-Unis et au Canada anglais, cette collection où s'inscrivent des suspenses, des biographies et des romans à la portée de tous, a été conçue et est dirigée par Robert Savignac.

Dans la collection:

— Pour la sécurité de l'état, Ian Adams. (Roman)
End Game in Paris, traduit de l'anglais par Lise Larocque-DiVirgilio.

— Cible: Le Pape, Barry Schiff and Hal Fishman. (Roman)
Vatican Target, traduit de l'américain par Jean Clouâtre.

— L'Infirmière, Peggy Anderson. (Biographie)
Nurse, traduit de l'américain par Micheline Bélanger-Leuzy.

— Si la vie est un jardin de roses, qu'est-ce que je fais dans les patates? Erma Bombeck. (Biographie)
If Life Is a Bowl of Cherries — What Am I doing in the Pits? traduit de l'américain par Daniel Séguin.

— Désastre, Christopher Hyde. (Roman)
The Wave, traduit de l'anglais par Jacques de Roussan.

— Ne tirez pas sur le dentiste, David Rogers. (Roman)
The In-Laws, traduit de l'américain par Jean-Michel Wyl.

Recherche des produits à l'étranger par André Préfontaine.

Imprimé au Canada

Printed in Canada